Cowboys, Gott und Coca-Cola

Sylvia Englert, geboren 1970, hat Amerikanistik studiert und ist Autorin zahlreicher Sach- und Jugendbücher. Bei Campus sind von ihr *Ein Schuljahr im Ausland* und *Café Andromeda. Eine fantastische Reise durch die moderne Physik* erschienen. Ihr Buch *Wörterwerkstatt* wurde für den Deutschen Jugendliteraturpreis nominiert. *www.sylvia-englert.de*

Friedhelm Maria Leistner, geboren 1964, hat Kommunikationsdesign studiert, lebte einige Zeit in New York und arbeitet heute in Berlin als freier Illustrator und Konzeptionist, unter anderem für Jugendbücher. Er bezeichnet sich selbst als »Bildermacher«. *www.der-Zeichner.de*

Cowboys, Gott und Coca-Cola

Die Geschichte der USA
erzählt von Sylvia Englert

Mit Illustrationen von
Friedhelm Maria Leistner

Campus Verlag
Frankfurt/New York

Bibliografische Information der Deutschen Bibliothek
Die Deutsche Bibliothek verzeichnet diese Publikation in der Deutschen Nationalbibliografie. Detaillierte bibliografische Daten sind im Internet über http://dnb.ddb.de abrufbar.
ISBN 3-593-37402-1

Umschlaggestaltung: Guido Klütsch, Köln
Satz: Fotosatz L. Huhn, Maintal-Bischofsheim
Karten: Peter Palm, Berlin
Druck und Bindung: Druckhaus Beltz, Hemsbach
Gedruckt auf säurefreiem und chlorfrei gebleichtem Papier.
Printed in Germany

Besuchen Sie uns im Internet: www.campus.de

Für Rita Steininger
und Helga Gruschka –
zwei wunderbare Menschen!

Inhaltsverzeichnis

Teil II Go West

Teil III Die Weltmacht

Teil IV Die USA heute

Vorwort

Flug 215 setzt in Phoenix, Arizona auf, und der Captain haut den Gegenschub rein. »Please stay seated«, empfiehlt eine freundliche Stimme. Schließlich kann ich mich aus meinem Sitz winden und mache mich mit dem Rucksack über der Schulter auf den Weg zur Kofferausgabe. Todmüde stehe ich in der endlosen Schlange vor den Beamten der Zoll- und Einreisekontrolle, und wieder mischt sich in mir gespannte Erwartung mit einem eigenartigen Gefühl des Heimkommens. Es tut gut, mal wieder den Stimmen mit breitem Südstaaten-Slang zu lauschen, mit New Yorker Tonfall oder Ostküsten-Akzent. Ich mag Amerika, mag es noch immer. Trotz allem.

In meiner Kindheit ist Amerika für mich das Land, in dem meine Tante lebt, im fernen Arizona, dort, wo der Himmel weit ist und man besser nicht wandern geht, weil einen sonst giftige Schlangen beißen. Später ist es dann das Land, in dem zahllose Filme und Fernsehserien spielen, in dem Bud mit Flipper schwimmt und Lassie mal wieder jemanden rettet. In dem das Leben an der High School viel interessanter scheint als in meinem Gymnasium daheim.

Mit elf stehe ich staunend vor den gigantischen Raketen des Kennedy Space Center, lerne mehr schlecht als recht das Angeln an einem Steg in North Carolina, schwitze in der Wüste von Arizona und jage mit den anderen Kindern der Nachbarschaft Glühwürmchen in den Kiefernwäldern von Georgia. Die Verständigung ist kein Problem, längst lese ich englische Bücher, denn meine Mutter hat mich fast schon zweisprachig erzogen. Lange ist Englisch für mich ein bisschen »meine Geheimsprache«, es gehört irgendwie mir – bis ich enttäuscht feststellen muss, dass es auch in Deutschland eine ganze Menge anderer Leute können.

Als ich mich später frage, was ich eigentlich studieren möchte, bleibe ich schon bei »A« wie Amerikanistik hängen. Darauf habe ich Lust. Ich ärgere mich sowieso darüber, dass ich bisher fast alles, was ich über die Geschichte der USA wusste, aus

Romanen, Film und Fernsehen erfahren habe. In der Schule waren die USA kein Thema, wie auch umgekehrt Deutschland in amerikanischen Lehrplänen kaum vorkommt. An der Universität erfahre ich eine Menge über die Vereinigten Staaten, ihre Geschichte, Literatur und Kultur. Und ich kehre oft in die USA zurück – um Urlaub zu machen, um dort zu arbeiten, zu lernen oder meine Schwester zu besuchen, die an den Hängen der Rocky Mountains in Oregon lebt.

Dieses Buch erzählt von der turbulenten Kindheit, Jugend und Erwachsenenzeit dieses Landes, das so unterschiedliche Gefühle in uns weckt. Einerseits faszinierend, aber auch fremd und unverständlich, sogar abstoßend: Egal wie wir über die USA denken, sie haben zweifellos großen Einfluss auf Deutschland und die Welt. Die Geschichte der Vereinigten Staaten mag vergleichsweise kurz erscheinen, doch in den 400 Jahren, seit englische Kolonisten ihre erste Siedlung auf amerikanischem Boden gründeten, ist enorm viel passiert: Goldrausch. Sklaverei. Bürgerkrieg. Al Capone. Pearl Harbor. Die Atombombe. Wettlauf zum Mond. Der Kampf um Berlin. Martin Luther King. John F. Kennedy. Vietnam. Watergate. 11. September. Diese Stichworte lassen ahnen: Hier gibt es spannende Geschichten zu entdecken. Warum leben heute keine Wikinger auf dem amerikanischen Kontinent, obwohl sie das Land vor Kolumbus entdeckt haben? Warum heißt New York heute nicht mehr »Nieuw Amsterdam«? Wie haben die USA ein Drittel ihres heutigen Staatsgebiets von Napoleon gekauft? Wie war das mit den Cowboys und Indianern wirklich? Wie erging es den vielen deutschen (und irischen, und italienischen, und russischen ...) Einwanderern in den USA? Wie war es, als die Welt während der Kubakrise am Rand des Dritten Weltkrieges stand? Dies und vieles mehr beantwortet dieses Buch. Immer wieder kommen dabei Menschen zu Wort, die die jeweilige Zeit selbst miterlebt haben und davon erzählen.

Viel Spaß beim Entdecken!
Sylvia Englert

PS: Die Zeitangaben am Anfang jedes Kapitels beziehen sich hauptsächlich auf den Zeitraum, der in dem Kapitel geschildert wird, und sind nicht automatisch identisch mit der jeweiligen Epoche! Beispiel Bürgerkrieg: Im Kapitel schildere ich die Entwicklungen von 1850–1870, der Krieg selbst dauerte aber nur von 1861–1865.

Teil I

Die Kolonie

Kapitel 1

Die Neue Welt

(30 000 vor Chr. – 1550 n. Chr.)

Amerika wird während der letzten Eiszeit besiedelt und dann gleich mehrmals von Europa aus entdeckt. Immer sind diese Pioniere auf der Suche nach einer neuen Welt – doch da sie sehr verschiedene Erwartungen mitbringen, reagieren sie auch ganz unterschiedlich auf das, was sie vorfinden. Die Spanier, die große Teile Süd- und Mittelamerikas erobern, sind vom Norden des Kontinents enttäuscht. Dennoch prägt ihre Kultur große Teile der heutigen USA.

Kaum etwas fasziniert uns Menschen mehr als die Möglichkeit, einen neuen Anfang zu machen. Besonders, wenn es uns schlecht geht, träumen wir davon, alles Alte hinter uns zu lassen und an einem anderen, vermeintlich besseren Ort noch einmal ganz von vorn anzufangen. Für viele Generationen von Menschen in Europa, auch in Deutschland, war und ist Amerika dieser Ort des Neuanfangs. Immer wieder wurde der riesige, lange Zeit geheimnisvolle und unerforschte Doppelkontinent von verschiedenen Gruppen von Menschen neu entdeckt und besiedelt. All diese Menschen glaubten, hier eine neue, die bessere Welt gefunden zu haben, in der sie ihre Lebensträume verwirklichen könnten. Noch immer klingt das Wort »Amerika« für uns nach Aufbruch und Freiheit. Besonders oft denken wir dabei an die Vereinigten Staaten von Amerika, die in der Mitte des nordamerikanischen Kontinents liegen. Die Menschen, die sich in diesem Land niederlassen, sprechen bald vom »Land der unbegrenzten Möglichkeiten«. Dieser Mythos ist in den USA bis heute lebendig.

Steinzeitjäger und Wikinger

Die ersten Entdecker der Neuen Welt sind asiatische Nomaden. Wahrscheinlich treibt sie die Hoffnung, neue, reiche Jagdgründe zu entdecken und Nahrung für ihre Familien zu finden. Ihre Chance kommt, als die Beringstraße, die schmale Meerenge zwischen Sibirien und Alaska, während der letzten Eiszeit zufriert. Über diese Brücke können die Nomaden hinüberwandern in das fremde, weite Land. Das war vor 30 000 oder 17 000 Jahren – über diese Daten streiten sich die Wissenschaftler bis heute. Wahrscheinlich staunen die Nomaden über die zottigen Bisons und Säbelzahntiger, die sie vorfinden. Sie sind gute Jäger und bringen mit ihren Speeren selbst Mammuts zu Fall.

Anscheinend gefällt den Neuankömmlingen das, was sie vorfinden, denn in den nächsten Jahrtausenden wandern sie über 15 000 Kilometer bis an die äußerste Spitze Südamerikas. Auf dem langen Weg nach Süden entstehen Hunderte von Völkern und Stämmen mit den unterschiedlichsten Kulturen, von den Eskimos in Kanada bis zu den Blasrohrjägern im Regenwald des Amazonas. Über 500 Sprachen werden im Laufe der Jahrtausende auf den amerikanischen Kontinenten gesprochen. Es entwickeln sich Dutzende von verschiedenen Hochkulturen mit riesigen Städten, Tempeln und Palästen, darunter das Reich der Inka im Andenhochland des heutigen Peru, die Kultur der Maya in den Urwäldern Mittelamerikas und der Staat der Azteken auf der vulkanischen Hochebene im heutigen Mexiko. Historiker schätzen, dass 68 Millionen Menschen in Nord- und Südamerika leben, als die Spanier dort Ende des 15. Jahrhunderts an Land gehen.

Das Gebiet der heutigen Vereinigten Staaten von Amerika ist damals noch dünn besiedelt: Hier leben nur rund vier Millionen Menschen, zersplittert in eine Vielzahl kleiner, miteinander verfeindeter Reiche und Stämme. In den USA finden sich überall Spuren dieser frühesten Kulturen. Vom Ohio-Tal im Nordosten bis hinunter zum Mississippi erheben sich an vielen Stellen eigenartige kuppelförmige Grab- und Tempelhügel, *Mounds* genannt. In vielen hat man uralte Skelette und Grabbeigaben wie Schmuck und Gefäße gefunden. »Die Schädel waren so spröde, dass sie meistens bei Berührung zerbröselten«, berichtet der spätere Präsident Thomas Jefferson, der sich auch als Hobby-Archäologe betätigte.

Heute weiß man, dass diese Spuren von drei alten Zivilisationen stammen, die Adena-, Hopewell- und Mississippi-Kultur genannt werden. Sie errichten diese Bauwerke zwischen 800 vor Christus und 500 nach Christus. Diese frühen Amerikaner pflanzen Mais an, töpfern und behängen sich mit Schmuck aus Kupfer und Flussperlen. Im Südwesten, dem heutigen US-Bundesstaat New Mexico, erbauen währenddessen die Vorfahren der Pueblo-Indianer Klippenpaläste, die sich wie Schwalbennester in Felswände schmiegen. Soviel man weiß, sind die Menschen, die hier wohnen, hervorragende Kletterer: Schon die Kinder lernen, steile Felswände spielend zu bewältigen.

Europäische Seefahrer werden erst lange nach dieser ersten Besiedlung auf den amerikanischen Kontinent aufmerksam. Eine wichtige Rolle spielt dabei der Wikinger Erik der Rote, ein stolzer und streitsüchtiger rothaariger Mann, der im Jahr 982 in Island geächtet wird und die Insel verlassen muss. Er hätte einen Neuanfang irgendwo in Europa wagen können, doch er ist kein Mensch, der sich leicht einfügt. Deshalb setzt er seine Hoffnungen auf das geheimnisvolle Land im Westen, das andere Seefahrer schon von weitem gesichtet haben. Dort kann er sein eigener Herr sein, vielleicht sogar Herrscher über eine ganze Siedlung, in der seine Gesetze gelten.

Im Jahr 982 bricht er auf in die Neue Welt. Was er findet, ist eine unwirtliche Eiswüste. Immerhin gibt es an der Westküste auch eine Wiesenlandschaft, die halbwegs bewohnbar wirkt. Erik gibt seinem Fund den vielversprechend klingenden Namen »Grünland« (Grönland) – eine reine Werbemaßnahme. Er will leichter Leute dafür gewinnen, mit ihm in das jungfräuliche Gebiet zu kommen. Mit 25 Schiffen kehrt er ein paar Jahre später zurück, um sich dort anzusiedeln.

Sein Sohn Leif Erikson wagt sich um das Jahr 1001 noch weiter nach Westen vor und lässt sich in einer Gegend nieder, die er »Vinland« nennt. Man vermutet, dass Spuren, die man bei L'Anse aux Meadows in Neufundland entdeckt hat, Reste seiner Siedlung sind. Neufundland ist eine Insel, die zum amerikanischen Kontinent gehört, also kann man behaupten, dass die Wikinger die ersten Europäer in Amerika waren. Doch mit ihrer aggressiven Art machen sie sich dort schnell unbeliebt: Sie greifen die Ureinwohner, die sie »Skrälinger« nennen, bei der ersten Begegnung sofort an und müssen deshalb später viele blutige Kämpfe mit ihnen ausfechten.

Sogar der Name des ersten europäischstämmigen Amerikaners ist überliefert: Snorri heißt das erste Wikingerkind, das in Vinland geboren wird. Warum leben heute keine Nachkommen der Wikinger in Amerika? Man weiß es nicht. 500 Jahre nach Eriks Entdeckung scheitern die Siedlungen in Grönland und Vinland, in denen vorher bis zu 4 000 Menschen gelebt haben, aus unbekannten Gründen. Die Wikinger verschwinden aus der Neuen Welt, und nur isländische Sagen, alte Karten und Ruinen berichten von ihren Taten.

Entdeckergeist und Missverständnisse

Wenn heute von der »Entdeckung Amerikas« die Rede ist, dann wird meist im gleichen Atemzug ein anderer Name genannt: Christoph Kolumbus. Geboren wird Kolumbus 1451 in der Seefahrerstadt Genua in Italien als Sohn eines Wollhändlers. Mangels Schulbildung bringt sich der große Mann – auch er rothaarig – selbst Navigation und Latein bei. Besonders begeistern ihn die Theorien des italienischen Astronomen Paolo dal Pozzo Toscanelli (1397–1482), der bewiesen hat, dass die Erde eine Kugel ist – für viele Menschen damals eine spektakuläre Vorstellung. Schon als junger Mann setzt es sich Kolumbus in den Kopf, einen einfachen Seeweg nach Asien zu finden. Von dorther kommen auf dem Landweg teure Luxusgüter wie Gewürze und Seide nach Europa. Wenn die Erde rund ist, dann muss man ja einfach nach Westen segeln, um im Osten anzukommen!

Zuerst wendet sich Kolumbus an die Portugiesen, die damals die wichtigste Seefahrernation sind und in Afrika viele Handelsniederlassungen haben, doch die wollen von seiner Idee nichts wissen. Nach jahrelanger Überzeugungsarbeit schafft es Kolumbus schließlich, das spanische Königspaar Isabella und Ferdinand II. für seinen Plan zu gewinnen. Mit den drei klapprigen Schiffen *Santa María*, *Pinta* und *Niña* bricht er am 3. August 1492 zu einer Reise ins Ungewisse auf und sichtet am 12. Oktober 1492 nach über zwei Monaten Land. Er landet an einer Insel, die die Einheimischen »Guanahani« nennen – vermutlich San Salvador, eine der heutigen Bahamas-Inseln. Auf drei weiteren Reisen entdeckt er unter anderem Jamaika, Kuba, Haiti und das südamerikanische Festland. Doch er hat nicht die entfernteste Ahnung, was er wirklich entdeckt hat und ist bis zu seinem Tod im Jahr 1506 fest überzeugt, einen Teil Asiens gefunden zu haben. An seinen Irrtum erinnert noch heute die Bezeichnung »Indianer« für die Ureinwohner des Kontinents, obwohl diese mit Indien rein gar nichts zu tun haben.

Als Christoph Kolumbus, den die Spanier Cristobal Colón nennen, mit seinen Neuigkeiten nach Spanien zurückkehrt, sind Ferdinand und Isabella hoch erfreut und beanspruchen alle entdeckten Gebiete für Spanien. Für sie bedeutet die Neue Welt die Hoffnung auf ungeahnte Schätze. Mit einer Reihe von Verträgen mit Portugal sichern sie sich den größten Teil der Neuen Welt.

Dass der neue Kontinent nicht etwa »Kolumbien« getauft, sondern nach Amerigo Vespucci (1451–1512) »Amerika« benannt wird, ist übrigens ein Missverständnis. Vespucci, ein italienischer Geschäftsmann und Seefahrer, reist etwa sieben Jahre nach Kolumbus auch in die Neue Welt, doch im Bericht eines Mitreisenden wird er als Entdecker des amerikanischen Kontinents gerühmt. Ausgerechnet dieses zweifelhafte Werk liest Martin Waldseemüller, ein junger deutscher Kartenzeichner, der gerade eine Weltkarte überarbeitet. Beeindruckt schreibt er neben den Umriss des neuen Kontinents »America«. Als die ersten kritischen Fragen über Vespuccis Verdienste gestellt werden, hat sich der Name schon eingebürgert.

Kolumbus ist zu seiner Zeit nicht der einzige Entdecker des neuen Kontinents. Vermutlich segeln schon lange vor 1492 englische Fischerboote bis an die Nordostküste Amerikas, um dort Kabeljau aus dem Wasser zu ziehen. Doch sie halten ihre Entdeckung geheim, wahrscheinlich aus Angst, dass ihnen jemand in den fischreichen Gewässern Konkurrenz machen könnte. Als offizieller Entdecker des nordamerikanischen Kontinents gilt der Venezianer Giovanni Caboto (1450–1499) oder John Cabot, wie ihn die Engländer nennen, der im Auftrag des englischen Königs Heinrich VII unterwegs ist und 1497 in Neufundland vor Anker geht. Doch die englische Krone ist so sehr in den Streit mit Frankreich und in innenpolitische Konflikte verstrickt, dass sie sich nicht weiter darum kümmert. Erst ein gutes Jahrhundert später beginnen auch die Engländer mit der Besiedlung Amerikas.

Bis dahin hat Spanien schon einen riesigen Vorsprung. In der Kolonialzeit besitzt es neben Mexiko, der Karibik, Mittelamerika und dem heutigen Peru auch einen Großteil des Südens der heutigen USA von Florida über Texas bis hinüber nach Kalifornien. Die Portugiesen, die schnell erkennen, welchen Fehler sie gemacht haben, Kolumbus nicht ernst zu nehmen, besiedeln die Küste Brasiliens.

Gold, Blut und Ruhm

Die Entdeckung einer neuen Welt regt die Fantasie der Menschen an. Kolumbus ist fasziniert vom Märchen der goldenen Städte Chinas und Indiens, von denen Asienreisende berichtet haben. Er und seine Nachfolger stechen in See in der Hoffnung auf ungeahnte Schätze. Die Spanier finden zwar nicht Indien, aber Gold und Ruhm in Hülle und Fülle.

Natürlich lassen es sich die Einheimischen in Mittel- und Südamerika nicht ohne weiteres gefallen, »entdeckt« zu werden und setzen sich zur Wehr. Vergeblich. Auch später unterliegen die Einheimischen immer wieder den Europäern, das wird typisch für die Eroberung und Besiedelung Amerikas. Hernán Cortés (1485–1547) unterjocht 1519 mit nur wenigen hundert Soldaten das Reich der Azteken, zwölf Jahre später erobert und zerstört Francisco Pizarro (1478–1541) in Peru den Staat der Inkas. Cortés und die anderen *Conquistadores* genannten Eroberer nach ihm glauben sich moralisch im Recht – schließlich sind sie Christen und haben den göttlichen Auftrag, heidnische Zivilisationen zu bekehren und den wahren Glauben zu verbreiten.

Nicht nur deshalb, weil die Spanier Rüstungen, Pferde und Feuerwaffen besitzen, haben die indianischen Hochkulturen keine Chance gegen sie. Cortés und die anderen Eroberer bringen noch andere Verbündete mit: Mikroben und Viren. Die Völker Amerikas, die keinerlei Immunität gegen europäische Krankheit haben, stecken sich bei den Europäern mit Grippe, Pocken und Typhus an, manche sterben sogar an Schnupfenviren. Man schätzt, dass allein ein Drittel der Bevölkerung Mexikos diesen Krankheiten zum Opfer fallen. Den Ureinwohnern Nordamerikas geht es später ähnlich.

Die unermesslichen Reichtümer, die die Spanier aus den Tempeln und Palästen der Azteken und Inkas abtransportierten, genügen ihnen nicht. Deshalb wenden manche der ehrgeizigen Eroberer den Blick nach Norden. Was mag dort wohl zu entdecken sein? Womöglich noch prachtvollere Zivilisationen? Erste Expeditionen finden zwar nichts dergleichen. Doch die *Conquistadores* glauben, dass im Norden mehr zu holen sein muss und machen sich auf den Weg. Schon an Ostern 1513 ist Juan Ponce de León (1460–1521) an der Nordküste des Golfs von Mexiko gelandet und hat die gesamte Region Florida genannt, nach dem spanischen Wort für den Ostersonntag, Pascua Florida. Im Jahr 1539 erhält Hernando de Soto (1500–1542) von der spanischen Krone die Erlaubnis, Florida zu erkunden. Mit einem Tross von 650 Soldaten, 220 Pferden und einer Schweineherde als Marschverpflegung zieht der Adelige plündernd und mordend bis zum Mississippi. Das fruchtbare Land, das er findet, hätte Bauern und Siedler brennend interessiert, doch die Träume eines *Conquistadors* sehen anders aus. Nach einer vierjährigen Odyssee muss de Soto sich den Misserfolg eingestehen; er stirbt in der Wildnis.

Auch Francisco Vázquez de Coronado (1510–1545) erwartet sich viel von seinen Expeditionen nach Norden. Er hat verlockende Gerüchte von einem »Goldland« (Eldorado) gehört, und ein katholischer Pater namens Marcos berichtet nach seiner Rückkehr aus dem Norden von einer reichen Zivilisation und den »Sieben Städten von Cibola«. 1540 bricht Vázquez de Coronado auf und erkun-

det den trockenen, sonnendurchglühten Südwesten der heutigen USA, immer auf der Suche nach den Reichtümern der Legende. Doch auch er erlebt eine herbe Enttäuschung.

Zwar gründen die Spanier im Jahr 1565 die erste europäische Siedlung auf dem Gebiet der heutigen USA, die Stadt Saint Augustine in Florida. Doch nach den Misserfolgen verlieren die *Conquistadores* mehr und mehr das Interesse an diesem Land im Norden, in dem so wenig zu holen scheint.

Mit den Eroberern kommen auch die Missionare, eifrig darauf bedacht, Seelen zu retten und die Ureinwohner zum Christentum zu bekehren. Katholische Mönchsorden wie die Franziskaner und Jesuiten gründen Anfang des 17. Jahrhunderts in der Gegend der heutigen US-Staaten New Mexiko, Texas und Kalifornien Missionen und Siedlungen, die von Forts geschützt werden. Zu Anfang lassen sich manche der sesshaften, friedlichen Pueblo-Indianer neugierig taufen. Aber die Stimmung wendet sich schnell gegen die Franziskaner, als diese

Pedro Castañeda

Soldat und Teilnehmer der Expedition von Francisco Vázquez de Coronado:

Nachdem der General die bewohnte Region hinter sich gelassen hatte und nach Chichilticalli gelangt war, wo die Wildnis anfängt, und er dort noch immer nichts Günstiges entdeckt hatte, fühlte er sich niedergeschlagen. Obwohl die Berichte uns für die weitere Reise Gutes verhießen, gab es niemanden, der dies tatsächlich mit eigenen Augen gesehen hätte, außer den Indianern, die den Neger begleitet hatten, und auch diese hatten wir schon so mancher Lüge überführt. Der General war bestürzt, dass das ruhmvolle Chichilticalli aus nicht mehr bestand als einer zerfallenen Hütte mit eingestürztem Dache, auch wenn es durchaus einst die starke Festung eines zivilisierten und kriegerischen Volkes gewesen sein mag.

Am darauf folgenden Tage erreichten wir wieder besiedeltes Gebiet. Doch als wir am ersten Dorfe anlangten, dem berühmten Cibola, stießen die Soldaten derartige Flüche auf Bruder Marcos aus, dass ich zu Gott betete, er möge ihn beschützen. Cibola ist nichts als ein kleines, verschachteltes Dörfchen, das so aussieht, als sei es von einer großen Hand auf einen Haufen geschoben worden. In Neuspanien [der spanischen Kolonie im heutigen Mexiko] sehen selbst die Bauernkaten nobler aus.[1]

die Indianer zwingen, für ihre Missionen zu arbeiten, und versuchen, die indianische Kultur grausam zu unterdrücken. Nach Jahrzehnten der Missionierung sind die Pueblo-Indianer so wütend, dass sie sich im Jahre 1680 zu einer großen Rebellion zusammenschließen. Obwohl ihre Dörfer zum Teil Hunderte von Kilometer auseinander liegen und dort unterschiedliche Sprachen gesprochen werden, schaffen es die Stämme, einen Plan abzusprechen und alle zum gleichen Zeitpunkt anzugreifen. Sie verjagen die europäischen Eindringlinge, und erst vierzehn Jahre später gelingt es den Spaniern, die Kontrolle über das Gebiet wiederzugewinnen. Es bleibt einer der ganz wenigen Erfolge der amerikanischen Ureinwohner gegen die Europäer.

Da sich die Grausamkeit der Spanier unter den Indianern schnell herumspricht und die Spanier wenig Interesse an der Gegend der heutigen USA haben, florieren ihre Siedlungen nie wirklich. Sehr viel erfolgreicher auf dem neuen Kontinent sind die Franzosen, die mit den Indianern handeln, und vor allem die Engländer.

Kapitel 2

Die dreizehn Kolonien

(1580–1750)

Die Neue Welt verspricht Freiheit: religiöse, politische und wirtschaftliche. Menschen aus vielen Ländern beginnen, diesem Ruf zu folgen und brechen auf ins Unbekannte. Die englischen Kolonien in Nordamerika, aus denen später die USA entstehen, haben zunächst wenig gemeinsam, da sie von vielen verschiedenen Gruppen und aus unterschiedlichen Motiven gegründet wurden. Es vergehen viele Jahrzehnte, bis aus diesem bunten Flickenteppich eine Nation wird.

Die ersten Menschen, die in die Neue Welt aufbrechen, um sich dort niederzulassen, brauchen eine Menge Mut. Sie wissen nicht, was sie auf dem fremden Kontinent erwartet. Doch häufig treibt sie die Verzweiflung. Die Lebensbedingungen in Europa sind oft hoffnungslos. Kriege überziehen den Kontinent, Hungersnöte und Seuchen gehören zum Alltag. Zum Beispiel sterben allein im Dreißigjährigen Krieg, der von 1618 bis 1648 in Deutschland tobt, rund vier Millionen Menschen an der Pest, sie verhungern oder werden ermordet – das ist rund ein Fünftel der gesamten damaligen Bevölkerung.

Aber auch ohne Kriege und Krankheiten ist das Leben mehr als hart. Und in der streng nach sozialen Klassen unterteilten Gesellschaft gibt es kaum echte Chancen, sich ein besseres Leben zu erarbeiten. Bauern sind oft Leibeigene der Fürsten oder bezahlen immense Steuern an die Kirche und weltliche Herren. An eigenen Grund und Boden heranzukommen bleibt für sie ein unerfüllbarer Traum. Könige und Adlige entscheiden mit einem Federstrich über Leben und Tod, Religion und Besitz ihrer Untertanen.

Vielen bleibt nur die Hoffnung auf die Neue Welt, in der ein selbstbestimmtes Leben möglich sein soll. Schnell wird Amerika zum Mythos, glühende Beschreibungen kursieren. In dieser Zeit entsteht der amerikanische Traum, auch wenn der Begriff selbst erst später geprägt wird.

Die amerikanische Wirklichkeit ist dagegen oft bitter. Auf dem fremden Kontinent von Null anzufangen erweist sich als schrecklich schwer. Das stellen vor allem die ersten englischen Siedler fest.

Jamestown und der Tabak

Im Jahr 1588 besiegt die englische Flotte die Armada des Erzfeindes Spanien und wird damit zu einer wichtigen Seemacht. Nun ist der Weg für die englische Besiedlung der Neuen Welt frei. Als erstes Ziel bietet sich die Ostküste Nordamerikas an, die man über den Atlantik gut erreichen kann und die England für sich beansprucht. Dort entstehen die dreizehn Kolonien, die sich einmal stolz die »Vereinigten Staaten von Amerika« nennen werden.

Die Siedler müssen der Wildnis mühsam Lebensraum abtrotzen und in einem rauen Klima fern von der Heimat überleben. Roanoke, die erste, 1586 gegründete Siedlung der Engländer auf einer Insel vor der amerikanischen Ostküste, ver-

Die Geschichte von Pocahontas

John Smiths Name ist eng mit der Geschichte der berühmten »indianischen Prinzessin« Pocahontas verbunden, die (in stark verkitschter Form) von Disney verfilmt worden ist.

Pocahontas ist eine Tochter von Häuptling Wahunsonacock und gehört zu den Powhatan, einem Bund von dreißig einzelnen Stämmen, der in der Nähe von Jamestown lebt. Matoaka, so lautet ihr richtiger Name, ist ein fröhliches, selbstbewusstes Mädchen – ihr Spitzname Pocahontas bedeutet soviel wie »lebhaft« oder »unternehmungslustig«. Als John Smith von ihrem Vater gefangen genommen wird, setzt sich die damals etwa zehnjährige Häuptlingstochter angeblich für ihn ein und bewahrt ihn davor, von den Kriegern getötet zu werden. »In dem Moment, in dem ich hingerichtet werden sollte, riskierte sie ihr Leben, um meins zu retten«, erzählt Smith später. Allerdings ist nicht klar, ob er die schöne Geschichte nicht einfach erfunden hat: Man weiß, dass er es mit der Wahrheit nicht immer so genau genommen hat.

Sicher ist, dass er und das Mädchen sich anfreunden. Pocahontas ist oft in Jamestown zu Gast und sorgt für gute Beziehungen zwischen der Stadt und

schwindet ohne jede Spur. Man weiß bis heute nicht, was aus den neunzig Männern, siebzehn Frauen und neun Kindern geworden ist. Der nächste Anlauf ist erfolgreicher. Der englische König James I. erteilt einer Handelsgesellschaft, der Virginia Company, die Erlaubnis, zwei Siedlungen in Nordamerika aufzubauen. Finanziert wird das Ganze durch Aktien, die die Virginia Company herausgibt; wer sie kauft, hat später einen Anspruch auf einen Anteil an den Gewinnen aus dem Vorhaben. Für englische Unternehmer ist die Freiheit, die Amerika bietet, erst einmal eine wirtschaftliche: Für sie ist die Neue Welt eine neue Möglichkeit, Geld zu verdienen.

1607 kommen die ersten hundert englischen Siedler voller Hoffnung in dem Virginia getauften Landstrich an, gründen die Siedlung Jamestown – und müssen entsetzt feststellen, wie hart das Leben hier ist. Ein Glückfall für diese Pioniere ist John Smith (1580–1631), der den Auftrag hat, die Kolonie zu leiten. Smith ist ein eitler und ehrgeiziger Abenteurer, aber auch eine starke Persönlichkeit. Er setzt eine strikte Disziplin in der Kolonie durch und rettet sie damit vermutlich vor

den Indianerstämmen der Umgebung. Ohne ihre Hilfe hätte die Kolonie kaum eine Chance. Doch die Geschichte, die von Disney (und vielen verschiedenen Autoren im Laufe der Jahrhunderte) romantisch verklärt worden ist, nimmt ein schlimmes Ende. Als sich nach Smiths Rückkehr nach England die Beziehungen zu den Powhatan verschlechtern, nehmen die Siedler Pocahontas bei einem ihrer Besuche in Jamestown gefangen und halten sie fast ein Jahr lang als Geisel. In dieser Zeit lernt sie John Rolfe kennen und heiratet ihn. Außerdem tritt sie zum Christentum über und bekommt den neuen Namen Rebecca.

Kurz darauf fährt sie mit Rolfe und dem gemeinsamen Kind, das sie inzwischen zur Welt gebracht hat, nach England. Dort ist sie sehr beliebt, die feine Londoner Gesellschaft macht großes Aufhebens um die hübsche, exotische junge Frau. Doch in England steckt sich Pocahontas mit einer gefährlichen Krankheit an, die Rückkehr nach Virginia überlebt sie nicht lange. Sie wird nur 22 Jahre alt.

Ihr Mythos lebt fort, in Amerika kennt sie jedes Kind. Und ein Gemälde, das ihre Taufe zeigt, prangt in Washington D.C., in der Kuppel des Kapitols (dem Gebäude, in dem der Kongress tagt). Über die Disney-Verfilmung sind ihre indianischen Verwandten übrigens nicht begeistert. »Der Film verzerrt die geschichtlichen Ereignisse bis zur Unkenntlichkeit«, klagt Chief Roy Crazy Horse auf der Website der Powhatan Nation.

einem ähnlichen Schicksal wie Roanoke. Doch als eine Flut von Neuankömmlingen aus England eintrifft, kann Smith seine Autorität nicht behaupten und segelt frustriert zurück nach England. Im folgenden harten Winter verhungern viele Bewohner von Jamestown: Von 500 Siedlern überleben gerade einmal sechzig.

Durch Unterstützung aus der Heimat, unermüdliche Plackerei und Hilfe des Stammes der Powhatan schaffen es die restlichen Siedler, zu überleben. Aber mehr auch nicht: An einen Gewinn ist nicht zu denken. Seufzend schreiben die Investoren ihr Geld ab. Doch dann entdecken die Bewohner von Jamestown, dass sich Virginia hervorragend dafür eignet, Tabak anzubauen. Die Ureinwohner rauchen das Kraut, und auch in Europa wird es schnell äußerst beliebt. Die begehrte Pflanze wächst in diesem Klima wie Unkraut! Sie wird der Durchbruch und Exportschlager der jungen Kolonien.

Aber wie soll man die Plantagen bewirtschaften? Es gibt zwar reichlich Land, aber kaum Arbeitskräfte. Kummer macht den Siedlern auch, dass sich so wenige Frauen entschließen, nach Amerika zu kommen. Die Virginier lösen letzteres Problem, indem sie heiratswillige Damen aus England kommen lassen. Wer eine von ihnen haben will, muss nur die Kosten ihrer Schiffspassage zahlen. Neue Siedler anzuwerben funktioniert ebenfalls gut, schon damals lockt die Aussicht, in der Neuen Welt sein Glück zu machen. Jenseits der strengen gesellschaftlichen Regeln Europas steht es dort jedem frei, in welcher Form er sich beruflich betätigt, handelt und Geld verdient.

Doch mit der Freiheit ist es für viele neue Siedler erst einmal nicht allzu weit her. Wer sich die Reisekosten nicht leisten kann, kommt als *indentured servant* und verpflichtet sich als Gegenleistung für die Überfahrt zu vier bis sieben Jahren Zwangsarbeit. Nach dieser Zeit sind die Leibeigenen auf Zeit frei und können Land kaufen oder bekommen sogar ein kostenloses Grundstück zugewiesen. Wer kein Land oder nur ein minderwertiges Stück abbekommt, der bewegt sich in Richtung Westen – Platz ist ja genug da. Fast die Hälfte der Siedler in den englischen Kolonien beginnt ihr Leben in der Neuen Welt als *indentured servant*.

Auch andere Unfreiheiten entstehen. England nutzt die Kolonien als Gefängnisse und verschifft im 18. Jahrhundert 50 000 Sträflinge in die Neue Welt. Der spätere Staat Georgia wird als eine solche Sträflingskolonie gegründet. Schon bald beginnt auch der Handel mit afrikanischen Sklaven. In der Karibik setzen die Spanier schon länger Arbeitssklaven aus Afrika ein, und im Jahr 1619 kommen die ersten Schwarzen mit einem holländischen Schiff auch in die englischen Kolonien.

Danach entdecken immer mehr Siedler die Afrikaner als die erhofften billigen Arbeitskräfte.

Zunächst gelten die Afrikaner wie viele weiße Einwanderer auch als Zwangsarbeiter und sind nach sieben Jahren frei. Doch nach und nach werden Menschen schwarzer Hautfarbe immer stärker diskriminiert, bis sich daraus schließlich das System erblicher Sklavenarbeit für Schwarze entwickelt. Die Bewohner Virginias und der Nachbarstaaten beschließen Gesetze, die diese Ungleichheit rechtlich festlegen. Als immer weniger Zwangsarbeiter aus England kommen, setzen die südlichen Kolonien ganz auf schwarze Sklaven, um ihre Plantagen zu bewirtschaften. 1675 gibt es schon 5 000 afrikanische Sklaven in Nordamerika, und der Menschenhandel wird durch die hohen Gewinne für Schiffseigner immer interessanter.

Sowohl Tabak als auch Baumwolle laugen den Boden aus – nach ein paar Jahren müssen die Pflanzer neue Gebiete roden, um wieder anständige Ernten einfahren zu können. All das ist sehr arbeitsaufwändig. Während die kleinen Farmer der mittleren Kolonien wie Maryland oder Pennsylvania nur in den seltensten Fällen Sklaven besitzen, haben die Pflanzer in südlichen Kolonien wie Virginia oder den Carolinas zum Teil Dutzende, manchmal sogar Hunderte. Anfang des 18. Jahrhunderts entsteht in diesen Kolonien eine neue »Aristokratie«, die sich von den Gewinnen aus ihren Ernten pompöse Landsitze und Möbel, Geschirr und Mode aus England leistet. Viele Plantagenbesitzer schicken ihre Sprösslinge zur Ausbildung nach Europa.

Doch dieser Luxus beruht auf der brutalen Ausbeutung der zwölf Millionen Männer und Frauen, die zwischen dem 16. und dem 19. Jahrhundert aus Afrika nach ganz Amerika verschleppt werden. Im 18. Jahrhundert ist der Sklavenhandel ein großes Geschäft, an dem sich englische, holländische und amerikanische Kapitäne beteiligen. Ihre afrikanischen Helfer überfallen Dörfer und bringen die Bewohner – Männer, Frauen und Kinder – in Ketten auf die Schiffe. Dort werden sie über Wochen so eng zusammengepfercht, dass sie sich nicht bewegen können, und stehen während der Überfahrt unvorstellbare Qualen aus. Rund ein Fünftel überlebt die Reise nicht.

Während die Sklavenhändler selbst längst alle Skrupel verloren haben, erregen die Zustände auf den Schiffen den Abscheu vieler Bürger. Deshalb wird der Import von Sklaven schon im 18. Jahrhundert verboten, knapp hundert Jahre vor der endgültigen Abschaffung der Sklaverei in den USA.

Die 13 Kolonien, 1775
Hudsonbai
St.-Lorenz-Golf
HUDSON BAY COMPANY
49°
Oberer See
Huron-see
Ontariosee
Michigansee
Eriesee
Mississippi
Missouri
Ohio
Tennessee Riv.
Arkansas Riv.
Red Riv.
New Hampshire
Boston
Massachusetts
Rhode Island
Connecticut
New York
New York
Pennsylvania
New Jersey
Philadelphia
Maryland
Delaware
Virginia
Jamestown
North Carolina
South Carolina
Charleston
Georgia
Savannah
St. Augustine
New Orleans
Atlantischer Ozean
Golf von Mexico
Cuba
Gebiet der 13 Gründerstaaten
Die USA nach dem Friedensvertrag von 1783
Heutige Grenze der Bundesstaaten
0 100 200 300 km

Die Pilger der *Mayflower*

Dass die USA heute ein so religiöses Land sind, liegt vor allem daran, dass sich seit dem 17. Jahrhundert Angehörige der verschiedensten Religionen hierher flüchten, weil sie in Europa verfolgt und benachteiligt werden. In der Neuen Welt finden Puritaner, Quäker, Mennoniten, Amische und andere Gruppen die Freiheit, ihren Glauben auszuüben und die Chance, ihre religiöse Utopie zu verwirklichen.

Einen großen Einfluss auf Amerika und sein Denken hat vor allem eine Gruppe von Siedlern, die eigentlich auch nach Virginia will, aber vom Kurs abkommt und 1620 weit nördlich davon an Land geht, in der Gegend des heutigen Massachusetts. Sie gehören der protestantischen Sekte der Puritaner an und nennen sich Pilgerväter oder Heilige, denn sie glauben, sie seien von Gott auserwählt. Sie gründen viele der Kolonien an der Nordostküste Amerikas, neben Massachusetts zum Beispiel New Hampshire, Connecticut oder Vermont. Die Region wird bis heute Neuengland genannt.

In England haben es die strenggläubigen Puritaner nicht leicht gehabt. Sie treten für eine »reine«, enger an der Bibel orientierte Kirche ein. Als sie die Anglikanische Kirche und vor allem ihr Oberhaupt, den englischen König, für ihren moralischen Verfall kritisieren, machen sie sich schnell unbeliebt. Die Puritaner schätzen harte Arbeit und haben strenge moralische Vorstellungen. Erfolg und Besitz sind für sie nicht nur ein Zeichen von Tüchtigkeit, sondern vor allem Beweis dafür, dass sie von Gott auserwählt waren.

Als die Puritaner in England immer stärker verfolgt werden, verlassen viele von ihnen das Land. Vorübergehend finden sie in den protestantischen Niederlanden, die für ihre religiöse Toleranz bekannt sind, eine neue Heimat. Doch wenig später beschließen sie, in der Neuen Welt ganz von vorne anzufangen. Dort würden sie Gelegenheit haben, einen Gottesstaat aufzubauen, der ein leuchtendes Vorbild für die gesamte Christenheit werden soll. Einer ihrer geistigen Führer, der Prediger John Winthrop (1587–1649), spricht von der »Stadt auf dem Berg« und dem »Neuen Jerusalem«, das sie in Amerika aufbauen wollen.

Eingepfercht auf dem kleinen Schiff *Mayflower* brechen 102 Pilger am 6. September 1620 aus dem südenglischen Hafen Plymouth auf. Nach dieser Stadt benennen sie auch ihre erste Siedlung in der Neuen Welt. Noch auf hoher See entwerfen die Pilgerväter ihren berühmten *Mayflower Compact*, einen Vertrag, in dem sie Grundregeln für ihre Kolonie aufstellen. Unter anderem vereinbaren sie, Volksvertreter zu wählen, die Gesetze formulieren sollen. Eine solche demokratische Verfassung ist deshalb so bemerkenswert, weil Demokratie damals in Europa unüblich ist und eine radikal neue Idee darstellt.

Es ist schon Spätherbst, als die Pilger nach neun Wochen Reise an der kargen, steinigen Küste im Nordosten Amerikas eintreffen. Deshalb gehen sie gar nicht erst an Land, sondern überwintern an Bord. Trotzdem überlebt die Hälfte der Siedler diese erste Zeit nicht. Was auch daran liegt, dass die Passagiere der *Mayflower* für das Leben in der Neuen Welt nicht gerade gut gerüstet sind: Keiner von ihnen versteht etwas von Ackerbau oder Jagd, stattdessen sind unter anderem zwei Schneider, ein Hutmacher, ein Drucker, ein Ladenbesitzer und mehrere Händler an Bord. Keiner von ihnen hat daran gedacht, dass es sinnvoll sein könnte, einen Pflug oder eine Angel einzupacken.

Wie ihre Nachbarn in Virginia haben die Neuankömmlinge das Glück, dass sich die Ureinwohner ihrer erbarmen. Eines Tages taucht ein Mitglied des Stammes der Wampanoag mit dem Namen Tisquantum bei ihnen auf und bietet seine Hilfe an. Der Zufall will es, dass er Englisch spricht, da er einmal nach England verschleppt worden ist. Zum Glück ist »Squanto«, wie ihn die Pilger nennen, nicht nachtragend. Geduldig zeigt er ihnen, wie man Mais, Bohnen und Kürbis anbaut, jagt und fischt. Als Dank feiern die Siedler im Herbst ein Erntedankfest, zu dem die Wampanoag natürlich auch eingeladen sind. Noch heute begehen die Menschen in den USA dieses *Thanksgiving*-Fest an jedem vierten Donnerstag im November. Dabei versammelt sich für gewöhnlich die ganze Verwandtschaft, und es kommt ein riesiger Truthahn mit vielen Gemüsebeilagen auf den Tisch.

Doch das Verhältnis zwischen Pilgern und Ureinwohnern bleibt nicht auf Dauer gut. Die Puritaner treiben zwar Handel mit ihren Nachbarn, verachten sie aber gleichzeitig als Heiden, die dem Teufel dienen. Da zu dieser Zeit in der Region rund 100 000 Ureinwohner leben, ist es nur eine Frage der Zeit, bis es zu ersten blutigen Konflikten kommt. Metacomet, besser bekannt unter seinem christlichen Namen King Philip, Häuptling der Wampanoag und entfernter Nachfahre von Tisquantum, greift 1676 zu den Waffen. Im *King Philip's War* sterben 600 Siedler und ganze Stämme verschwinden für immer.

In den Kolonien der Puritaner, die durch Fischfang, Handel und Handwerk überleben, sind Kirche und Regierung eng verknüpft. Wählen kann nur, wer Mitglied in der Kirche ist. Den Gottesdienst zu besuchen ist Pflicht. Zwar gibt es keine Zwangsarbeiter. Aber mit der Freiheit ist es trotzdem nicht allzu weit her: In dieser sittenstrengen Gemeinschaft ist Widerspruch unerwünscht, besonders in religiösen Fragen. Der gewählte Gouverneur der Kolonie, William Bradford (1590–1657), gilt als unnachgiebiger Tyrann. Wer sich auflehnt, riskiert, verbannt zu werden. So ergeht es zum Beispiel Anne Hutchinson (1591–1643), einer intelligenten Laienpredigerin, die mutig ihre Meinung sagt. Als sie einige der Prediger kritisiert, muss sie die Kolonie verlassen und sich draußen in der Wildnis durchschlagen. Sie und einige andere »Abweichler« lassen sich ein Stück weiter südöstlich nieder und gründen den winzigen Staat Rhode Island.

Im Gegensatz zu den Kolonien des Südens leben im Norden wenige Schwarze. Das liegt zunächst weniger an den Bedenken der Puritaner gegen die Sklaverei als daran, dass hier nicht so viele ungelernte Arbeitskräfte gebraucht werden. In Hafenstädten wie Boston und Philadelphia, die Mitte des 18. Jahrhunderts etwa 30 000 Einwohner haben, konzentrieren sich Handel und Handwerk. Wirtschaftlich geht es den Bewohnern der nördlichen Kolonien gut. Da die Puritaner Wert auf Bildung legen – schließlich soll jeder die Bibel lesen können –, sorgen sie für ein dichtes Netz von Schulen in ihren Staaten. Nur fünfzehn Jahre nachdem sie auf amerikanischem Boden Fuß gefasst haben, gründen die Puritaner die heute berühmte Harvard University, um ihren Nachwuchs an Predigern auszubilden. Andere religiöse Gruppen folgen ihrem Beispiel, so dass immer mehr Hochschulen entstehen.

Aber wirklich zufrieden sind die Puritaner nicht. Den Führern macht Sorgen, dass die Kolonien immer weltlicher werden und der Traum vom Neuen Jerusalem nicht zu verwirklichen ist. In dieser schwierigen Zeit des Wandels kommt es immer häufiger zur Verfolgung angeblicher Hexen. Für die Beschuldigten endet das oft tödlich. Zu den schlimmsten Zwischenfällen kommt es 1692 in dem kleinen Ort Salem in Massachusetts. Alles beginnt, als drei junge Mädchen behaupten, sie seien verhext worden, und Namen der angeblich Schuldigen nennen. Vielleicht, weil sie damit Macht über andere gewinnen wollen. Schnell weitet sich der Prozess aus und gerät schließlich völlig außer Kontrolle. Immer mehr Menschen werden angeklagt – oder klagen aus Angst vor Folter ihre Nachbarn und Familienangehörigen an. Innerhalb eines Jahres werden neunzehn angebliche Hexen und Magier zum Tode verurteilt und gehängt, hundert Bürger kommen ins Gefängnis. Schließlich wird die puritanische Führung von Massachusetts darauf aufmerksam, was in Salem vorgeht, und macht dem Wahnsinn ein Ende.

Lord-Besitzer und Flüchtlinge

Auch in dem halben Dutzend neuer Kolonien, die südlich von Neuengland entstehen, siedeln sich viele Flüchtlinge auf der Suche nach Freiheit an. Zu Anfang sind diese Kolonien in Privatbesitz des englischen Königs, der Freibriefe zur Besiedlung vergibt. William Penn zum Beispiel, ein junger Gentleman und Sohn eines Admirals, erbt nicht nur ein Vermögen, sondern auch einen Schuldschein. Sein Vater hat dem englischen König Charles II. Geld geliehen. Als Rückzahlung überträgt der König Penn ein großes Stück Land in Nordamerika. Penn nennt seine Kolonie, die er 1681 gründet, Pennsylvania. Da er selbst der Sekte der Quäker beigetreten ist, beschließt er, seinen Glaubensbrüdern dort eine Zuflucht anzubieten.

»Quäker« ist eigentlich ein Schimpfname, sie selbst nennen sich »Gesellschaft der Freunde«. Quäker haben keine Prediger oder Priester, sie folgen nur ihrem Gewissen und vertreten absolute Glaubens- und Gewissensfreiheit. Das reicht in Zeiten der religiösen Verfolgung in Europa aus, um sich unbeliebt zu machen. Dass sie Standesunterschiede ignorieren und vom Lord bis zum Bettler alle gleich anreden, hilft auch nicht gerade. In England werden sie grausam verfolgt,

Die Amischen

In Lancaster County im US-Staat Pennsylvania darf man sich nicht wundern über Verkehrsschilder, die »Vorsicht, Pferdefuhrwerke« signalisieren, oder über schwarze Kutschen zwischen den Autos. Hier lebt ein Teil der Glaubensgemeinschaft der Amischen, auch Amish People genannt, die als Glaubensflüchtlinge im 17. und 18. Jahrhundert nach Amerika kamen. Aus religiösen Gründen verzichten die Amischen völlig auf die weltlichen Dinge der modernen Gesellschaft. Aus Prinzip leben sie ohne Strom und Fernsehen auf ihren Höfen und kleiden sich noch immer so wie ihre Vorfahren im 17. Jahrhundert. Die konservativeren verzichten selbst auf Brillen und Knöpfe. Die meisten der 180 000 Amischen arbeiten in der Landwirtschaft und Handwerk. Bei ihren Nachbarn in Lancaster County sind sie sehr beliebt, weil sie hochwertiges Obst und Gemüse verkaufen. Wenn man in einen ihrer Läden kommt, kann man die merkwürdige Mischung aus modernem Englisch und einem 300 Jahre alten Pfälzer Dialekt hören, die sie bis heute sprechen.

doch in Amerika finden sie eine Heimat. Ihre Hauptstadt taufen sie Philadelphia, was so viel heißt wie »Stadt der brüderlichen Liebe«. Bei ihren indianischen Nachbarn sind sie beliebt, weil sie freundlich sind und sich das Land nicht einfach nehmen, sondern es kaufen. Penn macht sich sogar die Mühe, die Sprache des wichtigsten Stamms in der Gegend zu lernen.

Auch Deutsche finden ab 1683 in Pennsylvania Zuflucht. Viele von ihnen kommen aus der Pfalz und gehören protestantischen Splittergruppen wie den Mennoniten oder den Amischen an. Sie leben selbst heute noch dort und sind als »Pennsylvania Dutch« bekannt – »Dutch« ist eine Verballhornung von »Deutsch«.

Katholiken retteten sich ebenfalls in die Neue Welt – nach dem Streit Henrys VIII. mit dem Papst haben sie in England keinen leichten Stand mehr. Als der katholische Lord Baltimore von Charles I. den heutigen Staat Maryland zugesprochen bekommt, können sich englische Katholiken dort niederlassen.

Doch die englischen Kolonien in Amerika bleiben nicht lange ein Sammelbecken für religiöse Flüchtlinge und Weltverbesserer. Jeder der Landbesitzer müht sich, so viele Siedler wie möglich anzulocken, denn ohne Arbeitskräfte kann man keine Farmen bewirtschaften und keine Städte bauen. William Penn zum Beispiel rührt eifrig die Werbetrommel und verteilt Broschüren in Englisch und Deutsch, in denen er sein »Pennsylvanien« in den glühendsten Farben beschreibt. Sein Angebot, jedem Neuankömmling kostenlos Land zu geben, lässt viele Augen aufleuchten. Auch viele andere Siedler lassen sich von der Aussicht auf eine bessere Zukunft nach Amerika locken. Ein riesiges, leeres Land – was für eine Gelegenheit ist das!

Eine wahre Völkerwanderung setzt ein, und im 17. und 18. Jahrhundert steigt die Bevölkerungszahl in Amerika stetig an. Diese so genannte erste Einwanderungswelle besteht vor allem aus Engländern, Iren schottischer Abstammung, sowie ein paar Deutschen und Skandinaviern. Deshalb wird Englisch zur Alltagssprache, und die Kolonien an der Ostküste bleiben lange Zeit englisch geprägt.

Wem gehört das Land?

Im 17. und 18. Jahrhundert sind die englischen Kolonien in Amerika ländlich, die meisten Bewohner erzeugen auf ihren Farmen alles, was sie brauchen. Ihr

Arbeitstag dauert nicht selten von vier Uhr morgens bis neun Uhr abends. Es ist nichts außergewöhnliches, dass eine Frau acht oder zehn Kinder zur Welt bringt, viel mehr als damals in England üblich. Amerika ist in diesen Jahren buchstäblich ein junges Land, im Jahr 1790 beträgt das Durchschnittalter sechzehn Jahre.

So gut wie jeder Farmer hat mindestens ein Gewehr zu Hause. Das Recht, Waffen zu tragen, ist den Siedlern sehr wichtig, da es ein Privileg der freien Bürger ist und für ihre Unabhängigkeit steht. Daher besitzen auch heute noch viele Amerikaner Waffen und weigern sich standhaft, sich vom Gesetzgeber einschränken zu lassen. Im Gegensatz zu heute ist das Gewehr in der Kolonialzeit besonders in den Grenzregionen, der *Frontier*, lebensnotwendig. Damit kann die Familie Nahrung jagen, sich gegen wilde Tiere schützen und bei Indianerüberfällen verteidigen.

Denn solche Überfälle gibt es immer öfter. Als immer mehr Menschen aus dem fernen Europa eintreffen und immer mehr Gebiet für ihre Siedlungen beanspruchen, begreifen die Ureinwohner, dass die Neuen keineswegs gute Nachbarn sind, sondern ihr Land wollen. Sie unterstützten die Siedler nicht mehr und beginnen, sich zu wehren. Doch ihre Angriffe kommen zu spät, die Fremden lassen sich nicht mehr vertreiben. Nun versuchen die Engländer, die Ureinwohner systematisch auszurotten, denn sie sehen sie nur noch als Hindernis für die weitere Erschließung und Eroberung des Landes. Siedler und Indianer geraten wegen ihrer unterschiedlichen Auffassung von Land ständig aneinander: die Cherokee, Creek, Pequot und andere Stämme betrachteten die Natur als Gemeineigentum,

Aus Nieuw Amsterdam wird New York

Nicht nur England und Spanien sind in der Neuen Welt aktiv. Die Niederlande sind damals eine wichtige Seefahrernation und beanspruchen ein großes Gebiet in der Mitte und im Norden der Ostküste für sich, um dort Handelsposten zu betreiben. 1626 kauft der niederländische Gouverneur Peter Minuit die Insel Manhattan von dem Indianerstamm, der dort lebt. Dort gründet Minuit das Dorf Nieuw Amsterdam. Weil die Niederländer absolute Religionsfreiheit gewähren, lassen sich schon damals die ersten Juden dort nieder. Vierzig Jahre später, inzwischen ist der legendäre Peter Stuyvesant Gouverneur, jagen die Engländer den Niederländern ihre Gebiete ab und taufen das Gebiet um die sumpfige Insel New York.

das man für den eigenen Bedarf nutzen kann und pflegen muss, die weißen Siedler dagegen teilen Wälder und Ebenen in Grundstücke für den Privatbesitz auf. Für sie sind Holz und Felle Handelswaren, mit denen man Profit erwirtschaften kann.

In den nördlichen Kolonien sind manche Indianerstämme mit den Engländern verbündet, andere mit den Franzosen. Die beiden europäischen Mächte setzen die indianischen Verbündeten für ihre Zwecke ein und lassen sie stellvertretend gegeneinander kämpfen. Die besseren Beziehungen zu den Indianern haben allerdings die Franzosen, da sie vor allem an Handel mit Pelzen und weniger an Farmland interessiert sind.

Kapitel 3

Unabhängigkeit!

(1760–1790)

Lange geben sich die Menschen an der Ostküste Nordamerikas damit zufrieden, englische Kolonisten zu sein. Doch als das Mutterland beginnt, sich immer stärker in ihre Angelegenheiten einzumischen, mucken die Siedler auf und erkämpfen sich in verzweifelten Gefechten auch die politische Freiheit. Dadurch gewinnt das junge Land neue Helden und neue Mythen.

Es war einmal in Philadelphia

In den Jahren vor dem Konflikt mit England sind Philadelphia und Boston, die später zu den Geburtsorten der neuen Nation werden, lebendige Hafen- und Handelsstädte, in denen mehrere Zeitungen erscheinen und es ein wohlhabendes, gebildetes Bürgertum gibt. An Hexen glaubt hier kaum noch jemand, denn die Epoche der Aufklärung hat begonnen. Wo bisher Glauben gezählt hat, verspricht man sich nun viel von Bildung, Vernunft und der Erforschung der Welt durch Experimente.

Typisch für diese Epoche ist einer der späteren Gründerväter der Vereinigten Staaten von Amerika, das Universalgenie Benjamin Franklin (1706–1790). Er ist nicht nur als Politiker und Schriftsteller berühmt geworden, sondern – da er für sein Leben gern experimentierte – auch als Erfinder. Dabei hat Franklin, der jüngste Sohn eines Seifensieders, nur zwei Jahre lang eine Schule besucht. Er geht bei seinem Bruder, einem Drucker in der Stadt Boston, in die Lehre, liest alle Bücher, die er in die Hände bekommen kann, und beginnt heimlich eine Karriere als Journalist, indem er anonym Artikel an Zeitungen einreicht. Diese Artikel sind so gut geschrieben, dass die Leser dahinter eine bekannte Persönlichkeit vermuten. Doch da sein Bruder ihn schlecht behandelt und sogar schlägt, reißt Ben Franklin mit siebzehn nach Philadelphia aus. Mit Fleiß, Wissensdurst und unbekümmertem Humor arbeitet er sich hoch, so dass er schon bald eine eigene Druckerei hat, eine

Zeitung herausgibt und sich einen Namen als Journalist und Schriftsteller gemacht hat. Mit 42 Jahren hat er genug verdient, um sich zur Ruhe setzen und in Zukunft seinen Interessen widmen zu können. Zum Beispiel der Wissenschaft: bei seinen Versuchen mit Elektrizität erfindet er unter anderem den Blitzableiter. Durch sein gesellschaftliches Engagement (er gründet unter anderem eine Bibliothek, eine Feuerwehr und die spätere Universität von Pennsylvania) wird der humorvolle, bescheidene Franklin ohne einen einzigen Wahlkampf zum beliebtesten Politiker der Kolonien.

Menschen wie ihn brauchen die Kolonien dringend. Denn im 18. Jahrhundert mehren sich die Konflikte mit dem Mutterland, und eine gnadenlose Kraftprobe zwischen England und Amerika beginnt. Von Anfang an hat Amerika für die Siedler »Freiheit« bedeutet – nun wollen sie sich auch die Unabhängigkeit und damit die politische Freiheit erkämpfen.

Bei den Steuern hört der Spaß auf

Während Spanien seine Kolonien in der Neuen Welt als Privatbesitz der Könige betrachtet und von Europa aus jede Kleinigkeit regelt und vorschreibt, haben die englischen Kolonisten an der Ostküste viele Freiheiten. Sie dürfen sich selbst verwalten, nur sehr selten mischt sich das Mutterland ein. Was auch daran liegt, dass es meist mit eigenen Problemen beschäftigt ist. Deshalb gewöhnen sich die Siedler daran, sich selbst zu regieren, und genießen ihre Freiheiten und ihren Lebensstandard, der im Vergleich mit Europa hoch ist. Auch in Sachen Demokratie ist Nordamerika zu dieser Zeit Vorreiter: Während in England 85 Prozent der Männer und alle Frauen vom Wahlrecht ausgeschlossen sind, darf in Amerika zumindest ein Großteil der männlichen Kolonisten wählen. In fast allen Staaten werden Volksvertreter gewählt, obwohl die Gouverneure gewöhnlich aus England kommen und noch immer der englische König offizielles Oberhaupt der Kolonien ist.

Der Ärger beginnt, als England sich entschließt, sich wieder mehr um die Kolonien zu »kümmern«. Der Staat ist durch zahlreiche Kriege nahezu bankrott und will endlich Gewinn aus den Kolonien schlagen. Doch in mehr als einem Jahrhundert haben sich die Kolonisten geistig von England entfernt, wozu natürlich auch die große Entfernung zwischen den Ländern beigetragen hat. Sie reden anders, sie haben andere Bräuche entwickelt und viele von ihnen sind inzwischen in Amerika geboren und haben England nie gesehen. Kurz, sie fühlen sich immer weniger als Europäer und immer mehr als Amerikaner.

Inzwischen hat auch eine geistige Revolution begonnen. Während des 17. Jahrhunderts, als in England Bürgerkrieg zwischen Anhängern des Königs und des Parlaments herrscht, überdenken englische Philosophen das Verhältnis von Regierenden und Regierten. Die Könige haben bis dahin gern die Auffassung vertreten, sie seien direkt von Gott beauftragt worden. Der Philosoph John Locke (1632–1704) ist da ganz anderer Meinung: Seiner Ansicht nach besteht die Aufgabe von König und Parlament einzig und allein darin, die Rechte der Bürger zu schützen! Diese neuen Gedanken finden auch den Weg nach Amerika. Doch zu Beginn des 18. Jahrhunderts ist das Bedürfnis nach Unabhängigkeit nicht stark genug ausgeprägt, und die Kolonien sind noch zu schwach, um einen Bruch mit dem Mutterland zu riskieren.

In dieser Zeit schafft England es in zahlreichen Kriegen, Frankreich nach und nach seine Besitztümer in Nordamerika abzujagen, und auch Spanien muss aufgeben und Florida abtreten. Um die enormen Kosten dieser Kriege wieder hereinzuholen und das wachsende Kolonialreich zu finanzieren, beschließt die englische Regierung, die Kolonisten in Amerika stärker zur Kasse zu bitten. Das bedeutet neue Zölle und Steuern. Zum Beispiel wird 1765 der *Stamp Act* erlassen – in Zukunft müssen die Bewohner der amerikanischen Kolonien für jede einzelne Drucksache, vom Vertrag bis zur Zeitung, eine Steuermarke kaufen.

Ein Sturm des Protests erhebt sich. Stein des Anstoßes ist, dass die englische Regierung sich anmaßt, in Amerika Steuern zu erheben wie in irgendeinem Bezirk Englands. Gleichzeitig sind die Amerikaner aber mit keinem einzigen Abgeordneten im englischen Parlament vertreten und können also nicht bei Angelegenheiten mitreden, die sie betreffen. Sollen sie einfach so akzeptieren, dass jenseits des Ozeans englische Lords Gesetze für sie erlassen, ohne sie auch nur zu fragen? Ein Schlagwort macht unter den Kolonisten die Runde: »No taxation without representation – Keine Steuer ohne Mitspracherecht.« Besonders empfindlich reagieren die Amerikaner darauf, dass noch britische Truppen in Nordamerika stationiert sind. Sollen damit Aufstände gegen das Mutterland unterdrückt werden? Das schmeckt doch arg nach Tyrannei! Und gegen die sind die Kolonisten, Nachkommen von Flüchtlingen und religiösen Abweichlern, allergisch. Außerdem passt es ihnen nicht, dass das englische Parlament erst einmal den weiteren Vorstoß der Siedler nach Westen stoppen will.

In dieser Situation tun die Kolonien etwas, was lange undenkbar schien: Sie machen gemeinsame Sache. Bisher hatten die sehr unterschiedlichen Kolonien wenig miteinander zu tun. »Virginia ist mein Heimatland«, sagt zum Beispiel der spätere Präsident Thomas Jefferson. »Amerika« als ganzes ist für ihn viel zu abstrakt. Nun treffen sich zum ersten Mal überhaupt Vertreter fast aller amerikanischen Kolonien, um zu besprechen, was gegen diese Provokationen des Mutterlands getan werden kann.

Doch die Bevölkerung Amerikas besteht keineswegs nur aus Freiheitskämpfern oder »Patrioten«, wie es später gerne dargestellt wurde. Nur etwa ein Drittel der Kolonisten unterstützt den Protest, »Whigs« nennen sie sich manchmal. Ein weiteres Drittel sind »Loyalisten«, auch »Tories« genannt; sie halten treu zum englischen König. Das restliche Drittel ist unentschieden. Geschickt heizen Patrioten die Stimmung an, um auch diese Unentschlossenen auf ihre Seite zu ziehen, und organisieren die zukünftigen Revolutionäre.

Ein Handelsboykott englischer Waren beginnt, und aufgebrachte Bürger machen den verhassten »Rotröcken«, den englischen Soldaten, in vielen Städten das Leben zur Hölle. Das englische Parlament gibt nach – aber nur vorübergehend, bald darauf erlässt es mit den *Townshend Duties* neue Steuern. Wieder explodiert der Zorn der Kolonisten, diesmal mit tragischeren Folgen. Als ein Mob in Boston britische Soldaten mit Schneebällen bewirft und beschimpft, eröffnet einer der entnervten Rotröcke das Feuer. Fünf Bürger werden bei diesem so genannten Massaker von Boston im Jahr 1770 getötet.

Auch die *Townshend Duties* widerruft das englische Parlament, weich gekocht durch den Boykott englischer Waren und erschrocken über den blutigen Zwischenfall. Nur die Steuer auf Tee bleibt bestehen. Das soll den Amerikanern ihre Grenzen aufzeigen und deutlich machen, dass sie nicht mit allem durchkommen werden. Doch die »Patrioten« planen schon eine neue Aktion, um gegen die Steuer zu protestieren: Am 16. Dezember 1773 schleichen sich als Indianer verkleidete Kolonisten an Bord dreier britischer Schiffe im Bostoner Hafen und werfen ihre Teeladung ins Hafenwasser. Der Zwischenfall geht als *Boston Tea Party* in die Geschichte ein. Nach dieser Zerstörung wertvollen Eigentums sind die Briten mit ihrer Geduld am Ende. Wütend schließen sie den Hafen, bis der Tee bezahlt ist und entziehen der Kolonie ihr Recht auf Selbstverwaltung. Diese Strafmaßnahmen machen die Bostoner nur noch entschlossener, und sie finden große Unterstützung bei den anderen Kolonien. »Als die entsetzlichen Neuigkeiten von der Bombardierung Bostons uns erreichten, wegen denen wir uns zwei Tage lang völlig elend fühlten, sahen wir viele Sympathiebekundungen und Zeichen der Entschlossenheit des Kontinents«, berichtet John Adams (1735–1826), später der 2. Präsident der Vereinigten Staaten, 1774 in einem Brief an seine Frau Abigail. »Überall hörte man den Ruf *Krieg! Krieg! Krieg!*«

Vertreter von zwölf der amerikanischen Kolonien treffen sich in Philadelphia und formulieren eine »Erklärung amerikanischer Rechte«. Noch hätte der englische König George III. die Situation entschärfen können. Doch wütend lehnen der für seine Sturheit berüchtigte Monarch und das Parlament jeden Kompromiss mit den »Rebellen« ab. Die Kolonisten reagieren darauf, indem sie überall Milizen, also Einheiten aus bewaffneten Bürgern, organisieren und königlichen Beamten die Macht entziehen. Was die von ihrer Überlegenheit überzeugten Briten ärgert, aber nicht verunsichert. Ein englischer Offizier schreibt an seine Verwandten zu Hause: »Ich bin sicher, dass ein Feldzug, eine geschickte Aktion und das Abfackeln von zwei oder drei ihrer Ortschaften alles wieder in Ordnung bringen wird.«

Der britische General Gage beordert Soldaten nach Concord in Massachusetts, um dort ein Waffendepot der Milizen zu beschlagnahmen. Doch die Kolonisten bekommen Wind von der Sache und halten die Armee auf. Bürgermiliz und wütende Farmer jagen die Rotröcke mit Flintenschüssen zurück nach Boston und töten viele von ihnen. Der Unabhängigkeitskrieg hat begonnen.

Schon bald kommt es zu weiteren Gefechten. Nun spaltet sich die Bevölkerung der Kolonien – inzwischen drei Millionen Menschen – endgültig in zwei Lager: die »Patrioten« auf der einen und die »Königstreuen« auf der anderen Seite.

Ein gewagtes politisches Experiment

Als Vertreter aller Kolonien sich im Mai 1775 zum Zweiten Kontinentalkongress treffen, übernehmen sie die Rolle einer provisorischen Regierung. Sie ernennen den Plantagenbesitzer George Washington (1732–1799), einen der wenigen Delegierten mit militärischer Erfahrung, zum Oberbefehlshaber der Truppen. Während Washington versucht, eine halbwegs brauchbare Truppe zusammenzustellen, diskutieren die Delegierten des Kongresses darüber, wie es jetzt weitergehen soll mit den Kolonien. Großen Einfluss auf das Denken der Kolonisten hat ein versoffener, schlampig gekleideter, in einer Vielzahl von Berufen gescheiterter Engländer namens Thomas Paine (1737–1809), der erst vor wenigen Monaten in Nordamerika angekommen ist. In seiner anonym veröffentlichten Kampfschrift *Common Sense*

(»Vernunft«) wettert er über die Willkür der »königlichen Bestie« und empfiehlt den Amerikanern, dem Mutterland den Laufpass zu geben. Das Werk wird sofort zur Sensation und findet reißenden Absatz. Es ist eine Zeit heroischer Reden. Patrick Henrys (1736–1799) hitziger Satz »Give me liberty or give me death! – Gib mir Freiheit oder den Tod!« ist heute jedem amerikanischen Schulkind geläufig.

1776 entscheiden sich die Delegierten des Kontinentalkongresses für die Unabhängigkeit. Ein fünfköpfiges Komitee bekommt die Aufgabe, eine Unabhängigkeitserklärung zu formulieren. Der größte Teil des Entwurfs stammt vom jungen Thomas Jefferson (1743–1826), einem idealistischen Pflanzer und Rechtsanwalt. Er kennt sich in Philosophie, den Naturwissenschaften und Literatur gleichermaßen aus, spricht sieben Sprachen und hat sich auch als Architekt bewährt. Er wird später der 3. Präsident der jungen Nation.

Die neuartige Vorstellung vom Staat und seiner Funktion, die hinter diesen Worten steckt, fasziniert die Welt. Dass eine Regierung sich nur auf den Willen

The Declaration of Indepence

We hold these truths to be self-evident, that all men are created equal, that they are endowed by their Creator with certain unalienable rights, that among these are Life, Liberty, and the pursuit of Happiness. That to secure these rights, Governments are instituted among men, deriving their just powers from the consent from the goverend. That whenever any Form of Government becomes destructive of these ends, it is the right of the People to alter or to abolish it, and to institute new Government ...

Die Unabhängigkeitserklärung

Folgende Wahrheiten halten wir für selbstverständlich: dass alle Menschen gleich geschaffen sind; dass sie von ihrem Schöpfer mit gewissen unveräußerlichen Rechten ausgestattet sind; dass dazu Leben, Freiheit und Streben nach Glück gehören. Dass zur Sicherung dieser Rechte Regierungen eingesetzt werden, die ihre rechtmäßige Macht aus der Zustimmung der Regierten herleiten; dass es, wenn die Regierungsform diesen Zwecken schadet, es das Recht des Volkes ist, die Regierungsform zu ändern oder abzuschaffen und eine neue Regierung einzusetzen ...

des Volks stützen könne, ist damals ein unerhörter Gedanke. Menschenrechte! Gleichheit! Der Staat als Garant der Freiheit! Ein verbrieftes Widerstandsrecht des Volkes gegen eine ungerechte Regierung! All das ist ein offener Bruch mit den Regierungsformen der Zeit, mit Adelsherrschaft an sich. Immer wieder berufen sich die Kolonisten dabei auf die Naturrechtstheorie des schon erwähnten Philosophen John Locke. Nach dieser Theorie ist der Mensch von Natur aus frei und unabhängig, politischer Macht kann er nur mit seiner Zustimmung unterworfen werden. Völlig neu ist, dass die Kolonisten auch das »das Streben nach Glück« in ihre Liste der Rechte aufgenommen haben. Natürlich kann die Regierung nicht das Glück an sich garantieren. Aber es ist ihre Aufgabe, dafür zu sorgen, dass jeder dieselbe Chance hat, glücklich zu werden. Das erweist sich als die Essenz des amerikanischen Traums.

Doch bei aller Begeisterung wird später klar, dass mit diesem Traum nicht alles zum Besten steht. Die Freiheit und Gleichheit, von der die Unabhängigkeitserklärung spricht, gilt nicht für alle. Afrikanische Sklaven – auch Jefferson besitzt einige – haben keinerlei Rechte. Frauen ergeht es nur wenig besser, sie dürfen nicht wählen und haben keinen Zugang zu Bildung. In manchen Staaten dürfen verheiratete Frauen im 18. Jahrhundert nicht einmal Besitz haben.

Am 4. Juli beschließt der Kontinentalkongress die Unabhängigkeitserklärung, und eine neue Welle revolutionärer Begeisterung geht durchs Land. Noch heute ist der *Fourth of July* der wichtigste Feiertag der Vereinigten Staaten, er wird jedes Jahr mit Picknicks, Paraden und Feuerwerk enthusiastisch gefeiert.

Neue Helden, neue Mythen

Im Unabhängigkeitskrieg sieht es zunächst gar nicht gut aus für die Kolonisten. Washingtons kleine und schlecht ausgerüstete Armee muss immer neue Rückschläge hinnehmen, vor allem nachdem die Briten ihre Truppen aus Berufssoldaten zusätzlich durch hessische Söldner verstärkt haben. Ein Tiefpunkt ist erreicht, als die Briten Philadelphia einnehmen und der Kontintalkongress, der dort getagt hat, fliehen muss. Die »Rotröcke« erobern immer mehr Städte. Washingtons erschöpfte, hungrige Männer ziehen sich 1777 ins Winterquartier von Valley Forge zurück. Viele Soldaten verlassen die Truppe und schleichen sich heim, andere überleben den strengen Winter nicht.

Doch im Frühjahr bessert sich die Situation. Neue Rekruten melden sich, es trifft Versorgungsnachschub ein, und der preußische Baron von Steuben (1730–1794) beginnt, im Vertrauen auf eine ordentliche »Erfolgsbeteiligung« bei einem Sieg Amerikas, die Truppen zu drillen. Der Baron kann zwar kein Englisch, doch er lernt schnell eine Menge Flüche und Schimpfwörter, um sie den Rekruten an den Kopf werfen zu können.

Trotz der wertvollen Hilfestellung durch Steuben wissen die Kolonisten, dass sie nur eine Chance gegen die Briten haben, wenn sie die Unterstützung der Franzosen gewinnen können. Tatsächlich schafft es Benjamin Franklin, dem entscheidungsschwachen und trägen Louis XVI. (1754–1793) eine Zusage abzuringen. Doch bis die Hilfe tatsächlich eintrifft, dauert und dauert es. Erst 1781 gehen die französischen Truppen in Amerika an Land. In Yorktown an der Küste von Virginia kommt es zur Entscheidungsschlacht, Franzosen und Kolonisten zwingen den britischen General Charles Cornwallis (1738–1805) zur Kapitulation. Damit ist der Krieg praktisch beendet, obwohl der Friedensvertrag, der »Frieden von Paris«, erst zwei Jahre später unterzeichnet wird.

Es ist geschafft: Die dreizehn englischen Kolonien sind unabhängig! 100 000 königstreue Kolonisten verlassen das Land während des Krieges oder kurz danach. Viele von ihnen gehen nach Kanada, das in britischem Besitz bleibt. Auch viele der deutschen Soldaten, die auf Seiten der Engländer gegen die Kolonisten gekämpft haben, nutzen die Gelegenheit und lassen sich in Kanada nieder.

Für Louis XVI. hat die amerikanische Revolution übrigens ein fatales Nachspiel. Seine zurückgekehrten Soldaten verbreiten in Frankreich die Kunde von Amerika, einem Staat, in dem es keine Monarchie, keine Stände und Klassen mehr gibt. Der Traum von Freiheit und Gleichheit ist verlockend. 1789 rebelliert das verarmte französische Volk gegen seinen unfähigen König und die verschwendungssüchtige Königin Marie Antoinette und verkündet die Republik. Die beiden Monarchen werden geköpft. Schon bald weichen die fortschrittlichen Ideen der Französischen Revolution einem Blutrausch, und Napoleon Bonaparte nutzt das Chaos, um sich zum Alleinherrscher aufzuschwingen.

In den neu gegründeten Vereinigten Staaten von Amerika gelingt es dagegen, das Experiment Demokratie friedlich weiterzuführen. Die neue Unabhängigkeit und politische Freiheit werden zum Schlüsselerlebnis für den jungen Staat. Da er nicht wie Europa eine lange Geschichte vorweisen kann, holt er sich seine Mythen und Helden aus dieser turbulenten Zeit. Noch heute sind Männer wie George Washington und Patrick Henry Volkshelden, die mit beinahe religiöser

Inbrunst verehrt werden. Die *Independence Hall* in Philadelphia, wo die Unabhängigkeitserklärung unterzeichnet wurde, ist fast schon ein Wallfahrtsort, und die Glocke, die bei der Verkündung der Unabhängigkeit geläutet wurde, ist als *Liberty Bell,* Freiheitsglocke, berühmt.

Eine Nation entsteht

Doch trotz dieser neuen gemeinsamen Mythen ist der Neuanfang schwer. Die ehemaligen englischen Kolonien sind unabhängig. Aber was jetzt? Im Kongress der neuen »Vereinigten Staaten« gibt es ein heftiges Tauziehen. Denn jetzt müssen die Grundlagen der neuen Nation gelegt werden, und die Delegierten sind sich ganz und gar nicht einig, wie sie genau strukturiert sein sollen. Mit großem Ehrgeiz gehen die Amerikaner ihr Ziel an. Sie sind gestärkt durch den Stolz, nun nicht länger die hinterherhinkende Provinz zu sein, sondern etwas zu schaffen, was vielleicht sogar Vorbild für Europa sein könnte. Dieser Stolz ist bis heute tief in der amerikanischen Psyche verankert.

Doch viele fragen sich: Lässt sich aus den ehemaligen Kolonien überhaupt ein geeintes Land machen? Durch den Krieg ist ein neues Gemeinschaftsgefühl entstanden, nun bezeichnen sich einige Kolonisten schon als »Amerikaner« und nicht mehr als »Virginier« oder »Pennsylvanier«. Dennoch sind die dreizehn Staaten noch immer nur durch ein »Seil aus Sand« verbunden, wie George Washington sagt. Sie sind nur lose durch die *Articles of Confederation,* eine provisorische Verfassung, geeint und verhalten sich wie unabhängige Länder. Keiner der Staaten hat große Lust, seine Rechte und Unabhängigkeit aufzugeben.

Nicht nur zwischen den einzelnen Staaten, auch zwischen den Delegierten gibt es Reibereien. Nach und nach werden der zurückhaltende, philosophische Thomas Jefferson und der ehrgeizige Alexander Hamilton (1755–1804), der sich vom mittellosen Waisenkind zum Anwalt hochgearbeitet hat, zu Gegnern. Aus ihren Meinungsverschiedenheiten schälen sich zwei Parteien heraus, die ersten in der amerikanischen Geschichte: Hamilton und seine Partei der Föderalisten (*Federalists*) wollen eine starke Zentralregierung mit einem Präsidenten als Oberhaupt und einen engen Zusammenschluss der Staaten. Doch Jefferson und seiner Partei der Anti-Föderalisten macht dieses Modell Angst. Sie befürchten, dass eine so große Macht wieder zur Unterdrückung führen könnte und wittern den Keim einer neuen Monarchie. Sie bevorzugen einen losen Zusammenschluss unabhängiger Einzelstaaten.

Hinter verschlossenen Türen machen sich dreißig Delegierte daran, eine Verfassung für die Vereinigten Staaten zu entwickeln. Monatelang diskutieren die Männer, unter ihnen der inzwischen 81-jährige Benjamin Franklin. Viele Ideen werden erwogen und wieder verworfen, darunter der Vorschlag von Alexander Hamilton, Präsident und Senat auf Lebenszeit zu wählen und ihnen absolute Macht über die Staaten zu geben. Schließlich einigen sich die Delegierten trotz der Bedenken auf eine starke demokratische Zentralregierung. Viele ahnen so wie George Washington, dass die Vereinigten Staaten sonst schnell wieder zerfallen würden.

Die Delegierten einigen sich auch darauf, dass Staat und Religion in der neuen

Das politische System der USA

Das politische System, das die Delegierten nach dem Unabhängigkeitskrieg entwickeln, funktioniert noch heute sehr erfolgreich. In den USA ist die Macht aufgeteilt in drei Zweige, die sich gegenseitig kontrollieren sollen. Die Regierung besteht aus einem ausführenden Teil (dem jeweils auf vier Jahre gewählten Präsidenten, der seinen Sitz traditionell im Weißen Haus in Washington hat), einem gesetzgebenden Teil (dem Kongress, der im Kapitol sitzt) und einem für die Rechtssprechung zuständigen Teil (dem Obersten Gerichtshof, dem Supreme Court). Dieser Gedanke der Gewaltenteilung wurde zuerst vom französischen Philosophen Charles Montesquieu (1689–1755) formuliert und in die Verfassung der USA übernommen. Wenn uns Deutschen dieses Modell bekannt vorkommt, dann hat das seinen Grund: Nach dem Zweiten Weltkrieg wurde die Verfassung der USA zum Vorbild für das westdeutsche Grundgesetz.

Viel Kopfzerbrechen macht es den Gründern der USA, wie man es anstellen könnte, dass alle Staaten ein angemessenes Mitspracherecht in der Regierung haben. Wenn jeder eine Stimme hat, könnte das winzige Rhode Island womöglich das mächtige Virginia aushebeln, wenn es zur Kraftprobe kommt! Die Delegierten entscheiden sich, den Kongress nach dem Vorbild von Unter- und Oberhaus im englischen Parlament in zwei Kammern zu teilen: Im Senat sitzen zwei Vertreter jedes Staates. Im Repräsentantenhaus werden die Sitze je nach Bevölkerungszahl der einzelnen Staaten vergeben.

Nation getrennt werden, damit die Angehörigen der vielen Glaubensgemeinschaften friedlich in einem Land zusammenleben können. Niemand möchte die für viele Gruppen so wichtige Errungenschaft Amerikas, die Religionsfreiheit, wieder aufgeben.

Schließlich ist ein Entwurf für die Verfassung der Vereinigten Staaten fertig. Doch so richtig glücklich sind die Staaten damit nicht. Sie kritisieren, dass Grundrechte wie Meinungs- und Versammlungsfreiheit nicht darin verankert sind. Also holt man das nach und hängt der Verfassung eine ganze Reihe von Zusätzen an, die *Amendments*. Die ersten zehn werden *Bill of Rights* genannt und enthalten wichtige Menschenrechte. Die Möglichkeit, die Verfassung durch Zusätze zu ergänzen, wenn eine Dreiviertelmehrheit der Staaten dafür ist, ist eine zentrale Möglichkeit, sie dem Wandel anzupassen. Nun sind alle halbwegs zufrieden und die neue Verfassung wird 1788 angenommen. Das Wort »Sklaverei« kommt darin nicht vor – die Delegierten wollen dieses unangenehme Thema vermeiden. Damit ist die Chance vertan, das Problem zu einem frühen Zeitpunkt politisch zu lösen. Zwar verbieten die meisten Staaten nach der Unabhängigkeit die Einfuhr von Sklaven, viele nördliche Staaten schaffen die Sklaverei sogar ganz ab. Doch ihre Hoffnung, dass die Sklaverei dadurch auch im Süden allmählich ausstirbt, erfüllt sich nicht.

Der widerwillige Präsident und seine Hauptstadt

Ein Jahr später finden die ersten Präsidentschaftswahlen statt. Einstimmig entscheiden sich die Delegierten dafür, den sehr beliebten George Washington zum neuen Staatsoberhaupt zu wählen. Der Einzige, dem diese Wahl nicht behagt, ist Washington selbst. Er hätte sich lieber auf sein Herrenhaus Mount Vernon im Norden von Virginia zurückgezogen und dort sein Rheuma gepflegt. Doch die Pflicht geht vor. Er zieht in die Hauptstadt (damals für kurze Zeit New York, später Philadelphia) und zwingt sich zu Bällen und wöchentlichen Audienzen. Dass es bis heute nicht üblich ist, dass der Präsident an Senatsdebatten teilnimmt, geht auf ihn zurück. Nachdem er einige Stunden ergebnisloser Diskussionen ertragen hat, flieht er mit den Worten: »Ich will verdammt sein, wenn ich mich dieser unproduktiven Langeweile noch mal aussetze!«

Washington und seine Minister müssen sich mit einer Vielzahl von Problemen herumschlagen, denn der junge Staat muss eine ganz neue Verwaltung aus dem Boden stampfen. Bisher gibt es weder Gesetzeshüter noch feste Einnahmen, schlecht und recht finanziert er sich aus dem Verkauf von Land im Westen. Zudem leidet das Land nach dem Krieg unter einer Wirtschaftsflaute und wird in die Konflikte zwischen den europäischen Ländern hineingezogen, die nach der französischen Revolution hochkochen. Nur widerwillig und gegen den ausdrücklichen Wunsch seiner Frau Martha zwingt sich Washington, für eine zweite Amtszeit anzutreten. Er bringt die junge Nation sicher durch diese Anfangsturbulenzen.

Noch fehlt den USA eine geeignete Hauptstadt. Statt sich dauerhaft in Philadelphia niederzulassen, beschließt der Kongress, eine neue Stadt zu bauen, die einzig dem Zweck des Regierens dienen soll. Washington bekommt die Ehre, einen Standort auszusuchen, und er wählt dafür ein Stück Land am Potomac-Fluss in seiner Heimat Virginia aus. Das zehn Meilen breite Areal wird zum unabhängigen Bundesdistrikt erklärt, damit es keine Eifersüchteleien zwischen

Die Parteien Amerikas

Zwar beginnen sich Jeffersons Anti-Föderalisten bald »Republikaner« zu nennen, doch mit der heutigen Republikanischen Partei haben sie nichts gemeinsam. Diese entsteht erst um 1850 als Anti-Sklaverei-Partei; für sie bürgert sich das Symbol des Elefanten ein. Die Demokratische Partei, die heute noch existiert, entsteht circa 1830 aus den Anhängern des umstrittenen Präsidenten Andrew Jackson, der sich für das einfache Volk und mehr Demokratie einsetzt. Auf ihn bezieht sich auch das etwas boshafte Symbol des Esels, das die Demokratische Partei trägt. Die Demokraten werden bis ins späte 19. Jahrhundert von Rassisten dominiert und sind in den Südstaaten am stärksten.

Danach bilden sich langsam die heutigen Fronten, zwei fast gleich starke Parteien: die Demokraten als Sprecher von arbeitenden Menschen, (oft katholischen) Immigranten und Liberalen, die Republikaner als Partei der alteingesessenen protestantischen Wohlhabenden. Allerdings verwischen sich diese Unterschiede immer mehr, die Parteien und ihr Programm waren sich zeitweise zum Verwechseln ähnlich.

Andere Parteien (zum Beispiel die Sozialisten) kommen in den USA gelegentlich während Zeiten großer Unzufriedenheit auf, aber sie konnten sich bisher nie durchsetzen und verschwanden stets nach einigen Jahren wieder.

den Staaten gibt. Deshalb heißt die Hauptstadt heute auch Washington D.C., Nicht zu verwechseln mit dem Staat Washington, der an der Westküste der USA liegt und natürlich auch nach dem ersten Präsidenten benannt wurde. »D.C.« steht übrigens für *District of Columbia*, zu Ehren von Christoph Kolumbus.

Es dauert noch lange, bis die Hauptstadt so aussieht, wie man sie heute kennt. Zwar zieht die Regierung 1800 ein, aber sie hat nicht lange Freude an ihrem neuen Standort. Im britisch-amerikanischen Krieg von 1812 brennen die britischen Truppen das Kapitol und das Weiße Haus nieder, ein schwerer Schock für die USA. Erst in der zweiten Hälfte des 19. Jahrhunderts wird die Stadt von der schlammigen Dauerbaustelle zur repräsentativen Hauptstadt.

Es gibt viel zu tun in der jungen Nation. Finanzminister Alexander Hamilton legt zum Beispiel den Grundstein für eine geregelte Wirtschaft, der Dollar (abgeleitet vom Wort Taler) ersetzt die Vielzahl von ausländischen Münzen, die bisher in den Kolonien in Umlauf waren und die Händler zu Rechenkünsten zwangen. Heute noch schmückt Hamiltons Abbild jede 10-Dollar-Note (Washington selbst ist auf den 1-Dollar-Noten zu sehen).

Teil II

Go West

Kapitel 4

Der Kontinent wird erschlossen

(1800–1850)

Nach der Unabhängigkeit beginnt die junge Nation, den Westen zu erkunden und zu besiedeln. Der ganze Kontinent vom Osten bis zur Pazifikküste soll erobert werden. Das führt zu heftigen Konflikten mit Nachbarstaaten wie Mexiko und Kanada, und mit den Ureinwohnern, die von den Siedlern einfach vertrieben werden. Die berühmte *Frontier,* die Grenze zwischen der Zivilisation und der zu erobernden Wildnis, prägt das Selbstverständnis und die Mentalität der US-Amerikaner bis heute. In der Politik lösen raue Männer aus dem Westen die Pflanzer-Aristokratie ab.

Auf nach Westen!

Mit der Unabhängigkeit ist der Weg frei für die Ausdehnung der USA nach Westen. Unaufhaltsam schreitet jetzt die Erschließung des Kontinents voran: Erst kundschaften Waldläufer und Forscher das Land aus, dann folgen auf ihren Spuren die Siedler. Sie errichten Blockhütten, roden Land und bauen Mais an. Wenn ihre Ortschaften größer werden, lassen sich dort Handwerker und mit etwas Glück auch ein Arzt oder Ingenieur nieder.

Einer der berühmtesten Waldläufer ist Daniel Boone (1734–1820). Er wird als eins von elf Kindern in Pennsylvania geboren und ist schon als Jugendlicher ein exzellenter Jäger. Als er in Diensten der Engländer im Siebenjährigen Krieg gegen die Franzosen und ihre indianischen Verbündeten kämpft, lernt er einen Trapper kennen, der von den herrlichen Wäldern des Westens erzählt. Daniel ist entschlossen, selbst dorthin aufzubrechen. Er heiratet Rebecca, die siebzehnjährige Tochter eines Nachbarn, lässt sich aber dadurch nicht daran hindern, bald darauf mit einer Hand voll andere Männer zum sagenumwobenen Kentucky loszuziehen. Die Gruppe findet 1769 tatsächlich einen Weg über die Berge. Zwei Jahre lang erforscht Daniel Boone die Wildnis. Dann zeigt er ersten Siedlern den Weg und zieht selbst mit seiner Familie in das neue Land. Er muss viele Gefechte mit Indianern bestehen, sein ältester Sohn wird dabei getötet. Einmal wird Boone gefangen genommen und von einem Stamm adoptiert, bevor er fliehen kann.

Hunderttausende Siedler wandern auf dem Weg, den Boone erkundet hat, nach Kentucky ein. Schon bald wird es Boone, dem Pionier, zu voll in der Gegend – er zieht weiter in die menschenleeren Gegenden des Westen, nach West Virginia. Auch dort überfällt ihn nach wenigen Jahren die Rastlosigkeit, in einem selbstgebauten Kanu paddelt er davon und lässt sich in dem Gebiet nieder, das heute der US-Staat Missouri ist.

Nicht jeder bringt den nötigen Wagemut mit, um wie Daniel Boone in die Wildnis aufzubrechen. Aber wenige sind es nicht. »Go West, young man, and grow up with the country – Geh nach Westen, junger Mann, und wachse mit dem Land auf«, empfiehlt der Zeitungsmann Horace Greeley (1811–1872) später. Besonders die jungen Leute lassen sich nicht zweimal bitten und ziehen los, um ihren ganz persönlichen amerikanischen Traum zu verwirklichen und die Enge ihrer Heimatorte hinter sich zu lassen.

Der Westen prägt Amerika. Wenn man ein scheinbar endloses, leeres Land zur Verfügung hat, das mit neuen Chancen lockt, das man sich mit etwas Wagemut einfach nehmen kann, dann gibt einem das ein Gefühl großer Freiheit. Dann gibt es für Unzufriedene keinen Grund, vor sich hin zu brüten oder zu rebellieren – sie können ja einfach nach Westen gehen.

Dieser Aufbruch spielt in der Erinnerung der Nation und im Selbstverständnis der US-Amerikaner bis heute eine ganz wichtige Rolle. Während die Städte an der Ostküste immer mehr für gesellschaftliche Enge stehen, wird der Westen mit seinen Bergen und weiten Prärien zum Inbegriff für Freiheit. Schon bald ist davon die Rede, dass das Land westlich der alten Kolonien »unbegrenzte Möglichkeiten« bietet. Dieses Schlagwort verbinden wir bis heute mit den USA, auch wenn es den freien Westen längst nicht mehr gibt. In dieser Zeit entsteht aber auch eine typisch amerikanische Charaktereigenschaft, die *Frontier*-Mentalität: Wenn sich so viele Menschen in der Wildnis behaupten müssen, dann lernen sie, sich allein auf sich selbst zu verlassen, keine Hilfe von außen zu erwarten und Dinge einfach anzupacken. Viele Amerikaner haben noch heute eine unkomplizierte, praktische Art – und sie sind stolz auf dieses Pionier-Erbe.

In den ersten Jahrzehnten nach der Unabhängigkeit sind große Teile des nordamerikanischen Kontinents noch unerforschte Wildnis. Es gibt nur Gerüchte, dass ein großer Teil dieser endlosen Weite aus Wüste besteht. Erst nach einem geschickten Kauf, dem berühmten *Louisiana Purchase,* öffnet sich die Tür nach Westen ganz.

Frankreichs Herrscher Napoleon hat Spanien große Besitzungen in der Neuen Welt abgejagt. Nun fürchten die Vereinigten Staaten, dass der ehrgeizige Heerführer es auch auf die USA abgesehen haben könnte. Doch das Gegenteil tritt ein. Im Jahr 1803 überrascht einer von Napoleons Ministern den amerikanischen Gesandten in Paris mit der Frage, ob die USA nicht daran interessiert seien, Louisiana zu kaufen. So wird damals das riesige Gebiet westlich des Mississippi genannt, das damals im Besitz Frankreichs ist. Dem Gesandten bleibt fast der Mund offen stehen. Er antwortet schnell: »Ja, wir sind interessiert!« und hofft, dass es sich Napoleon nicht noch mal anders überlegt. Für fünfzehn Millionen Dollar wechselt Louisiana den Besitzer – ein Gebiet, das ein Drittel der heutigen USA ausmacht, die gesamte Mitte des Kontinents.

Wahrscheinlich ist Napoleon nicht wirklich bewusst, was er da verkauft. Aber es interessiert ihn auch nicht. Amerika ist weit weg, und er braucht dringend Geld für seine Feldzüge in Europa. Hauptsache, seine Erzfeinde, die Engländer, bekommen das Land nicht in die Hände!

Auch die Amerikaner wissen nicht genau, was sie erworben haben. Also schickt Präsident Thomas Jefferson mehrere Gruppen auf Erkundung los, unter anderem eine, die das Land bis zur Pazifikküste erforschen soll. Mit dieser schwierigen Aufgabe beauftragt Jefferson seinen persönlichen Assistenten, den 29-jährigen Meriwether Lewis (1774–1809), und den Offizier William Clark (1770–1838). Der Präsident unterrichtet die beiden vor der Abreise persönlich in Botanik, Zoologie und Geologie.

Im Jahr 1804 geht es los, Lewis und Clark bahnen sich mit vierzig Mann und mehreren Schiffen zunächst auf dem Missouri River einen Weg nach Westen, später geht es zu Fuß weiter. Sie sehen zum ersten Mal Präriehunde und stecken in Herden von Millionen Büffeln fest. »Es gibt hier unglaubliche Mengen von Wild, das sehr zahm ist; besonders die männlichen Büffel machen sich kaum die Mühe, uns aus dem Weg zu gehen. Wenn wir herankommen, betrachten sie uns nur einen Moment lang, weil wir ihnen ungewohnt sind, dann fressen sie einfach weiter«, schreibt Lewis in sein Reisetagebuch. Er und seine Gefährten sehen überwältigende Landschaften und überqueren unter großen Mühen die Rocky Mountains. Von Jefferson haben sie die Anweisung, freundlichen Kontakt mit den Indianern der Gegend aufzunehmen.

Als die Expedition immer weiter in unbekanntes Gebiet vordringt, erweist es sich als Glücksfall, dass sich ihr ein französischer Trapper und seine indianische Frau angeschlossen haben. Der Trapper stellt sich zwar als Taugenichts heraus, dafür erweist sich seine Frau Sacajawea, eine Schoschonin, als großer Gewinn für die Expedition. Sie holt Lewis und Clark als Dolmetscherin und Führerin aus so mancher Klemme, weil sie die Stämme der Gegend kennt.

Schließlich ist es geschafft, sie haben den Pazifik erreicht! In der regnerischen, dicht bewaldeten Gegend verbringen sie einen feuchten Winter und lernen die Clatsop-Küstenindianer kennen, die sich von Lachs ernähren und ihre Schädel mit Hilfe von Holzbrettern so bandagieren, dass sie eine abgeflachte Stirn und einen spitz zulaufenden Kopf bekommen.

1806 kehren Lewis und Clark mit einem wahren Schatz an Erkenntnissen wieder zurück nach St. Louis. Alle ihre Beobachtungen haben sie ausführlich in ihrem Tagebuch festgehalten. 300 bisher unbekannte Tier- und Pflanzenarten beschreiben sie und fünfzig verschiedene Indianerstämme haben sie kennen gelernt, darunter auch die kriegerischen Teton Sioux (ausgesprochen: »Suu«), denen sie beinahe nicht wieder entkommen wären.

Meriwether Lewis

beschreibt in seinem Tagebuch ca. 1804, was er auf dem Weg zur Pazifikküste erlebte.

In dieser Anordnung zogen wir etwa fünf Meilen weiter. Dann entdeckte ich mit größter Freude in ungefähr zwei Meilen Entfernung einen Mann auf einem Pferd, der auf uns zugeritten kam. Durch mein Fernglas erkannte ich, dass er einem anderen Volk angehören musste als die, denen wir bislang begegnet waren. Er war mit einem Bogen und einem Köcher mit Pfeilen bewaffnet. Ohne Sattel saß er auf einem eleganten Pferd, als Zügel diente ihm eine kurze Schnur, die unter dem Kinn angebunden war. Ich war überzeugt, dass es sich um einen Schoschonen handeln musste, und da ich wusste, wie viel davon abhing, dass wir die Unterstützung dieses Volkes gewannen, war mir sehr daran gelegen, mich ihm zu nähern, ohne ihn zu verschrecken.

Daher ritt ich ihm in meiner gewöhnlichen Geschwindigkeit entgegen. Als wir noch etwa eine Meile voneinander entfernt waren, hielt der Indianer plötzlich inne. Ich folgte seinem Beispiel, zog mein Tuch aus meiner Packtasche,

Die Expedition lässt den Strom der Pioniere, der in den berühmten Planwagen nach Westen drängt, noch weiter anschwellen. In schneller Folge entstehen auf dem Gebiet der USA neue Staaten: Sobald in einem Territorium die nötige Mindestzahl von Siedlern erreicht ist, kann es sich als Staat bewerben. Allein während George Washingtons Amtszeit kommen drei neue hinzu: Tennessee und Kentucky im Westen und Vermont im Norden an der Grenze zu Kanada. Die Regierung hat ein Interesse daran, dass der Westen besiedelt wird, und gibt Land günstig ab. Für 160 Dollar bekommt man genug Grund und Boden für eine Farm, später wird Land sogar teilweise kostenlos abgegeben. Sich ein Grundstück zu sichern ist einfach: Man lässt sich an einer netten Stelle nieder, an der noch niemand anders ist, und steckt sich seinen *Claim* ab, also das Land, das man für sich beansprucht. Später kann man das Land dann offiziell kaufen, wenn nötig auf Kredit.

Eigentlich war geplant, dass für jeden neuen Staat, der in die Union aufgenommen wird, ein Streifen und ein Stern auf der amerikanischen Flagge hinzukommen. Doch als die USA aus achtzehn Staaten bestehen, wird der Platz auf

warf es über meinen Kopf und breitete es auf dem Boden aus. Bei den Indianern am Missouri und an den Rocky Mountains ist dies ein Zeichen der Freundschaft und geht zurück auf die Gewohnheit, einen Umhang oder eine Haut auszubreiten, damit besondere Ehrengäste sich darauf setzen können. Doch der Indianer rührte sich nicht von der Stelle und beobachtete Drewyer und Shields mit einem gewissen Misstrauen, da diese auf beiden Seiten weiterritten, ohne sich gewahr zu werden, wie unpassend das in diesem Moment war. Ich wollte ihnen jedoch kein Zeichen zum Anhalten geben, um den Indianer nicht noch misstrauischer zu machen, als er ohnehin schon war. Außerdem waren sie zu weit weg, um meine Stimme zu hören.

Der Indianer ließ mich bis auf hundert Schritt herankommen, dann wendete er plötzlich sein Pferd, trieb es an, sprang über den Bach und verschwand im gleichen Augenblick in den Weidensträuchern. Damit waren alle Hoffnungen auf eine freundliche Begegnung mit seinem Volk dahin, die ich bei seinem Anblick gehabt hatte. Obwohl ich über das Ungeschick der beiden Männer betrübt war, beschloss ich, das Beste aus dem Vorfall zu machen. Ich rief sie zu mir und wir folgten den Spuren des Pferdes, in der Hoffnung, dass sie uns zum Lager der Indianer führen würden.[2]

der Flagge knapp. Also einigt man sich auf dreizehn Streifen für die ursprünglichen dreizehn Kolonien und auf einen Stern pro Staat (heute sind es übrigens fünfzig, inklusive Hawaii und Alaska). Schlag auf Schlag geht es weiter: 1816 tritt der Staat Indiana den USA bei, dann in schneller Folge Mississippi, Illinois, Alabama und Missouri im Westen und Maine im Norden, an der Grenze zu Kanada.

Ein Grenzpionier im Weißen Haus

Andrew Jackson (1767–1845), ein raubeiniger Grenzoffizier, macht immer wieder von sich reden. In Eigenregie und ohne Genehmigung der Regierung besetzen er und seine Truppen 1818 die spanische Stadt Pensacola in Florida, ermorden zahlreiche der in der Region ansässigen Seminolen und zwingen die Spanier dazu, den USA das tropisch-heiße Sumpfland zu überlassen. Dieses Abenteuer verschafft ihm landesweite Berühmtheit, die er weidlich auszunutzen versteht. Schon bald hat er es zum Senator des Staates Tennessee gebracht und macht sich Hoffnungen auf das Amt des Präsidenten, das er 1829 auch bekommt.

Mit Andrew Jackson beginnt eine neue Ära, das »Zeitalter des einfachen Mannes«. Jackson ist der erste Präsident, der nicht der gebildeten Elite Virginias oder

Woher kommen die Orts- und Staatennamen der USA?

Manche Staaten wie Virginia oder Georgia wurden nach Königen benannt, viele andere jedoch (zum Beispiel Kansas, Utah und die beiden Dakotas) nach Indianerstämmen, die in dieser Gegend lebten. Der Staat Tennessee ist beispielsweise nach einem indianischen Dorf namens »Tanasi« benannt. Erst hieß das Dorf so, dann taufte man den Fluss nach ihm, und später einen ganzen Bezirk nach dem Fluss. Schließlich bot es sich als Name für den ganzen Staat an. Was diese indianischen Wörter oder Namen früher einmal bedeutet haben, ist in vielen Fällen nicht mehr bekannt, obwohl es zahlreiche Theorien gibt. Einige sind jedoch gesichert: Der Staat Minnesota zum Beispiel, der Tausende von Gletscherseen hat, bekam seinen Namen nach den Wörtern der Dakota-Indianer für Wasser (»Mini«) und weißlich, schlammig (»sota«).

Neuenglands entstammt, sondern sich mit Ehrgeiz und Energie vom mittellosen Waisenkind zum Offizier und Anwalt hochgearbeitet hat. Er ist stolz darauf, in einer Blockhütte aufgewachsen zu sein und kaum formale Schulbildung zu haben. Seine Rechtschreibung ist geradezu berüchtigt. Wo Jackson ist, geht es hoch her. Zu seinen Lieblingsbeschäftigungen gehören Kartenspielen und Pferderennen, auch so manche Prügelei hat er hinter sich. Seine Antrittsparty im Weißen Haus, zu der jeder eingeladen ist, wird zum wilden Getümmel. Auf der Suche nach ihrem Helden drängen sich Menschenmassen durch die Räume, Geschirr geht zu Bruch und manche Gäste springen sogar auf die Möbel, um besser Ausschau nach dem Präsidenten halten zu können.

Jackson wird das Symbol eines ganzen Zeitalters. Aber er ist auch eine so eigenwillige und schillernde Persönlichkeit, dass schon bald neue Parteien entstehen. Alle Jackson-Hasser – und von ihnen gibt es eine ganze Menge – finden sich unter dem Oberbegriff »Whigs« zusammen. Viele von ihnen sind wohlhabende Konservative britischer Abstammung. Jacksons Fans, unter ihnen viele katholische Einwanderer, Siedler und Farmer, nennen sich »Demokraten«, denn mehr Mitbestimmungsrecht für das Volk ist ihre Vision. Jackson hält sein Versprechen, das Wahlrecht auszuweiten und die Bürger stärker in die Regierung einzubeziehen. Doch zu mehr Gleichheit kommt es nicht, im Gegenteil, die sozialen Unterschiede verschärfen sich, es bilden sich immer deutlicher eine Arbeiterklasse und eine Mittelschicht heraus. Jackson verspricht nur Gleichheit der Chancen – was jeder aus seiner Chance macht, ist seine Sache.

Der Weg der Tränen

Manche Bewohner des Kontinents bekommen diese Chance erst gar nicht. Die Ureinwohner sind über den Strom der Siedler, die in ihre Gebiete einfallen, erst besorgt und dann wütend. Sie unterschreiben Verträge, die sie kaum verstehen, was aber nichts ausmacht, weil diese Verträge sowieso bei nächster Gelegenheit gebrochen werden. Mit jedem Jahr verlieren die Stämme mehr Land. Deshalb wird an der Westgrenze der USA, der *Frontier*, praktisch ständig gekämpft, die Siedler müssen jederzeit damit rechnen, von Stämmen angegriffen zu werden, in deren Territorium sie sich niederlassen. Wirklich gefährlich wird die Situation, als ein hoch intelligenter junger Shawnee-Häuptling namens Tecumseh (um

1768–1813) und sein Zwillingsbruder Tenskwatawa (»der Prophet«), an Einfluss gewinnen. Tecumseh versucht, die Stämme des Mittleren Westens zu einer Konföderation zu vereinen und sie dem Einfluss der weißen Männer zu entziehen. Viele Krieger kann er mit seinen Plänen und religiösen Botschaften begeistern. Doch als US-Soldaten 1811 in der Schlacht am Tippecanoe River sein Hauptquartier überfallen, muss der junge Häuptling nach Kanada fliehen und seine Pläne aufgeben.

Während Jacksons Präsidentschaft ergeht es den Ureinwohnern schlecht. Wie viele der Siedler hält auch Andrew Jackson sie für gefährliche Wilde, die man möglichst aus dem Weg schaffen sollte, weil sie Amerikas Expansion im Wege stehen. Von seiner Regierung stammt die Idee, Indianer aus ihren alten Stammesgebieten, in denen sie seit Jahrhunderten leben, in Reservate umzusiedeln. Meist sind das unwirtliche Gegenden in der Prärie westlich des Mississippi, an denen weiße Siedler nicht interessiert sind. So hofft man, das lästige »Indianerproblem« ein für allemal zu lösen. 1830 wird die Umsiedlung beschlossen, fünf Jahre später ist sie durchgeführt.

Es gibt wenig Widerstand, die meisten Stämme sind durch die langen Auseinandersetzungen zu geschwächt, um sich zu wehren. Ausnahme sind die Seminolen in Florida. Sie halten sieben Jahre lang durch, weil sie im Sumpfgebiet

Satanta, Häuptling der Kiowa

Ich habe gehört, dass ihr die Absicht habt, uns in einem Reservat nahe den Bergen anzusiedeln. Ich will nicht siedeln. Ich streife lieber durch die Prärie. Dort fühle ich mich frei und glücklich, doch wenn wir uns fest an einem Ort niederlassen, werden wir blass und sterben. Ich habe meinen Speer, meinen Bogen und mein Schild weggelegt, und dennoch fühle ich mich in eurer Gegenwart sicher. Ich habe euch die Wahrheit gesagt. Ich habe keine kleinen Lügen versteckt, aber ich weiß nicht, wie es mit den Kommissaren ist. Sind sie ebenso aufrichtig wie ich? Vor langer Zeit gehörte dieses Land unseren Vätern, doch wenn ich den Fluss hinaufgehe, sehe ich an seinen Ufern Lager von Soldaten. Diese Soldaten fällen mein Holz; sie töten meine Büffel; und wenn ich dies sehe ist mir, als ob mein Herz zerreißt; ich bin traurig ... Ist der Weiße Mann ein Kind, da er unbekümmert tötet und nicht isst? Wenn die Roten Männer Wild erlegen, dann tun sie das, um zu leben und nicht zu verhungern.[3]

der Everglades kaum zu fassen sind und von dort aus einen Guerillakrieg gegen die US-Truppen führen können. Doch auch sie entgehen dem Schicksal nicht, buchstäblich in die Wüste geschickt zu werden: Sie werden ins heutige Oklahoma umgesiedelt.

Die Cherokee, die in den waldigen Hügeln der Südstaaten leben, versuchen, die Umsiedlung auf rechtlichem Weg zu verhindern und rufen den Obersten Gerichtshof der Vereinigten Staaten an. Schließlich haben sie gültige Verträge mit den Weißen geschlossen! Doch auch sie verlieren ihr Land. Obwohl die Gerichte ihnen Recht geben, lässt sich dieses Recht nicht durchsetzen. Sie werden von der Regierung gezwungen, die Umsiedlungsverträge zu unterschreiben. Zu Fuß müssen sich 12 000 Cherokee 1838 auf den Weg zum ausgedörrten Staat Oklahoma machen, bewacht von Soldaten der US-Armee. Zuerst sterben Kinder, Alte und Kranke, dann fordert die Erschöpfung auch unter den anderen ihre Opfer. Nur 8 000 überleben den schrecklichen Marsch über den halben Kontinent, den die Cherokee »Trail of Tears«, den Weg der Tränen, nennen.

Eine neue Kultur entsteht

Während die echten Ureinwohner durch die Hölle gehen, beginnt die Literatur, sie zu »edlen Wilden« zu verklären (Karl Mays Winnetou entstand zwar ein gutes halbes Jahrhundert später, doch er ist noch ein typischer Held dieser Art). Das liegt daran, dass die Menschen an der Ostküste nach der Unabhängigkeit allmählich beginnen, darüber nachzudenken, was es heißt, Amerikaner zu sein. Philosophen, Schriftsteller, Künstler und Theologen wollen sich von den europäischen Ideen abgrenzen und Ideen entwickeln, die das neue Leben der Menschen in Amerika beschreiben.

In dieser Zeit entsteht eine ganz eigene amerikanische Literatur. Viele der Bücher, die damals veröffentlicht werden, sind bis heute Klassiker. Nach der Lektüre eines schlechten Romans wettet der wohlhabende James Fenimore Cooper (1789–1851) mit seiner Frau, dass er es schafft, ein besseres Buch zu schreiben – seine *Lederstrumpf*-Romane werden Klassiker, die so gut wie alle späteren Western beeinflussen. Der junge Herman Melville (1819–1891), der aus einer vornehmen New Yorker Familie stammt, beschließt, Seemann zu werden und lernt das raue Geschäft des Walfangs kennen. Seine Berichte und Romane aus der Welt der Seefahrt werden gerne gelesen. Zwar wird sein Roman *Moby Dick* zu seiner Zeit ein Flop, dafür wird er später wiederentdeckt und weltberühmt. Edgar Allen Poe (1809–1849) aus Virginia hat mit seinen düsteren Kurzgeschichten Erfolg. In Neuengland setzt sich Nathaniel Hawthorne (1804–1864) aus Massachusetts in vielen Geschichten mit seinen puritanischen Vorfahren auseinander, die einst bei den Hexenprozessen von Salem dabei waren. *Der scharlachrote Buchstabe,* sein historischer Roman über diese Zeit, gilt als Meisterwerk.

Amerika bringt auch eine eigene philosophische Strömung hervor: den Transzendentalismus, der in Neuengland entsteht. In Boston scharen sich Schriftsteller und Denker um den ehemaligen Pfarrer Ralph Waldo Emerson (1803–1882). Sie sind voller Optimismus, glauben an die Möglichkeiten des Einzelnen und die Rückbesinnung auf die Natur. Der bekannteste von Emersons Freunden ist Henry David Thoreau (1817–1862), der einmal als Philosoph und Wegbereiter des Umweltschutzes bekannt werden wird. Der eigenwillige junge Mann mit dem buschigen Vollbart nimmt das Motto seiner Freunde, »Einfaches Leben und hohe Gedanken«, ernst, zieht sich in eine Hütte an einem See zurück und lebt dort jahrelang. »Allein in den Wäldern ... komme ich zu mir selbst«, schreibt er in seinem Buch *Walden.* »Immer wieder beglückwünsche ich mich wegen meiner so genannten Armut.« Er weigert sich aus Prinzip, Steuern zu zahlen, weil er mit diesem Geld den Krieg gegen Mexiko unterstützen würde, und geht dafür sogar ins Gefängnis. In seinem berühmten Aufsatz »Ziviler Ungehorsam« erklärt er, dass jeder Mensch seinem Gewissen folgen muss; dieser Essay inspiriert später Mahatma Gandhi und Martin Luther King zu ihrem gewaltlosen Widerstand gegen Ungerechtigkeiten.

In dieser Zeit entstehen in den USA auch eine Vielzahl von neuen Religionen und Sekten. Eine der wichtigsten sind die Mormonen. Im Staat New York behauptet ein Mann namens Joseph Smith (1805–1844), von einem Engel goldene Tafeln mit dem *Buch Mormon* erhalten zu haben, einem angeblich verloren gegangenen Teil der Bibel. Er gründet seine eigene Kirche und zieht mit gläubigen Helfern von Ort zu Ort, um seine Botschaft zu verkünden. Manchmal hört man ihm interessiert zu, manchmal teert und federt man ihn. 1844 wird Smith schließlich von einer wütenden Menge getötet. Die Mormonen werden immer stärker angefeindet und gehen schließlich nach Westen, um ihre eigene Heilige Stadt zu gründen. Ihr neuer Führer Brigham Young sucht einen riesigen Salzsee in der Wüste als Standort aus, und tatsächlich schaffen die Mormonen es, in Salt Lake City zu überleben. Aus der Gegend wird der Staat Utah, noch heute leben dort 9 Millionen Mormonen.

Nichts weniger als der ganze Kontinent

Die Vereinigten Staaten wollen den Kontinent für sich haben, keine europäische Kolonialmacht soll Ansprüche auf Nordamerika erheben können. Das bedeutet harte Verhandlungen, denn noch beansprucht Spanien einen Teil des Gebiets, das Lewis und Clark erforscht haben, Russland hat sich in Kalifornien und Alaska festgesetzt (in beiden Staaten trifft man in dieser Zeit oft russische Jäger und Händler an). Auch die Briten mischen in Kanada noch mit. Es ist ein Glücksfall für die Vereinigten Staaten, dass Spanien so geschwächt ist. Die einstige Weltmacht muss Florida an die USA verkaufen und verliert nach und nach ihre Besitztümer in Lateinamerika, da die Menschen sich dort in einem Befreiungskrieg nach dem anderen gegen ihre Herrschaft auflehnen. Nach 1821 sind nur in der Karibik noch einige Staaten in spanischer Hand.

Präsident James Monroe (1758–1831), ein Kampfgefährte von Washington, der zusammen mit Jefferson studiert hat, setzt Europa in seiner berühmten »Monroe-Doktrin« 1823 klare Grenzen: Die USA halten sich aus Europas Angelegenheiten und Kriegen heraus und betrachten in Zukunft jeden Versuch europäischer Mächte, sich auf den amerikanischen Kontinenten und in den umliegenden Regionen einzumischen, als Bedrohung der Sicherheit Amerikas. Diese neue Richtlinie stößt auf breite Zustimmung: Schon die Gründungsväter der USA haben immer wieder vor *entangling alliances* gewarnt, vor Bündnissen, durch die man in Streitereien verwickelt werden könnte, die Amerika eigentlich nichts angehen.

In dieser Zeit wachsen die USA unglaublich schnell. Der Strom der Menschen, der nach Westen drängt, schwillt immer weiter an, ist zur Völkerwanderung geworden. Zwischen 1800 und 1810 ziehen eine Million Menschen nach Westen. Händler wagen sich über den *Santa-Fe-Trail* in den Südwesten. Auf den wichtigen Siedler-Routen wie dem 3 200 Kilometer langen *Oregon-Trail,* der von Missouri aus quer über den halben Kontinent führt, ziehen fast ununterbrochene Planwagenkolonnen über Gebirge und Prärien. Selbst heute sind die Spurrillen noch teilweise zu erkennen, obwohl natürlich längst eine Straße entlang der einstigen Route verläuft. Zwei entbehrungsreiche Monate brauchten die von Ochsengespannen gezogenen Wagen bis zum Pazifik. Zwar kann man die Westküste auch über den Seeweg erreichen, aber da die Schiffe dafür um die äußerste Spitze Südamerikas segeln müssen, ist das nicht weniger anstrengend.

Inzwischen sind viele Amerikaner davon überzeugt, dass es das Schicksal der Vereinigten Staaten ist (*Manifest Destiny*), sich einmal von Meer zu Meer zu erstrecken. Dieses Denken ist sehr praktisch, um die rastlose Ausdehnung der Union zu rechtfertigen. Doch auf dem Weg zu diesem Ziel gibt es einige kleine Probleme. Weite Gebiete, die die USA gern für sich hätten, gehören zu Mexiko, das 1821 erfolgreich gegen die Spanier revoltiert hat und inzwischen eine unabhängige Nation ist. Die späteren US-Bundesstaaten Kalifornien und Texas sind mexikanische Provinzen. Die Washingtoner Regierung schickt Beauftragte nach Mexiko Stadt, um anzufragen, ob es möglich sei, diese Gebiete zu kaufen, doch die Mexikaner lehnen ab.

Der neue Präsident James K. Polk widersetzt sich der Stimmung der Zeit nicht und geht auf Expansionskurs. Er beansprucht das riesige Oregon-Gebiet für die USA, obwohl es unter gemeinsamer Kontrolle mit Großbritannien steht. Großbritannien will keinen Ärger und gibt Oregon kampflos auf. Nicht lange

Texas und der Kampf um Alamo

Wir schreiben das Jahr 1835. Die US-amerikanischen Siedler, die sich mit Billigung der mexikanischen Regierung in der Provinz Tejas niedergelassen haben, wollen nicht mehr weiter unter mexikanischer Hoheit leben und nehmen die Sache entschlossen selbst in die Hand. Sie rebellieren gegen General Santa Anna, der sich in Mexiko gerade zum Diktator aufgeschwungen hat, und erklären Texas, wie sie es nennen, frech zur unabhängigen Republik. Santa Anna schickt Truppen, um die Rebellion niederzuschlagen. In San Antonio greifen 5 000 mexikanische Soldaten eine kleine Mission, das »Alamo« an. Dort haben sich 144 Verteidiger verschanzt, darunter so legendäre Gestalten wie der Waldläufer Davy Crockett und Jim Bowie (nach dem das Bowie-Messer benannt worden ist). Zwölf Tage lang verteidigen sie sich tapfer und weigern sich, zu kapitulieren, dann werden sie von der Übermacht der mexikanischen Truppen überrannt. Keiner der Männer überlebt.

Santa Anna bezahlt seinen Sieg teuer. Kurz darauf wird er von texanischen Truppen unter General Sam Houston, die sich mit dem zornigen Schlachtruf »Denkt an das Alamo!« ins Gefecht werfen, besiegt und gefangen genommen. Widerwillig erkennt er die Unabhängigkeit der Rebellen an. Texas wählt Sam Houston zum Präsidenten und ist unabhängige Republik, bis es 1845 als Staat in die Vereinigten Staaten von Amerika aufgenommen wird.

danach – 1846 – provoziert Präsident Polk einen Zwischenfall an der mexikanischen Grenze. Es gibt Krieg. Die Mexikaner haben die weitaus größere Zahl von Truppen, sind aber schlechter bewaffnet und miserabel ausgebildet. In den Vereinigten Staaten ist die Öffentlichkeit über diesen Krieg geteilter Meinung: Viele halten ihn für einen unrechten Eroberungsfeldzug.

In Kalifornien gehen abenteuerlustige Siedler währenddessen den gleichen Weg wie Texas, sie basteln eine Flagge (ein Grizzlybär, Symbol der Stärke, auf weißem Grund) und rebellieren gegen Mexiko. Der Aufstand dauert nur einen Monat und ist völlig überflüssig – wenig später marschieren die amerikanischen Truppen bereits in Mexiko Stadt ein. In einem Vertrag von 1847 zwingen die USA Mexiko, die heutigen Bundesstaaten Kalifornien, Arizona, Nevada, Utah, New Mexico und andere Gebiete weiter nördlich davon abzutreten. Mexiko verliert insgesamt die Hälfte seines Staatsgebietes, Grenze zwischen den USA und Mexiko ist fortan der Fluss Rio Grande.

Hilfe, die Iren kommen!

Im 19. Jahrhundert explodieren die Bevölkerungszahlen förmlich, zwischen 1812 und 1852 werden aus 7,2 Millionen Einwohnern 23 Millionen, 1860 sind es schon dreißig Millionen. Nun haben die Vereinigten Staaten das einstige Mutterland England überholt – und ein Ende des Wachstums ist nicht in Sicht.

Viele der Einwohner sind keine gebürtigen Amerikaner, sondern während einer der großen Einwanderungswellen Mitte des 19. Jahrhunderts in der Neuen Welt an Land gegangen. Ein großer Teil der Neuankömmlinge sind Iren. Irland ist in dieser Zeit eine arme, völlig überbevölkerte Insel, die schon lange unter den Engländern zu leiden hat. Ihre Bewohner sind stark von der Landwirtschaft und ganz besonders von der Kartoffelernte abhängig. Als die Kartoffelfäule 1845 die Ernte vernichtet, stürzt das Land in eine schlimme Hungersnot. Hunderttausende Männer, Frauen und Kinder verhungern. Millionen andere fliehen nach Amerika und hoffen auf ein besseres Leben in der neuen Welt. Getreu dem Jahrzehnte später auf der Freiheitsstatue in New York eingraviertem Motto: »Gib mir deine müden, deine armen, deine niedergedrückten Massen, die sich danach sehnen, frei zu atmen, das armselige Strandgut deiner überfüllten Küsten. Sende sie, die Heimatlosen, die vom Sturm Gestoßenen, zu mir.«

Die meisten Iren kommen ohne einen Dollar in der Tasche in den großen Städten an der Ostküste an, vor allem in New York und Boston. Sie können es sich nicht leisten, ins Landesinnere weiterzureisen und siedeln sich dort an, wo sie an Land gegangen sind. Innerhalb weniger Jahren sind die Hälfte der Einwohner in den großen Küstenstädten Iren.

Die zweite große Gruppe der Einwanderer bilden Deutsche – mehr als fünf Millionen von ihnen siedeln in die USA über. Auch sie lockt die neue Chance, die Amerika verspricht, und das günstige Land. Manche von ihnen müssen nach den gescheiterten demokratischen Revolutionen von 1830 und 1848 fliehen. Sie sind nicht ganz so mittellos, viele sind gebildet oder haben eine Berufsausbildung. Die meisten von ihnen ziehen weiter nach Missouri, Texas, Illinois und Wisconsin. Dort gründen sie Freiwillige Feuerwehren, Schützen- und Turnvereine wie daheim, trinken Bier und pflegen die deutsche Küche. Viele haben ihre Traditionen bis heute bewahrt. In Kalifornien kommen währenddessen aus dem nahe gelegenen Asien Chinesen ins Land. Fast alle sind Männer, die in Amerika Geld verdienen wollen, um dann reich in die Heimat zurückzukehren.

Beunruhigt und misstrauisch beobachten die Alteingesessenen, wie die Einwandererströme immer weiter anschwellen. Ihnen graust vor den Neuankömmlingen, die eigenartige Sprachen sprechen, in bestimmten Stadtvierteln unter ihresgleichen leben und die Bräuche ihrer Heimatländer weiterpflegen, statt zu Amerikanern zu werden. Die Deutschen sind wegen ihrer Tüchtigkeit weniger unbeliebt, doch die Iren erwerben sich schnell den Ruf, gerne einen über den Durst zu trinken, ungebildet und streitsüchtig zu sein. Außerdem sind sie Katholiken und damit für die protestantischen Alt-Einwanderer widerliche Papst-Anhänger. Nur den Chinesen, die nicht nur »Heiden« sind, sondern zu allem Überfluss zudem anders aussehen, schlägt noch mehr Feindseligkeit entgegen als den Iren. Sogar eine politische Partei entsteht, die American Party, die sich gegen die neuen Einwanderer richtet. Sie ist organisiert wie ein Geheimbund, und die Mitglieder sind angewiesen, auf Fragen nur »We know nothing – Wir wissen nichts« zu antworten. Schnell haben sie den Spitznamen »Know-Nothings« weg. »Wir scheinen in der Degeneration beachtliche Fortschritte zu machen«, schreibt ein junger Anwalt namens Abraham Lincoln ironisch an einen Freund. »Als eine Nation begannen wir mit der Erklärung ›Alle Menschen sind gleich‹ Praktisch lesen wir nun ›Alle Mensch sind gleich, ausgenommen die Neger.‹ Wenn die Know-Nothings die Macht gewinnen, wird es heißen: ›Alle Menschen sind gleich, ausgenommen Neger, Ausländer und Katholiken‹.«

Die irischen Einwanderer reagieren auf den Hass, indem sie eng zusammenhalten und ihrerseits die Schwarzen verachten. »Geht doch nach Afrika zurück, wo ihr hingehört!«, werfen sie ihnen an den Kopf. Mit ihnen konkurrieren sie um die einfachen Arbeiterjobs. Einige Afroamerikaner gehen nach Ende der Sklaverei in den USA tatsächlich nach Afrika zurück und gründen dort mit Unterstützung der USA den Staat Liberia. Doch die meisten bleiben in den Vereinigten Staaten.

Entwicklung im Zeitraffer

Es ist langsam und mühselig, sich auf diesem riesigen Kontinent mit Ochsenkarren, Kutschen und Flößen fortzubewegen. Neue Straßen werden gebaut, eine wahre Manie des Kanal-Baus bricht aus, und schließlich erobert die Eisenbahn die weiten Ebenen. Für die ersten Passagiere ist die Fahrt nicht ganz ungefährlich, oft brennen ihnen Funken Löcher in die Kleidung.

Obwohl der Staat den Bau von Eisenbahnlinien fördert, indem er dafür Land zur Verfügung stellt, ist der Aufbau des Liniennetzes Privatsache. So mancher Unternehmer macht damit ein schwindelerregendes Vermögen. 1840 sind alle großen Städte miteinander verbunden. Der Bau der Eisenbahnen verändert die Wirtschaft Amerikas stark. Früher produzierten Handwerker Waren für ihre Kunden in der Region, viele Familien versorgten sich selbst. Nun entsteht allmählich ein nationaler Markt. Als 1832 der Telegraf erfunden wird, dauert es bald nicht mehr Tage, bis eine Nachricht an ihrem Bestimmungsort ankommt, sondern nur noch Minuten.

Auch andere neue Erfindungen verändern das Land. Durch die neuen Erntemaschinen wird die Landwirtschaft, einst dominiert von kleinen Farmen, zum Big Business. Im Westen entstehen riesige Weizen- und Maisfelder, Rinderherden ziehen über die Prärie. In den grünen Hügeln Neuenglands werden Hunderte von durch Wasserkraft angetriebene Textilmühlen gebaut, die mit ihren Stoffen Waren aus Europa Konkurrenz machen. Mit dem warnenden Beispiel der industriellen Revolution in England vor Augen, die so viel Elend verursacht hat, versuchen die Betreiber, daraus Musterunternehmen zu machen. Ihre Fabriken sollen sich harmonisch in die Dörfer einfügen und jungen Mädchen außerhalb ihrer Familie sinnvolle Arbeit bieten, sie aber gleichzeitig wohlwollend behüten. Das Experiment geht schief. Bald sind aus den einst so idyllischen Städtchen dreckige Industrieorte geworden, in denen die Frauen dreizehn Stunden am Tag und sechs Tage die Woche in Fabriken schuften. Eine Arbeiterklasse bildet sich.

Die Städte wachsen rasant. Wer seine Heimatstadt für einige Jahre verlässt, der erkennt sie bei seiner Rückkehr kaum mehr wieder. Chicago zum Beispiel ist 1830 noch ein Präriedorf, das aus einer Hand voll Häusern besteht. Innerhalb weniger Jahrzehnte wird aus ihm wegen seiner verkehrsgünstigen Lage an den großen Seen eines der geschäftigsten Handelszentren des Kontinents. Allein von 1850 bis 1855 wächst die Zahl seiner Einwohner von 29 000 auf 80 000. Im Jahr 1860 erreicht New York als erste amerikanische Stadt eine Million Einwohner. Aus dem ländlichen Mittleren Westen, in dem die Menschen in selbstgezimmerten Blockhütten wohnen und ihr eigenes Gemüse anbauen, wird mit großer Geschwindigkeit ein völlig anderes Land. In den neuen Städten entwickelt sich eine ganz eigene Kultur, zu der natürlich auch neue Freizeitbeschäftigungen gehören: Man geht ins Theater, zu Boxveranstaltungen, Pferderennen oder besucht *Minstrel Shows,* in denen als schwarze Sklaven kostümierte Weiße singen, tanzen und Witze reißen.

E. Gould Buffum

Als junger Armeeoffizier kündigt er seinen Job, nachdem er von den Goldfunden gehört hat, und macht sich 1848 auf den Weg nach Kalifornien.

Bewaffnet mit Pickel, Schaufel, Hacke und Gewehr, angetan mit einem roten Flanellhemd, Cordhosen und schweren Stiefeln und in Begleitung zweier Freunde begab ich mich am 25. Oktober 1848 zum einzigen Anlegesteg in San Franzisko, um mich in die goldenen Berge der Sierra Nevada aufzumachen. Die Szenen, die ich in den vorangegangenen Tagen mitangesehen hatte, und die sich nun an Bord des Bootes abspielten, hätten auch einem mutigeren Mann, als ich es bin die Knie weich werden lassen. Ganze Bootsladungen armseliger Fieberkranker kamen Tag für Tag aus der Minenregion, mutlos, schwach, ausgemergelt und mit gelben Gesichtern. Aber ich war zu allem bereit, und ich glaube, ich hätte die Fahrt auch auf mich genommen, wenn der

Gold!

Am schnellsten sprießen die Städte in Kalifornien. 1840 ist die Gegend noch eine vernachlässigte mexikanische Provinz, San Francisco ein Dorf, das aus ein paar hundert Hütten besteht und dessen Einwohner Rinderhäute in den Osten verschiffen. Auf riesigen Landgütern leben die mexikanischen Herren in Saus und Braus, während ihre indianischen Arbeiter schuften. Auch ein Schweizer, Johann August Suter (1803–1880) – in der Neuen Welt nennt er sich John Sutter –, hat dort an der Stelle der heutigen Stadt Sacramento Land von den Mexikanern gekauft und sich ein blühendes Reich geschaffen, das er New Helvetica, Neu-Helvetien, getauft hat. 1848 stößt einer seiner Angestellten beim Bau einer Mühle auf gelbe Körnchen in der Erde: Gold!

Sutter versucht den Fund geheim zu halten, doch vergeblich: Als die Nachricht sich verbreitet, sind die Menschen wie von einem Rausch gepackt. Überall auf der Welt lassen Männer ihre Arbeit stehen und liegen, verlassen ihre Familien und machen sich auf den langen, gefährlichen Treck nach Kalifornien, durch Wüsten und über Berge. 1849 trifft die erste Welle von einigen Tausend Goldsuchern ein, *Forty-Niners* werden diese Veteranen später genannt. Im nächsten Jahr sind es schon 300 000 Menschen – fast ausschließlich Männer –, die der Traum

Teufel selbst am Steuer des Bootes gestanden hätte, das mich nach Eldorado bringen sollte. …

Das Gold am Yuba war extrem fein, und es hieß immer, es sei von ganz besonderer Qualität. Wir fragten die Schürfer nach ihrem Erfolg, doch da sie sahen, dass wir Greenhorns waren und vermutlich Angst hatten, dass wir ihnen etwas wegnehmen, gaben sie entweder ausweichende Antworten oder logen uns an. …

An Fosters Bar machte ich meine erste Erfahrung als Goldsucher. Mit der Hand füllte ich meinen Becher mit Erde und wusch sie im Fluss. Mit welcher Begierde starrte ich auf die Erde, während sie sich auswusch und der Boden des Bechers in Sicht kam! Und wie glücklich war ich, als ich sah, dass am Boden rund zwanzig kleine Goldkörnchen im Wert von vielleicht fünfzig Cent in der Sonne blitzten! Vorsichtig wickelte ich sie in ein Stück Papier und hob sie eine ganze Zeit lang auf. Doch wie das Gold, das ich später in größeren Mengen fand, ist es verschwunden, und nur der Himmel weiß, wohin.[4]

vom schnellen Reichtum aus aller Welt in die ferne Provinz treibt. Innerhalb von wenigen Monaten schwillt San Francisco auf die vierzigfache Größe an. John Sutters Reich wird förmlich von den wilden Horden überrannt, er flieht auf eine entlegene Farm.

Überall dort, wo neue Funde gemeldet werden, schießen Wüstenstädte und Schürfcamps aus dem Boden. Und genauso schnell werden sie zu Geisterstädten, wenn der Reichtum erschöpft ist oder eine andere Gegend mehr verspricht. In diesen Camps ist jeder bewaffnet, es gilt das Recht das Stärkeren. Jeder fünfte Neuankömmling ist nach sechs Monaten tot. Die meisten anderen träumen vergeblich von großen Funden. Reich werden vor allem die Händler, die die Goldsucher versorgen: Preise von zehn Dollar für einen Keks sind nichts Ungewöhnliches.

Was in Kalifornien geschieht, wiederholt sich später noch oft, wenn auch nicht in dieser Größenordnung. Im Südwesten wird Silber gefunden, in Alaska und den Dakotas Gold. Und jedes Mal zieht die Sensationsnachricht einen Heuschreckenschwarm von Menschen in die entlegendsten Gegenden des Kontinents.

Sutter versucht später, eine enorme Summe als Entschädigung einzuklagen. Schließlich steht die Stadt Sacramento auf seinem Grund und Boden, eigentlich gehört sie ihm. Er bekommt zwar Recht, aber als die Bewohner der Stadt von diesem Urteil hören, gibt es einen wütenden Aufruhr. Ein Mob fällt über Sutters letzte verbliebene Farm her und noch einmal verliert er alles. Der einstige Herr von New Helvetica stirbt in Armut, als gebrochener Mann.

Dadurch, dass so viele Siedler in die Gegend geströmt sind, kann Kalifornien schon sehr bald als Staat in die Union eintreten (denn die Bevölkerungszahl ist das Kriterium für die Bewerbung als neuer Staat, wobei Ureinwohner nicht zur Bevölkerung gerechnet werden). Doch genau das wird zur Zerreißprobe der Union. Sollte es in Kalifornien Sklaven geben oder nicht? Wieder einmal brechen Konflikte auf, die die Vereinigten Staaten verdrängt, aber nicht gelöst haben.

Kapitel 5

Das Trauma des Bürgerkrieges

(1850–1870)

Wirtschaftlich geht es den USA gut. Doch unter der Oberfläche von Wohlstand und Wachstum schwelen ungelöste Konflikte. Sie brechen sich schließlich in einem blutigen Bürgerkrieg Bahn, der das Ende der Sklaverei einläutet und die Vereinigten Staaten durch ihre Feuertaufe schickt.

Ein unmenschliches Schicksal

Schwarze haben ein hartes Leben auf den Plantagen der Südstaaten: Feldsklaven müssen zehn oder mehr Stunden täglich in der sengenden Sonne härteste Arbeit verrichten. Nach der Mechanisierung des Baumwollanbaus in den dreißiger Jahren des 19. Jahrhunderts werden ihre Lebensbedingungen immer schlimmer: Die Farmen werden größer, und die Arbeiter werden nicht mehr von ihren Besitzern beaufsichtigt, sondern häufig von Aufsehern, die am Gewinn beteiligt sind. Sie zwingen die Feldsklaven, möglichst schnell zu schuften, und sparen dabei nicht mit Peitschenhieben; da die Schwarzen nicht ihr Eigentum sind, sehen sie keinen Grund, sie schonend zu behandeln. Wer es wagt aufzubegehren, darf getötet werden, ohne dass der Täter dafür verurteilt wird.

Wer als Haussklave – zum Beispiel Diener, Köchin oder Kindermädchen – eingesetzt wird, hat es etwas leichter. Aber auch diese Schwarzen sind völlig der Willkür ihrer Herren preisgegeben und haben keine Kontrolle über ihr Leben, sind immer zur Unterwürfigkeit gezwungen. Sie zählen genauso zum Besitz ihres Herren wie der Hausrat, und ihr Besitzer kann sie verkaufen, wie und wohin er möchte; meist sehen die Sklaven ihre Angehörigen nie wieder. Auf dem Sklavenmarkt werden die Schwarzen angeboten wie Vieh: 300 Dollar kostet ein Feldarbeiter zunächst, doch als 1808 der weitere Import von Sklaven verboten wird, steigen die Preise für ein Menschenleben bis auf 1 000 Dollar. Deshalb können sich wenige Menschen im Süden mehrere Sklaven leisten und nur eine kleine Elite von Pflanzern hat mehrere Hundert schwarze Arbeitskräfte.

Dem Gesetz nach ist Sklaverei sozusagen erblich: Die Kinder einer Sklavin sind automatisch ebenfalls Sklaven. Auch wenn der Vater ihr weißer Besitzer ist, was oft genug vorkommt. Doch es gibt Auswege aus der Sklaverei. Manche schaffen die Flucht nach Norden, in die Freiheit. Andere werden nach dem Tod des Besitzers freigelassen, wenn dieser das so im Testament festgelegt hat. Oder sie bekommen die Erlaubnis, sich freizukaufen. Doch das glückt nur wenigen.

Um dieses Leben überhaupt zu ertragen, halten die Schwarzen zusammen und entwickelten ihre ganz eigene Kultur, die ihnen Kraft gibt. Sie ist eine Mischung aus europäisch-amerikanischen und afrikanischen Elementen, aus Musik, Religion und Feiern. Viele Schwarze haben sich zum Christentum bekehren lassen. Der Glaube ist ihnen nicht verboten, weil die weißen Besitzer sich davon friedlichere, duldsamere Sklaven versprechen. Ihr Gottesdienst am Sonntag wird für viele Sklaven die einzige Gelegenheit, unter sich zu sein und ihre Leiden eine Weile zu vergessen. Sie feiern ihn nicht nüchtern-streng wie die

Mary Prince

war eine Sklavin in der Karibik: Sie und ihre Schwestern werden ca. 1810 als Jugendliche von ihrer Besitzerin verkauft, weil die weiße Familie Geld braucht.

Weinend rief meine Mutter mich, Hannah und Dinah zu sich und wir gingen zusammen den Weg nach Hamble Town. Wir folgten ihr zum Marktplatz, wo sie uns in einer Reihe an einer Hauswand aufstellte, mit dem Rücken zur Wand. Unsere Mutter stand abseits und weinte um uns. Mein Herz schlug vor Trauer und Angst so heftig, dass ich meine Hand fest auf meine Brust drückte, doch ich konnte es nicht beruhigen, es schlug und schlug, als wollte es aus meinem Körper springen. Aber wen kümmerte das? Hat einer der vielen Passanten, die uns so achtlos musterten, an den Schmerz gedacht, der einer Negerin und ihren Kindern das Herz brach? Nein! Sie mögen keine schlechten Menschen gewesen sein, doch die Sklaverei verhärtet die Herzen der Weißen für den Schmerz der Schwarzen. Viele von ihnen machten laute Bemerkungen über uns, ohne Rücksicht auf unseren Schmerz, doch ihre dahingesagten Worte brannten in den frischen Wunden unserer Herzen wie Feuer.

Protestanten, sondern tanzen und singen ausgelassen. Diese Musik kommt tief aus ihrem Inneren, Freude, Schmerz und Glaube spricht daraus. Oft enthalten ihre Lieder sogar codierte Botschaften, etwa den Ort eines Treffens oder Details eines Fluchtwegs. So können Nachrichten weitergetragen werden, ohne dass Weiße es merken.

Zwar dürfen Sklaven an Gott glauben, aber es ist verboten, einem Sklaven Lesen oder Schreiben beizubringen. Der Gedanke dahinter ist, dass man einen unwissenden Menschen leichter unter Kontrolle halten kann. Mit dem Lesen weitet sich der Horizont, und damit kommt oft auch der Wunsch nach Freiheit. Das stellte auch Frederick Douglass (1817–1895) fest, der sich heimlich im Tausch gegen Brot von weißen Straßenkindern das Lesen beibringen lässt. »Manchmal erschien es mir, dass das Lesenlernen für mich eher ein Fluch als ein Segen war«, erinnert er sich. »Es gab mir einen klaren Blick auf meine schlimme Situation, aber keine Lösung.« Nach vielen schrecklichen Erlebnissen gelingt Douglass die Flucht in den Norden, wo er eine aufsehenerregende Autobiografie schreibt und für die Abschaffung der Sklaverei kämpft.

Schließlich kam der Auktionator, der uns verkaufen sollte wie Schafe oder Kühe. Er nahm mich bei der Hand und führte mich in die Mitte der Straße, wo er mich langsam drehte, damit mich die Bieter von allen Seiten begutachten konnten. Ich war umringt von fremden Männern, die mich musterten oder betasteten, so wie ein Metzger ein Kalb oder ein Lamm, das er kaufen möchte, und genauso sprachen sie von meiner Form und Größe, als ob ich genauso wenig davon mitbekäme wie diese Tiere. Die Gebote begannen bei ein paar Pfund und bei 57 Pfund bekam der Höchstbieter den Zuschlag. Die Umstehenden sagten, ich habe einen hohen Preis erzielt, dafür, dass ich eine so junge Sklavin sei.

Dann musste ich zusehen, wie meine Schwestern nacheinander vorgeführt und an unterschiedliche Besitzer verkauft wurden, sodass uns nicht einmal der traurige Trost blieb, gemeinsam die Gefangenschaft zu teilen. Nach Ende der Versteigerung umarmte und küsste uns unsere Mutter und trauerte um uns. Sie bat uns, nie den Mut zu verlieren und unseren neuen Herren gegenüber stets unsere Pflicht zu tun. Es war ein trauriger Abschied. Eine ging in die eine Richtung, die andere in die andere, und unsere arme Mami ging allein nach Hause.[5]

Mary erlebt noch viel Grausames, schafft es aber schließlich, freizukommen, als ihre Besitzer sie nach England mitnehmen.

Die tiefe Kluft zwischen Nord und Süd

Während schwarze Sklaven in manchen Gegenden des Südens mehr als die Hälfte der Bevölkerung stellen, gibt es im Norden nur wenige Afroamerikaner – keine Sklaven, sondern Freie. Doch die Unterschiede zwischen den Regionen gehen sehr viel tiefer. Norden, Süden und Westen der USA haben sich in den letzten Jahrzehnten immer weiter auseinander entwickelt, ihre Interessen sind inzwischen sehr unterschiedlich. Im dicht besiedelten Norden sprießen große Städte, Handel und Banken blühen, und es entsteht eine boomende Industriekultur. In den Gießereien wird Stahl für Eisenbahnen und Maschinen erzeugt, in den neuen Textilfabriken werden große Mengen von Stoffen gewebt und an der Küste laufen Schiffe vom Stapel. Die Menschen bekommen eine bessere Schulbildung als anderswo in den Vereinigten Staaten, hier zählen Fleiß, Ehrgeiz und Tüchtigkeit.

Im Norden ist die Sklaverei von Beginn an unwichtig, denn hier brauchte man nicht die Muskelkraft von ungelernten Feldarbeitern, sondern vor allem Handwerker, Baumeister, Ingenieure, Drucker, Juristen. Weil der Menschenhandel im Norden früh abgeschafft worden ist, haben viele Nordstaatler gar nicht erst angefangen, von Schwarzen als »Untermenschen« zu denken. Die meisten Bürger von Neuengland machen sich kaum Gedanken über die Sklaverei oder finden sie eigenartig und widerwärtig.

Die Südstaaten dagegen sind bäuerlich geblieben. Ihre Bewohner nutzen das günstige Klima dieser Gegend und setzen weiterhin auf Landwirtschaft und Rohstoffe. Der Baumwollanbau hat einen enormen Aufschwung erlebt, seit 1793 ein junger Mann namens Eli Whitney auf einer Plantage zu Besuch war und dort nebenbei eine Maschine erfunden hat, mit der man die Samen aus der Baumwolle entfernen kann. Überall entstehen Anfang des 19. Jahrhunderts neue Plantagen. Doch durch die großen Entfernungen zwischen ihnen ist es kaum möglich, Kinder zur Schule zu schicken.

Die Wirtschaft der Südstaaten ist abhängig von den Ernten, die zum großen Teil nach Europa verkauft werden. Und von den Sklaven, denn man braucht viele billige Arbeitskräfte, um auf den riesigen Feldern Tabak und Baumwolle anzubauen. Ohne die vielen Schwarzen könnten die weißen Pflanzer ihren herrschaftlichen Lebensstil nicht beibehalten. Sie sind bereit, die Sklaverei bis aufs Blut zu verteidigen und können sich nicht vorstellen, sie abzuschaffen und auf ihre vielen Diener zu verzichten.

Im Laufe der Jahrzehnte hat sich im Süden eine ganz eigene Kultur entwickelt. Der Satiriker Mark Twain (1835–1910) macht sich über den Süden lustig und behauptet, es gehe zu wie im europäischen Mittelalter: Die Frauen der Plantagenbesitzer verwandelten sich in Burgfräulein, Männer in edle Ritter. Sklaverei ist ein fester Bestandteil dieser feudalen Kultur. Viele gebildete Südstaatler rechtfertigen das System, indem sie behaupten, die Schwarzen seien unmündig und brauchten jemanden, der sich in väterlichem Wohlwollen um sie kümmere. Außerdem sei in der Bibel nicht von der Sklaverei die Rede, also werde Gott schon nichts dagegen haben.

Die Mehrheit der Weißen in den Südstaaten – keine Plantagenbesitzer, sondern ungebildete Hilfsarbeiter und arme Kleinbauern – profitiert kaum von der Sklaverei. Doch gerade bei ihnen, die nur wenig besser leben als die Sklaven, sitzt die Verachtung gegenüber den Schwarzen tief.

Eine Sklavenwirtschaft wie die in den Südstaaten hat auch für Weiße ihren Preis. Die Plantagenbesitzer leben in ständiger Furcht vor einer Rebellion ihrer Sklaven. Um sich zu schützen, sind die Weißen gut bewaffnet und unterdrücken jedes Aufbegehren der Schwarzen schnell und brutal. Unter der Oberfläche ist die Kultur des Südens eine Kultur der Gewalt.

Schon in den frühen Jahren nach der Unabhängigkeit schwelen diese Gegensätze zwischen Nord und Süd, und später verschärfen sie sich immer mehr. Ab 1840 ist die Sklaverei das wichtigste Thema in der Politik.

Viele Jahre lang gilt die berühmte »Mason-Dixon-Linie« (benannt nach den Landvermessern Charles Mason und Jeremiah Dixon), die zwischen Pennsylvania und Virginia verläuft, als die Grenze zwischen Nord und Süd, zwischen Sklaverei und Freiheit. Doch als die Vereinigten Staaten sich nach Westen ausdehnen, reicht diese Regelung nicht mehr aus. Nun gibt es erbitterten Streit darüber, ob die neuen Staaten »Sklavenstaaten« werden sollen oder nicht. Der Norden will verhindern, dass sich die schwarze Zwangsarbeit auch noch in den bisher »unverdorbenen« Westen ausbreitet und der Süden politisch die Übermacht gewinnt. Die Plantagenbesitzer der Südstaaten dagegen sind sehr daran interessiert, das neue, fruchtbare Land mit Hilfe von Sklaven zu bewirtschaften. Sowohl Baumwolle als auch Tabak laugen den Boden aus, die Pflanzer müssen ständig neue Gebiete erschließen, um weiter gute Ernten einfahren zu können.

Im Jahr 1820, als es um die Aufnahme von Missouri geht, beschließt die Regierung nach langen Diskussionen, dass in Zukunft gleich viele freie Staaten und Sklavenstaaten in die Union – so nennen die Vereinigten Staaten gelegentlich ihren Staatenbund – aufgenommen werden sollen. Damit bleibt das Kräftegleichgewicht zwischen Nord und Süd erhalten. Doch schon bald wird klar, dass die vielen, mühsam ausgehandelten Kompromisse nur vorübergehend helfen. Die Spannungen in der Union werden immer größer und drohen das Land zu zerreißen. Warnzeichen gibt es genug. Immer wieder muckt der Süden auf und droht, sich ganz von den Vereinigten Staaten loszusagen, wenn ihm der Norden noch mehr Zugeständnisse abverlange und weiter in seine Angelegenheiten hineinrede.

Wenn das Gewissen spricht

Im Norden wächst das Unbehagen über die Sklaverei und der Widerstand dagegen. Zu Anfang hält sich die große Mehrzahl der Menschen zurück, will sich nicht einmischen. Es sind vor allem Einzelne, die sich gegen die Sklaverei aussprechen. Aber auch religiöse Gruppen engagieren sich, allen voran die Quäker, zu deren Religion es gehört, ihrem Gewissen zu folgen. Sie und andere Gegner der Sklaverei helfen entflohenen Sklaven, in den Norden zu entkommen. Dafür haben sie gemeinsam die *Underground Railroad* aufgebaut, ein Netzwerk von Unterstützern, das Schwarze in den Norden schleust. Unter Lebensgefahr für Helfer und Flüchtlinge bringen sie so Tausende von Menschen in Sicherheit. Anfangs reicht es, sie in die Nordstaaten zu bringen. Doch 1850 drücken die Südstaaten den *Fugitive Slave Act* durch, ein Gesetz, das die Menschen im Norden verpflichtet, Sklavenjäger zu unterstützen und geflohene Sklaven auszuliefern. Tun sie das nicht, werden sie schwer bestraft. Nun müssen sich die Schwarzen, die die Flucht wagen, sogar bis nach Kanada durchschlagen; Einzelne retten sich mit der Unterstützung weißer Helfer nach England. Einen Gefallen tun sich die Rassisten mit diesem Gesetz nicht, im Gegenteil, es schürt den Unmut gegen die Sklaverei. Viele Bürger im Norden denken gar nicht daran, es zu befolgen und sich auf diese Art an der Versklavung von Menschen mitschuldig zu machen. Wenn Sklavenjäger versuchen, im Norden Schwarze gefangen zu nehmen, kommen dem Opfer nicht selten so viele Menschen zu Hilfe, dass der Jäger aufgeben muss.

Von 1830 an wird der Kampf gegen die Sklaverei in Amerika allmählich zu einer Bewegung. Ihre Mitglieder fordern die Abschaffung – auf Englisch *aboli-*

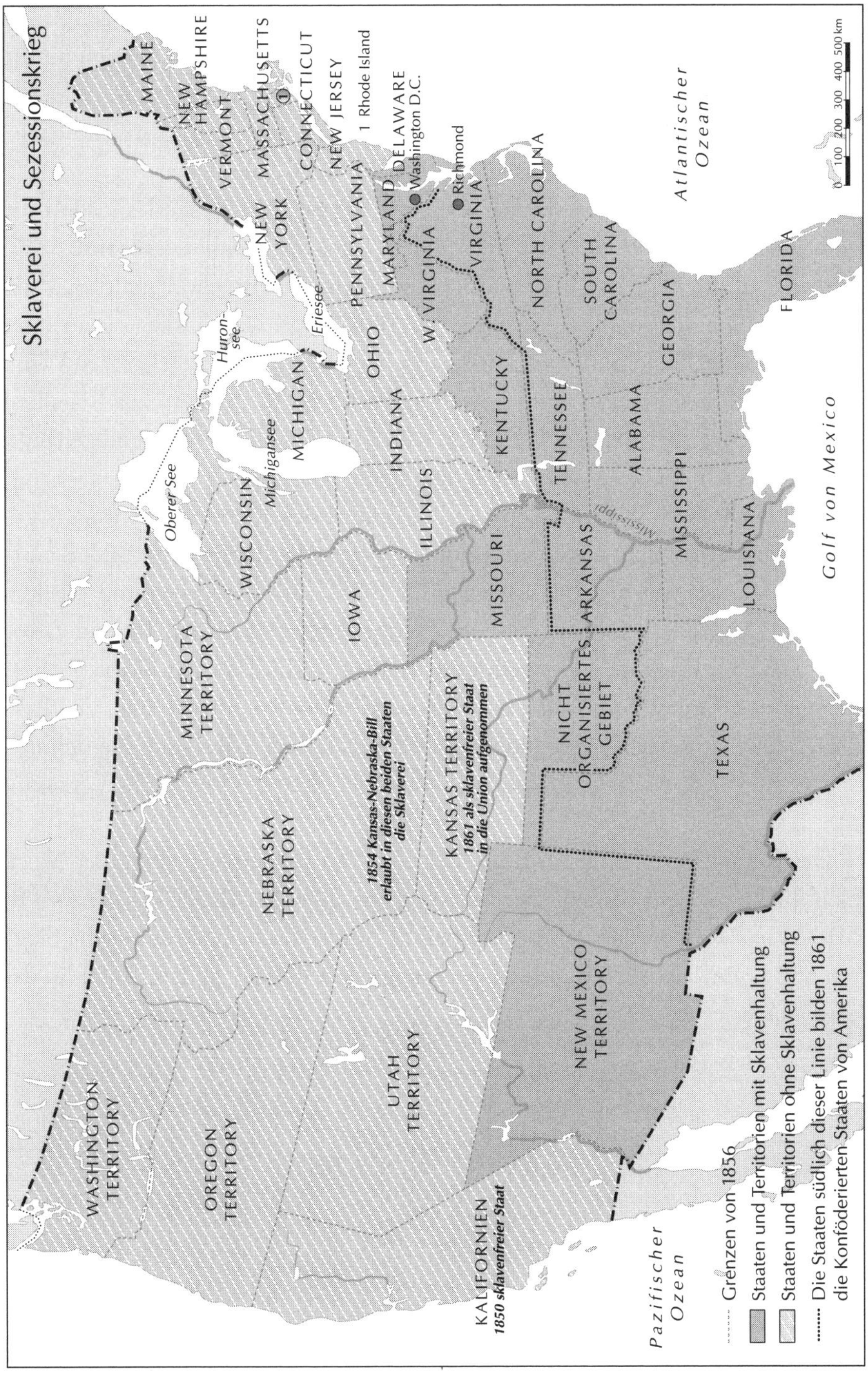
Sklaverei und Sezessionskrieg
WASHINGTON TERRITORY
OREGON TERRITORY
KALIFORNIEN
1850 sklavenfreier Staat
UTAH TERRITORY
NEBRASKA TERRITORY
1854 Kansas-Nebraska-Bill erlaubt in diesen beiden Staaten die Sklaverei
KANSAS TERRITORY
1861 als sklavenfreier Staat in die Union aufgenommen
NEW MEXICO TERRITORY
NICHT ORGANISIERTES GEBIET
TEXAS
MINNESOTA TERRITORY
IOWA
MISSOURI
ARKANSAS
LOUISIANA
WISCONSIN
ILLINOIS
MISSISSIPPI
Mississippi
MICHIGAN
INDIANA
KENTUCKY
TENNESSEE
ALABAMA
OHIO
W. VIRGINIA
GEORGIA
FLORIDA
PENNSYLVANIA
MARYLAND
VIRGINIA
NORTH CAROLINA
SOUTH CAROLINA
NEW YORK
VERMONT
NEW HAMPSHIRE
MAINE
MASSACHUSETTS
CONNECTICUT
NEW JERSEY
DELAWARE
1 Rhode Island
Washington D.C.
Richmond
Oberer See
Michigansee
Huron-see
Eriesee
Pazifischer Ozean
Atlantischer Ozean
Golf von Mexico
0 100 200 300 400 500 km
Grenzen von 1856
Staaten und Territorien mit Sklavenhaltung
Staaten und Territorien ohne Sklavenhaltung
Die Staaten südlich dieser Linie bilden 1861 die Konföderierten Staaten von Amerika

tion – der menschenverachtenden Leibeigenschaft und werden deswegen *Abolitionists* genannt. Einfache Menschen und Gebildete, feine Damen, die sich für die Wohltätigkeit engagieren, Sozialreformer und Politiker mit Gewissen – in dieser Bewegung finden sich viele zusammen. Sogar eine neue, einflussreiche Partei entsteht, die sich gegen die Sklaverei ausspricht: die Republikaner.

Die Sklavenfrage spaltet die Parteien, die Kirchen, das ganze Land. Für die Südstaatler sind die *Abolitionists,* die mit dem Eifer von Propheten für ihre Sache werben und die Sklaverei unermüdlich verteufeln, gefährliche Fanatiker. Zwischenfälle wie der von Harper's Ferry in West Virginia bestärken sie in ihrer Meinung: Dort hat John Brown, ein fanatischer Abolitionist, im religiösen Wahn 1859 ein Bundesarsenal in seine Gewalt gebracht, um die Sklaven zur Rebellion zu ermutigen. Er scheitert und wird von wütenden Bürgern der Gegend gehängt. Für die Gegner der Sklaverei wird er damit zum Märtyrer.

Aber auch vielen Nordstaatlern sind die glühenden Reformer nicht ganz geheuer, denn es ist nicht allgemein bekannt, welche Verhältnisse im Süden herrschen und unter welchen Bedingungen die Schwarzen dort leben und arbeiten müssen. Das ändert sich, als Harriet Beecher-Stowe 1852 den Roman *Onkel Toms Hütte* veröffentlicht. Er erzählt die traurigen Schicksale der Sklaven Eliza, George und Onkel Tom und macht dadurch einige wichtige Dinge deutlich: Dass Schwarze keine Tiere, sondern ganz normale Menschen sind, die Gefühle haben wie Weiße auch. Und dass das System der Sklaverei unglaublich grausam ist.

Der Roman wird zu einem Bestseller. Wer ihn gelesen hat, kann die Augen nicht mehr vor dem Unrecht der Sklaverei verschließen. *Onkel Toms Hütte* löst Mitleid und Empörung aus, entfesselt einen Sturm der Sympathie für die Sklaven und beeinflusst die öffentliche Meinung wie kaum ein anderes Buch in der Geschichte.

»Abe« for President!

In dieser aufgeheizten Stimmung findet 1860 der Präsidentschaftswahlkampf statt. Die beiden Kandidaten sind ein erfahrener Politiker, der dickliche, verlebte Stephen A. Douglas (1813–1861), und Abraham Lincoln, ein fast unbekannter Provinzanwalt aus dem Westen. Douglas führt die Demokraten an, die damals noch stark von Südstaatlern mit rassistischen Einstellungen beherrscht werden. Lincoln ist ein hoch gewachsener, schlaksiger Mann, der gerade mal eine einzige Amtszeit als Abgeordneter in Washington hinter sich hat. Man sieht ihm an, dass er auf Äußerlichkeiten keinen Wert legt: Seine Kleider – gewöhnlich ein schwarzer Anzug und ein seidener Zylinderhut, in dem er Briefe und Notizen aufbewahrt – sind meistens verknittert.

Lincoln wird 1809 in einer Blockhütte in Kentucky geboren und arbeitet als Schiffer, Holzfäller, Postmeister und Landvermesser. Gerade mal ein Jahr verbringt er in der Schule. Was er weiß, hat er sich zum großen Teil selbst beigebracht: Während seiner Jugend hat er ständig die Nase in irgendeinem Buch. Als junger Mann lernt er einen Friedensrichter kennen und mausert sich unter dessen Anleitung zum Juristen. Lincoln erzählt oft witzige Geschichten, versinkt aber auch immer wieder in tiefe Melancholie. Frauen gegenüber ist er lange Zeit scheu, doch dann verliebt er sich in die spontane, temperamentvolle und ehrgeizige Mary und schafft es nach einigen Turbulenzen, sie zu heiraten. Die beiden haben vier Kinder, von denen jedoch zwei sterben, bevor sie erwachsen werden.

In seiner Heimat, dem Staat Illinois, ist »Abe«, wie die Leute ihn liebevoll nennen, beliebt für seine Ehrlichkeit und Warmherzigkeit. Das ganze Land wird auf Lincoln aufmerksam, als er sich für einen Sitz im Senat bewirbt, durchs Land zieht und öffentlich mit seinem Rivalen debattiert. Lincoln wird zwar nicht in den Senat gewählt, hat aber viele Menschen durch seine brillanten Reden und seinen scharfen Verstand beeindruckt. Immer öfter kommt sein Name auch für die Präsidentschaft ins Gespräch.

Für Lincoln ist die Sklaverei ein Übel, dessen Ausbreitung er verhindern will. Aber sein Hauptanliegen ist das Überleben der Union. »Ein in sich uneiniges Haus kann nicht bestehen. Ich glaube, diese Regierung kann nicht fortbestehen, wenn sie dauernd halb für die Sklaverei, halb gegen die Sklaverei ist«, betont Lincoln immer wieder. Für die Südstaaten ist klar: Einen solchen Mann werden sie auf gar keinen Fall als Präsidenten akzeptieren. Lieber sprengen sie die Vereinigten Staaten!

Weil sich die Demokraten inzwischen über die Frage der Sklaverei gespalten haben, gewinnt Lincoln die Präsidentschaftswahl mit knappem Vorsprung. An einem kalten windigen Tag im März 1860 legt er in Washington unter scharfen Sicherheitsvorkehrungen den Amtseid ab. South Carolina reagiert sofort und tritt aus der Union aus. Im Laufe der kommenden Wochen folgen sechs weitere Staaten: Mississippi, Florida, Alabama, Georgia, Louisiana und Texas. Als Lincoln Truppen aus allen Staaten anfordert, folgen Virginia, Arkansas, Tennessee und North Carolina. Gemeinsam gründen sie die Konföderierten Staaten mit der eigenen Hauptstadt Richmond im Bundesstaat Virginia. Als Flagge wählen sie ein blaues Kreuz mit weißen Sternen auf rotem Grund – die berühmte *Dixie*-Fahne, die man heute noch gelegentlich im Süden sehen kann. Präsident der Konföderation wird der ehemalige Offizier und Kriegsminister Jefferson Davis (1808–1889), ein reicher Pflanzer und erfahrener Politiker, der für seine Sturheit und seine Wutausbrüche bekannt ist. Im ganzen Süden werden Truppen mobilisiert. Der Krieg rückt immer näher.

Lincoln ist für den Frieden. Aber er denkt nicht daran, diese Abspaltung (auf Englisch *secession*, weshalb der Bürgerkrieg oft auch Sezessionskrieg genannt wird), zu dulden. Da die Rebellen trotz eindringlicher Appelle nicht zum Einlenken bereit sind, ist ihm klar, dass die Regierung in Washington durchgreifen muss.

Ein blutiger Auftakt

April 1861. In Charleston, der Hauptstadt South Carolinas, spitzt sich die Situation zu. Im Hafen befindet sich der Flottenstützpunkt Fort Sumter, der loyal zur Union hält. Seine Vorräte sind fast erschöpft, und da das Fort von Feinden umgeben ist, kann es keinen Nachschub erhalten. Die Rebellen fordern den Kommandanten auf, sich zu ergeben – als dieser sich weigert, greifen sie an und erobern die Festung. Der Krieg hat begonnen.

Was besonders kritisch ist: Washington D.C. ist von Sklavenstaaten umgeben und in direkter Reichweite der Rebellen. Wenn Lincoln aus dem Fenster schaut, kann er die Lagerfeuer der konföderierten Soldaten in Nordvirginia sehen. Eilig fordert die Regierung Freiwilligentruppen zum Schutz der Hauptstadt an. Bange Tage vergehen, bis sie endlich eintreffen. Hastig werden Geschütze, Musketen und Munition ins Kapitol geschafft und die Eingänge mit Sandsäcken und Metallplatten verbarrikadiert.

Trotz der kritischen Situation ist Lincoln zuversichtlich. Er und die meisten Bürger der Nordstaaten glauben, dass eine harte Reaktion die Rebellion schnell beenden wird und der Krieg in einem Monat oder sogar nach einem einzigen Kampf wieder vorbei ist.

Als die Armeen von Union und Konföderierten an dem kleinen Fluss Bull Run wenige Kilometer von Washington D.C. entfernt zum ersten Mal aufeinander treffen, sind Schaulustige mit Picknickkörben und Sonnenschirmen herangeströmt, um das Spektakel zu beobachten. Feine Damen sind in ihren Kutschen gekommen und bewundern die prächtigen Uniformen und bunten Fahnen. Vielleicht haben sie nicht ernsthaft damit gerechnet, dass es mehr als ein Geplänkel geben könnte. Doch sie haben den unversöhnlichen Hass und die Wut unterschätzt, die sich zwischen Nord und Süd aufgestaut haben und die sich nun ihre Bahn brechen. Mit schrecklicher Wucht prallen die Regimenter aufeinander und das Blut fließt in Strömen. Unter den Zuschauern bricht Chaos aus. Die Straßen sind durch panische Bürger und fliehende Soldaten der Union verstopft.

Es ist der Auftakt des blutigsten Krieges in der US-Geschichte. 618 000 Menschen kommen darin um, mehr als in allen anderen Kriegen der USA zusammen. Besonders schmerzhaft ist, dass dabei Amerikaner gegen Amerikaner kämpfen. In manchen Familien tritt der eine Sohn in die Unionsarmee ein, der andere hegt Sympathien für den Süden und meldet sich freiwillig zum Dienst bei den Konföderierten. Auch Mary Lincoln muss ertragen, dass mehrere ihrer Brüder für die Südstaaten in den Krieg ziehen.

Auf den ersten Blick sieht es nicht gut aus für den Süden: Die Konföderation besteht aus elf Staaten und hat neun Millionen Einwohner, davon etwa dreieinhalb Millionen Sklaven. Auf der Seite der Union stehen 23 Staaten mit 22 Millionen Einwohnern. Zudem hat der Norden fast die gesamte Industrie, Waffen- und Stahlproduktion unter seiner Kontrolle. Doch die Südstaatler kämpfen auf dem eigenen Grund und Boden, für sie geht es um die Existenz. Sie sind sehr viel entschlossener als die verhassten Yankees aus dem Norden.

Und sie haben auch Vorteile auf ihrer Seite, unter anderem die besseren Generäle und mehr Kriegserfahrung. Ein schwerer Schlag für den Norden ist, dass der brillante Offizier Robert E. Lee (1807–1870) aus Virginia das Oberkommando über die Unionstruppen ablehnt, obwohl er von der Sezession nicht viel hält. »Wenn ich die vier Millionen Sklaven in den Südstaaten besäße, würde ich sie alle für die Union opfern«, sagt er. »Aber wie könnte ich mein Schwert gegen Virginia ziehen?« Stattdessen übernimmt Lee die Leitung der Konföderiertenarmee; seine rechte Hand ist Thomas »Stonewall« Jackson (1824–1863), der ebenso furchtlos wie fromm ist (er entschuldigt sich sogar einmal dafür, an einem Sonntag kämpfen zu müssen). Präsident Lincoln dagegen muss einen risikoscheuen und entscheidungsschwachen General nach dem anderen ablösen.

Schnell erreichen beide Armeen eine halbe Million Mann. Wie es damals üblich ist, sind viele Regimenter nach unterschiedlichen Nationalitäten organisiert: In manchen dienen nur französischstämmige Amerikaner, andere bestehen aus Iren, Skandinaviern oder Indianern. Auch Regimenter, die aus freien Schwarzen bestehen, gibt es; insgesamt bestehen die Truppen des Nordens zu 10 Prozent aus Schwarzen. Zu hässlichen Zwischenfällen kommt es in New York, als dort die irischen Einwanderer zum Wehrdienst eingezogen werden sollen. Die Iren weigern sich, für die verhassten »Nigger« in den Krieg zu ziehen, es gibt blutige Aufstände mit vielen Toten. In den Südstaaten werden zunächst alle Männer zwischen 18 und 35 eingezogen, später wird die Altersgrenze sogar auf fünfzig Jahre angehoben. In diesem schrecklichen Krieg kämpfen keine professionellen Armeen gegeneinander, sondern ganze Gesellschaften.

Obwohl die Truppen des Nordens blendend ausgerüstet und den Konföderierten in fast allen Schlachten zahlenmäßig überlegen sind, verlieren sie durch zögerliche Taktik in den ersten Jahren eine Schlacht nach der anderen. Da im Bürgerkrieg zum ersten Mal moderne Gewehre und Geschütze eingesetzt werden, sind die Gefechte extrem blutig. Die Namen der Orte, an denen sie stattfinden – Antietam, Fredericksburg, Shiloh, Bull Run – stehen noch heute für Tragödien. Nach der Schlacht von Shiloh ist, so berichtet ein Zeuge, »der Boden so mit Toten bedeckt, dass man über das Feld hätte laufen können, ohne den Boden zu berühren.« Es ist einer der ersten Kriege, der von Fotografen dokumentiert wird: Da die Technik noch lange Belichtungszeiten erfordert, fotografieren Mathew Brady (1823–1869) und andere meist Berge von Leichen und sorgen für großes Entsetzen.

Freiheit für die Sklaven

Die größte Gefahr für die Union ist, dass England und Frankreich auf der Seite der Rebellen eingreifen könnten. Denn Europa ist auf die Baumwoll-Lieferungen des Südens angewiesen. In dieser Situation trifft »Abe« Lincoln eine Entscheidung, die er bisher von sich gewiesen hat, weil er den Süden zu Anfang nicht noch mehr in die Ecke drängen wollte. Er erklärt die Abschaffung der Sklaverei zum neuen Kriegsziel und unterzeichnet die *Emancipation Proclamation*, die allen Sklaven in den konföderierten Staaten ab dem 1. Januar 1863 die Freiheit gibt. Obwohl Lincoln an Freiheit für alle Menschen glaubt, ist es vor allem ein politi-

scher Schachzug. »Meine oberste Pflicht in diesem Kampf ist, die Union zu retten, nicht die Sklaverei zu schützen oder zu zerstören«, betont er im August 1862 in einem Brief. »Könnte ich die Union retten, ohne einen Sklaven zu befreien, so würde ich es tun, und könnte ich sie dadurch retten, dass ich alle Sklaven befreie, so würde ich es tun.«

Mit der Sklavenbefreiung, die im Norden begeistert begrüßt und als historischer Moment gefeiert wird, schwächt Lincoln nicht nur den Süden, dem auf einmal dreieinhalb Millionen Arbeitskräfte verloren gehen. Die Union hat sich auch die moralische Überlegenheit in diesem Krieg gesichert. Europa klatscht Beifall, die Gefahr, dass es eingreift, ist gebannt. Auch die Bürger der Nordstaaten sind begeistert über die Entscheidung des Präsidenten, viele haben ihn immer wieder dazu gedrängt. Die gerade befreiten Sklaven selbst wissen nicht so recht, was sie davon halten sollen, viele warten erst einmal ab. Einige Tausend von ihnen kommen in den Norden und melden sich zum Dienst in der Unionsarmee.

Doch nicht nur die Sklavenbefreiung trägt dazu bei, dass sich das Kriegsglück der Union wendet. Entscheidend ist, dass Lincoln inzwischen auf Ulysses S. Grant (1822–1885) aufmerksam geworden ist. Der bärtige Kämpe hatte als junger Offizier Alkoholprobleme und musste die Truppe verlassen. Im Bürgerkrieg jedoch erringt er die ersten Siege für die Union und erweist sich schnell als fähiger, wenn auch radikaler Heerführer. Obwohl immer wieder Proteste gegen Grant laut werden, vertraut Lincoln ihm und ernennt ihn zum General und Oberkommandierenden der Unionsarmee.

Langsam geht es mit dem Süden abwärts. Zwei Jahre nach Kriegsbeginn versucht Lee, tief in den Norden vorzudringen und scheitert. Der Kampf in Gettysburg, Pennsylvania, wird zur Entscheidungsschlacht. Innerhalb von drei Tagen sterben 52 000 Menschen, Lee verliert ein Drittel seiner Armee. Im November 1863 reist Abraham Lincoln nach Gettysburg, um dort einen Friedhof für die Gefallenen einzuweihen. Der Politiker, der vor ihm redet, spricht zwei Stunden lang – kein Wort davon ist den Menschen in Erinnerung geblieben. Dann tritt Lincoln vor, hager, gebeugt von der Last der schweren Kriegsjahre. Er spricht nur ein paar Minuten, aber seine Gettysburg-Rede wird zur berühmtesten in der Geschichte der Vereinigten Staaten. Zum ersten Mal interpretiert er den Krieg nicht nur als Kampf um die Union, sondern auch für Freiheit und Gleichheit. »Es ist an uns ... zu geloben, diese Nation mit Gottes Hilfe wieder zu einem Hort der Freiheit zu machen und zu verhindern, dass die Herrschaft des Volkes, durch das

Volk und für das Volk von der Erde verschwindet«, sagt Lincoln, und die Menge applaudiert sich die Hände wund.

Das Ende und ein neuer Anfang

Als Ulysses Grant es schafft, Vicksburg zu erobern, ist der gesamte Lauf des Mississippi in der Hand des Nordens. Nach den vielen Niederlagen der ersten Kriegsjahre war die Stimmung im Norden niedergedrückt gewesen, es hatte für Lincolns Wiederwahl düster ausgesehen. Doch mit den Siegen schlägt die Stimmung um. Lincoln wird wiedergewählt. Er schafft es, mit knapper Mehrheit den 13. Verfassungszusatz durchzudrücken, der die Sklaverei auf dem gesamten Gebiet der USA abschafft. Für den Norden ist er damit endgültig ein Held – für den Süden ist er ohnehin längst der Teufel in Person.

Im März 1865 schlägt die letzte Stunde der Konföderierten. Grant marschiert in Richmond, die Hauptstadt der Rebellen, ein, kurz darauf kapituliert General Lee. Jetzt ist die Frage, was mit den Rebellen geschehen soll. Sollte man ihnen vergeben? Sie bestrafen? Was soll aus den wichtigsten Akteuren wie Davis und Lee werden? Und überhaupt, wie soll nach mehr als 600 000 Toten und unendlich viel Leid in Zukunft überhaupt ein friedliches Zusammenleben möglich sein, nachdem schon vorher auf beiden Seiten so viel Hass herrschte? Lincoln weiß, dass die Antworten auf diese Fragen darüber entscheiden werden, ob die beiden Teile Amerikas wieder zu einem Ganzen zusammenwachsen. Er spricht sich für Versöhnung und ein Wiederaufbauprogramm für den Süden aus, während die meisten Abgeordneten harte Bestrafungen verlangen.

Dabei liegt der Süden nach den vier Kriegsjahren ohnehin in Trümmern, es wird noch viele Jahre dauern, ihn wieder aufzubauen. In den Rebellenstaaten ist die ganze Gesellschaftsordnung zerstört. Nun müssen die Menschen dort lernen, ohne Sklaven auszukommen. Für manche feine Dame, die sich noch nie ohne Hilfe angekleidet hat und natürlich auch nicht weiß, wie man kocht oder wäscht, ist das eine harte Umgewöhnung. In vielen Weißen im Süden schwelt ein unversöhnlicher Hass auf die Yankees, die Nordstaatler, und das wird auch noch bis weit ins 20. Jahrhundert so bleiben. Denn viele überzeugte Südstaatler impfen diesen Hass auch ihren Kindern ein. Eine Südstaatlerin berichtet, ihre Mutter habe ihr beigebracht, »Gott zu fürchten, den Süden zu lieben und dafür zu leben, dass er gerächt wird«.

Einer, der den Süden rächen möchte und zu diesem Zweck eine Gruppe von Verschwörern um sich gesammelt hat, ist der junge Theaterschauspieler John Wilkes Booth (1838–1865). Als er hört, dass der verhasste Präsident Lincoln an diesem Abend das Theater besuchen wird, fasst er den Plan, ihn zu ermorden. Eigentlich hat Lincoln keine Lust, zu der Vorstellung zu gehen, er hat Todesahnungen und Berater haben ihn vor der Gefahr von Attentaten gewarnt. Doch er weiß, dass es wichtig ist, sich in der Öffentlichkeit zu zeigen. Als er in seiner Loge erscheint, begrüßt ihn das Publikum mit begeistertem Applaus.

Während des dritten Aktes schleicht sich Booth in die Loge des Präsidenten, als dessen Leibwächter gerade seinen Posten verlassen hat, und schießt ihm mit einer Pistole in den Hinterkopf. Dann springt er in einem großen Satz auf die Bühne und flieht. Lincoln bricht blutend zusammen und stirbt wenig später, am 15. April 1865, in einem Zimmer in der Nähe des Theaters, in das er eilig gebracht worden ist. Als die Nachricht von »Abes« Tod sich in Windeseile verbreitet, ist das Land schockiert. Viele Leute brechen auf offener Straße in Tränen aus, denn Lincoln war so beliebt wie kaum ein Präsident vor ihm. Sieben Millionen Menschen nehmen an Trauerkundgebungen teil. Sein tragischer Tod macht Lincoln endgültig zum Mythos. Booth überlebt den Präsidenten nicht lange, er wird bald darauf bei seiner Festnahme erschossen. Einige seiner Mitverschwörer kommen an den Galgen.

»Nichts vergessen – und nichts gelernt«

Der Demokrat Andrew Johnson (1808–1875), der Vizepräsident, tritt an Lincolns Stelle. Er versucht, Lincolns Versöhnungskurs fortzusetzen, erweist sich dabei aber schnell als schwach und leicht vom Süden manipulierbar. Großzügig begnadigt er alle, die bereit sind, der Union einen Eid der Treue zu schwören, und Neuwahlen in den rebellierenden Staaten sind alles, was er fordert. Bald wird klar, dass das nicht funktioniert. Innerhalb kürzester Zeit sind in den Regierungen der ehemaligen Rebellenstaaten wieder Rassisten an der Macht. Sie versuchen, auf Umwegen an der Sklaverei festzuhalten und finden Mittel und Wege, die Schwarzen mit neuen Gesetzen zu unterdrücken.

Der Kongress, in dem viele radikale Republikaner und überzeugte Feinde der Sklaverei sitzen, will sich das nicht gefallen lassen. Um die Rechte der Schwarzen zu schützen, gibt die Bundesregierung ihnen in weiteren Verfassungszusätzen volle Bürgerrechte und stellt es unter Strafe, sie an der Ausübung dieser Rechte zu hindern. Die ehemaligen Rebellenstaaten werden unter die Kontrolle von Militärgouverneuren gestellt. In den Parlamenten der Südstaaten übernehmen radikale Republikaner aus dem Norden die Kontrolle. Doch auch das hilft nur vorübergehend. Viele Südstaatler wollen nicht akzeptieren, dass Schwarze nun auf einmal Bürger sein sollen. Deshalb greifen sie zu Gewalt und Terror gegen Schwarze. Der *Ku Klux Klan* – der Name soll das Geräusch eines Gewehrs imitieren, dessen Hahn gespannt wird – wird gegründet und beginnt im Süden mit brutalen Einschüchterungen, Auspeitschungen und Lynchmorden. Schwarze, die den Rassisten aus irgendeinem Grund auffallen, werden vom weißen Mob einfach am nächsten Ast aufgeknüpft oder mit Benzin übergossen und angezündet. Dabei herrscht oft eine Stimmung wie bei einem Picknick, sogar Kinder werden mitgenommen, damit sie dabei zuschauen können.

Als der ehemalige General Ulysses S. Grant zum Präsidenten gewählt wird, greift der Norden härter durch und schafft es, diese Ausschreitungen vorläufig einzudämmen. Doch schon nach wenigen Jahren ist die Demokratische Partei, die im Süden vor allem aus ehemaligen Sklavenhaltern besteht, wieder am Ruder. Jefferson Davis, der ehemalige Präsident der Konföderierten, wird nach nur zwei Jahren aus dem Gefängnis entlassen. 1877 ziehen im Rahmen eines anrüchigen politischen Deals die letzten Unionstruppen aus dem Süden ab. Damit ist die Phase der *Reconstruction,* des Wiederaufbaus, offiziell beendet. Längst hat in den Südstaaten die romantische Verklärung des alten Südens begonnen, nach und nach wird er für viele zum Mythos.

Die Realität ist weniger schön. Im Süden hat sich eine neue Gesellschaft herauskristallisiert, in der der Rassismus fast ebenso tief verankert ist wie zuvor. »Sie haben nichts vergessen und nichts gelernt aus diesem schrecklichen Krieg«, sagt ein Zeitzeuge aus dem Norden über die ehemaligen weißen Sklavenhalter. Schwarze gelten als Bürger zweite Klasse, besitzen nur selten Land und schuften unter harten Bedingungen für ihr Überleben. Zwar gibt es Einrichtungen des Bundes, die sie bei der Suche nach Arbeit und allen ihren Anliegen unterstützen sollen, aber wichtig ist für sie vor allem die gegenseitige Hilfe. Ihr gesellschaftliches Leben entwickelt sich oft um die schwarzen Kirchengemeinden herum. Sie müssen den Hass der Weißen ebenso fürchten wie die Armut. Es wird bis in die sechziger Jahre dauern, bis Schwarze endlich auch im Süden gleiche Rechte haben.

Kapitel 6

Macht und Geld

(1870–1900)

Nach dem Bürgerkrieg setzt in Amerika ein Wirtschaftswunder ein. Große Vermögen und gigantische Konzerne entstehen. Aber der Aufschwung hat auch seine Schattenseiten: die Korruption greift um sich und die Städte wachsen schneller, als gut für ihre Bewohner ist. Am Ende dieser Zeit, die von großen Streiks geprägt ist, sind Armut und Elend ein unübersehbares Problem.

Die berühmte *Frontier* verschwindet schon bald nach dem Bürgerkrieg. Denn nun schreitet die Erschließung des Kontinents im Zeitraffertempo voran. Rapide wird das Eisenbahnnetz weiter ausgebaut. Das spektakulärstes Projekt ist die West-Ost-Strecke quer über den Kontinent, von Chicago nach Sacramento in Kalifornien. Wo wenige Jahre zuvor noch die Planwagen gerollt waren, werden Schienen verlegt. Zwei Unternehmen bauen die Gleise durch menschenleere Wüsten und über Berge hinweg aufeinander zu, die Union Pacific mit irischen Arbeitskräften vom Osten aus, die Central Pacific mit Tausenden chinesischen Einwanderern von Westen aus. Es gibt viele Unfälle bei der harten und gefährlichen Arbeit, so mancher chinesische »Kuli« (wie die Chinesen abfällig genannt werden) überlebt diese Pionierleistung nicht. 1869 treffen sich die Gleise in Utah. Nun ist der gesamte Kontinent durch einen Schienenstrang verbunden.

Die USA haben sich die gesamte Mitte des Kontinents erschlossen, zusammengekauft oder erobert und im Kernland ihre heutige Ausdehnung erreicht. 1867 bietet sich noch einmal die Chance, den Vereinigten Staaten ein großes neues Stück Land hinzuzufügen: Russland will Alaska loswerden, und die Regierung in Washington ergreift die Gelegenheit sofort. 7,2 Millionen Dollar bezahlen sie dem Zar für das Gebiet, das größer ist als Deutschland, Österreich, die Schweiz, Frankreich und Spanien zusammengenommen. Kritiker erklären die Regierung für verrückt, soviel Geld für eine Eiswüste auszugeben, in der ein Überleben kaum möglich ist. »Den größten Kühlschrank der Welt« habe man gekauft, höhnt ein Kritiker. Doch wer zuletzt lacht, lacht am besten. Unter dem Eis werden große

Reserven an Öl gefunden, in den Bächen Goldkörnchen. Der eisige Norden des Kontinents ist reich an Rohstoffen wie kaum eine andere Gegend.

So richtig klar wird den USA erst bei der Volkszählung im Jahr 1890, dass es die *Frontier* nicht mehr gibt: Das ganze Staatsgebiet zwischen Ost- und Westküste ist erschlossen, überall leben europäischstämmige Siedler. Für viele Amerikaner ist diese Nachricht ein Schock, sie erschüttert vorübergehend ihr ganzes Selbstverständnis: »Den Westen« gibt es nicht mehr, der Traum von der Freiheit in der unerforschten Weite ist Geschichte und lebt nur noch in Romanen weiter.

Das Land ist mit Riesenschritten auf dem Weg in eine ganz andere Welt: die Industrialisierung. Nun, da der lähmende Konflikt zwischen Nord und Süd beigelegt ist, kommt es zu einem wahren Wirtschaftswunder in den nördlichen Staaten. Clevere Geschäftsleute wissen den riesigen Binnenmarkt, die vielen Bodenschätze und das billige Land zu nutzen. Überall entstehen Fabriken, Werke, Unternehmen. Standardisierte Massengüter, die in großen Stückzahlen hergestellt werden, ersetzen in Handarbeit gefertigte Einzelstücke. Tausende von neuen Erfindungen, die in dieser Zeit in verschiedenen Ländern der industrialisierten Welt gemacht werden – darunter der Verbrennungsmotor, Dampfturbinen und neue Methoden der Stahlherstellung – bringen die Wirtschaft voran. Der aus Schottland in die USA eingewanderte Alexander Graham Bell (1847–1922) erfindet das Telefon, und der Profi-Tüftler Thomas Alva Edison (1847–1931) meldet Hunderte von Patenten an, darunter das elektrische Licht, den Phonographen (einen Vorläufer des Plattenspielers) und den ersten Apparat zur Vorführung von Filmen.

Im Jahr 1900 erzeugen die USA ein Drittel der industriellen Weltproduktion, mehr als Großbritannien, Deutschland und Frankreich zusammengenommen. Um das zu schaffen, werden für die Fabriken dringend Arbeitskräfte gebraucht. Die Armen Europas lassen sich nicht zweimal bitten. Angelockt vom Mythos der unbegrenzten Möglichkeiten strömen Millionen Menschen ins Land; zwischen Bürgerkrieg und Jahrhundertwende verdoppelt sich die Einwohnerzahl der USA bis auf 76 Millionen.

Das Zeitalter der Superreichen

Nachdem die Grenzpioniere von einst verschwunden sind, suchen sich die Menschen in den Vereinigten Staaten neue Helden: erfolgreiche Geschäftsleute, Erfinder und Großindustrielle. Doch die Ideale, die sie verkörpern, unterscheiden sich nur wenig von denen der Siedler: Sie sind *Selfmade Men* in bester amerikanischer Tradition. Geschickt haben sie den Boom nach dem Bürgerkrieg genutzt, um sich gigantische Vermögen zu erwirtschaften, zunächst im Eisenbahngeschäft, später auch in anderen Bereichen. Es ist die Zeit von unglaublich mächtigen und reichen Männern wie John D. Rockefeller (1839–1937), der das Ölgeschäft dominiert, Andrew Carnegie (1835–1919), der die Stahlherstellung unter seiner Kontrolle hat, J.P. Morgan (1837–1913), einem Bankier, der in fast allen Geschäften seine Finger hat, und von Eisenbahnbaron und Spekulant Jay Gould (1836–1892), der die unregulierten Aktienmärkte nach Belieben manipuliert. Viele dieser Männer kommen aus einfachen Verhältnissen oder sind Einwanderer. Sie haben das geschafft, wovon in Amerika jeder träumt, und für ihre Erfolge werden sie von der Gesellschaft gefeiert und bewundert. Der Mythos, man könne es in den USA vom Tellerwäscher zum Millionär bringen, hält sich hartnäckig bis heute, obwohl solche Erfolgsgeschichten die Ausnahme geblieben sind.

The Gilded Age, »Das vergoldete Zeitalter« tauft Mark Twain diese Zeit. Und die Goldschicht ist dünn. Die Superreichen werden auch Räuberbarone genannt, denn sie sind mit ihren Methoden nicht zimperlich. Jay Gould ist bekannt dafür, vor keinem Trick und keiner Lüge zurückzuschrecken. Aber auch die anderen vergrößern ihre Imperien rücksichtslos. Als einmal jemand Eisenbahnmillionär Cornelius Vanderbilt (1794–1877) darauf aufmerksam zu machen wagt, dass etwas, was er vorhat, gegen das Gesetz verstößt, lacht er nur. »Gesetz? Was interessiert mich das Gesetz? Ich habe die Macht, oder nicht?«

John Rockefeller denkt ähnlich. Er ist ein extrem ordnungsliebender Mensch, besessen vom Geldverdienen. Schon als junger Mann ist er ins Ölgeschäft eingestiegen und hat aus vielen verschiedenen Beteiligungen seine Firma Standard Oil gemacht. Eines Tages entscheidet er, dass es auf diesem Markt zuviel Konkurrenz gibt. Also beginnt er, seine Wettbewerber aufzukaufen. Mit dem einfachen Argument »Entweder ihr verkauft, oder ich mache euch fertig und dränge euch aus dem Markt«. Gerade mal Schrottwert zahlt er den verängstigten Eigentümern für ihre Anlagen. Wenige Wochen später hat seine Firma 22 seiner 26 Wettbewerber geschluckt und beherrscht 95 Prozent des Ölgeschäfts in den Vereinigten Staaten. Rockefeller hat ein Monopol geschaffen – wer Öl braucht, kommt nicht an ihm vorbei. Und die Regierung schaut tatenlos zu, statt sie an solchen Methoden zu hindern. Denn in dieser Zeit agiert sie nach der Philosophie des *Laisser-faire* (»Gewährenlassen«): Die

Regierung sieht es nicht als ihre Aufgabe, in die Wirtschaft einzugreifen, sondern hält sich raus.

Einen bestimmten Markt komplett zu beherrschen, ist der Traum der meisten Industriekapitäne. Dafür verschmelzen sie zahlreiche kleinere Firmen zu so genannten *Trusts*. Diese Konzerne haben so viel Macht, dass kaum noch jemand etwas gegen sie ausrichten kann. Widerstand ist buchstäblich zwecklos. Mit den Eisenbahnnetzen fängt es an, viele andere Branchen folgen.

Ihren Reichtum stellen die Industriebarone ungeniert zur Schau. Von außen sehen ihre Anwesen aus wie Schlösser, innen prunken sie mit Marmor und Gold. In den Millionärsclubs in New York zündet sich so mancher seine Zigarren mit Hundert-Dollar-Scheinen an, und selbst die Hündchen ihrer Gattinnen laufen mit Diamantcolliers herum. Auf den Prachtboulevards des Broadways und im Central Park fahren die feinen Herren und Damen in ihren Kutschen aus und stellen stolz ihre edlen Vollblutpferde zur Schau.

Ein schlechtes Gewissen hat keiner der Industriebarone. Sie finden ihre moralische Rechtfertigung in der jahrzehntelang sehr einflussreichen Philosophie des Sozialdarwinismus, die behauptet, dass auch die Gesellschaft sich in einer Art Evolution zur Vollkommenheit weiterentwickelt. Das geschehe, so der englische Philosoph Herbert Spencer (1820–1903), indem sich die Starken durchsetzen. Forsch

Vera Gauditsa

war eine junge Tschechin, die circa 1928 nach Amerika einwandern wollte, wo ihr Mann bereits einige Jahre lang lebte.

Wir sind frühmorgens in Ellis Island angekommen. Als ich das Boot verlassen habe, hat ein Mann meinen Pass kontrolliert. Auf tschechisch hat er mir gesagt, dass ich nun den Boden der Vereinigten Staaten betrete, und er hat mir viel Glück gewünscht. Das hat mir gefallen. Er war sehr nett.

Sie sollten mal sehen, wer alles nach Ellis Island kommt! Das Boot war voll. Mein Gott! Ich bin auf einem Bauernhof in Europa groß geworden und bin an so was nicht gewöhnt. Manche haben ausgesehen wie Bettler, mit vielen Flicken auf den Kleidern. Sie haben ganz arm gewirkt. Manche hatten lange Bärte und manche von den Juden hatten geflochtene Zöpfe.

Als wir in New York angekommen sind, ist mein Mann nicht zum Abholen gekommen. Vielleicht hat ihm niemand Bescheid gesagt. Ich war den ganzen

beanspruchen daher die reichen Industriellen, die Gesellschaft voranzubringen und Gutes zu bewirken. Eine ganze Reihe von ihnen widmet sich im Ruhestand tatsächlich guten Werken und spendet einen Teil ihres Vermögens. Carnegie gründet fast 3 000 Bibliotheken, Rockefeller spendete 500 Millionen Dollar. Doch das kann die Spur der Zerstörung, die sie und andere skrupellose Firmenlenker hinterlassen haben, nicht übertünchen. Die Gesellschaft ist völlig aus dem Lot: zwei Prozent der Amerikaner besitzen zwei Drittel der Werte, dafür leben zwei Drittel der Bevölkerung dicht an der Armutsgrenze und schuften – Kinder ebenso wie Erwachsene – zwölf oder mehr Stunden täglich, sechs Tage in der Woche, in den Fabriken, den Minen und Stahlwerken. Zu miserablen Löhnen und fast ohne Rechte.

Vom Tellerwäscher ... zum Tellerwäscher

Viele der Arbeitskräfte, die Amerika zur führenden Wirtschaftsmacht der Welt machen, sind Einwanderer. Im Jahr 1890 sind vier von fünf New Yorkern im Ausland geboren. In New York leben inzwischen mehr Iren als in Dublin und mehr Deutsche als in Hamburg. Doch nun sind es weniger Iren oder Deutsche,

Tag da, bis 6.00 Uhr. Sie können ja nichts sagen, wenn Sie die Sprache nicht sprechen, da sind Sie taubstumm. Eine tschechische Dame ist zu mir gekommen und hat gesagt »Ihr Mann soll Sie abholen und ist nicht gekommen. Wir schicken Sie zurück.«

»Oh Gott, noch mal zwei Wochen auf dem Meer?«

»Na ja, er muss herkommen und die Papiere unterschreiben und Sie hier rausholen.«

Sie haben uns in einen großen Raum gebracht. Wir haben in einer langen Schlange gestanden. Dann haben sie uns einen nach dem anderen in ein Büro gerufen und Fragen gestellt. Alles mögliche haben sie mich gefragt. Sie hatten ja schon die Papiere gehabt, auf denen alles gestanden hat, wo ich her bin, wie alt ich bin, ob ich krank war, warum ich in dieses Land komme, all diese Sachen. Aber sie haben mich alles gefragt um zu sehen, ob ich lüge.

Es war nicht leicht, rauszukommen. Ich bin ja gekommen, um bei meinem Mann zu sein. Aber die anderen Leute, die müssen die Hölle durchgemacht haben.[6]

die eintreffen und durch Ellis Island, das Einwanderungszentrum von New York, geschleust werden, sondern vor allem Süd- und Osteuropäer. Das Vielvölkergemisch der amerikanischen Metropolen ergänzt sich um Italiener, Polen, Tschechen und russische Juden, die in Russland grausam verfolgt werden und zu Millionen teilweise unter Lebensgefahr nach Amerika fliehen. Noch heute ist New York eine sehr multikulturelle Stadt. Das merkt man schon an den Fahrkartenautomaten, die in sechs Sprachen beschriftet sind – und zwar für die Einheimischen!

Staunend betrachten die Neuankömmlinge, wenn sie die Einreiseformalitäten hinter sich gebracht haben, die von Pferdekutschen verstopften Straßen, die Telefon- und Telegrafenleitungen, die ein so dichtes Netz über den Straßen bilden, dass man den Himmel kaum noch erkennt, die Prachtboulevards und die geschäftigen Docks. Sofort werden die Neuankömmlinge von Neppern und Bauernfängern angesprochen, die ihnen die wenigen Münzen aus den Taschen zu ziehen versuchen. Die Einwanderer sind leichte Beute, denn sie können gewöhnlich kein Englisch.

Willkommen in Chinatown!

Lange gab es die Theorie, die Vereinigten Staaten seien ein riesiger Schmelztiegel, in denen Menschen aus unterschiedlichsten Ländern nach und nach zu Amerikanern werden. Das stimmt auch zum Teil. Viele Menschen in den USA berichten zwar mit Stolz, dass ihre Vorfahren aus Deutschland kommen oder dass sie zum Beispiel zu je einem Viertel Italiener, Spanier, Iren und Schotten seien, weil ihre Großeltern aus diesen Ländern stammen. Doch sie fühlen sich durch und durch als Amerikaner. Übrigens gibt es einige prominente Amerikaner deutscher Abstammung: Elvis Presley war Ur-ur-ur-Enkel eines Pfälzer Winzers namens Johann Valentin Pressler, die Mutter von Schauspielerin Sandra Bullock ist Deutsche und Leonardo DiCaprios Großvater kommt aus dem Ruhrgebiet – deshalb ist Leos zweiter Vornahme Wilhelm. Der Großvater von Donald Rumsfeld, der aus Bremen nach Amerika kam, hätte sich wohl nicht träumen lassen, dass sein Enkel mal Verteidigungsminister der USA werden würde. Viele Einwanderer wählten amerikanisch klingende neue Namen oder »anglisierten« ihren bisherigen Namen, um ihn leichter aussprechen zu können. Präsident Dwight D. Eisenhower beispielsweise stammt von Hans Nikolaus Eisenhauer aus Hessen ab.

Die Iren, einst viel geschmähte Neuankömmlinge, haben inzwischen Städte wie Boston oder New York fest im Griff. Verantwortlich dafür sind »politische Maschinen«, die von den so genannten »Bossen« geleitet wurden. So funktioniert das System: Bald nach deiner Ankunft kümmert sich ein Landsmann um dich, hilft dir, eine Wohnung zu suchen, verschafft dir einen Job, organisiert Picknicks für dich und deine Familie – als Gegenleistung versprichst du ihm deine Wählerstimme. Je mehr Menschen den jeweiligen Boss wählen, desto besser seine Position in der Stadtverwaltung und damit seine Möglichkeiten, seinen Landsleuten Jobs und öffentliche Aufträge zu verschaffen. Dank dieser raffinierten Vetternwirtschaft dominieren die Iren Feuerwehr, Polizei und Stadtverwaltung; noch heute sind in diesen Berufen viele irischstämmige Amerikaner vertreten.

Viele der frisch gebackenen Amerikaner wählen die Demokraten, da diese im Norden die Interessen von Arbeitern und Neu-Einwanderern vertreten. Deshalb hat in New York die politische Maschine der Demokraten große Macht. Es dauert Jahrzehnte, bis es Korruptionsgegnern gelingt, sie auszuhebeln.

Viele halten aber auch in der neuen Heimat an ihrem Erbe fest, so dass in den USA zahlreiche Kulturen nebeneinander existieren. Schon im 19. Jahrhundert siedeln sich die meisten der neuen Einwanderer dort an, wo schon Landsleute und vielleicht sogar schon Familienmitglieder leben, um sich gegenseitig zu helfen und ein bisschen Heimatgefühl zu bewahren. So entstehen Stadtviertel wie Little Italy, wo fast nur Italiener leben, die Lower East Side, wo sich die russisch-jüdische Bevölkerung drängt, Chinatowns oder puertoricanische Viertel, wo die Werbeplakate auch heute noch in Spanisch sind.

Wer zum Beispiel in San Francisco einen Abstecher nach Chinatown macht, fühlt sich, als sei er plötzlich nach Hongkong gebeamt worden. Auf den Straßen drängen sich asiatisch aussehende Menschen. In den Schaufenstern leuchten Neonreklamen in chinesischen Schriftzeichen, in den zahllosen kleinen Kramläden kann man Tee und Ginseng kaufen und in den Restaurants bekommt man die Menüs gar nicht erst in Englisch. Vom viel gerühmten Schmelztiegel keine Spur. Man bleibt unter sich und pflegt die Kultur der alten Heimat weiter, auch nachdem man die amerikanische Staatsbürgerschaft erworben hat.

Trotz der Unterstützung durch Landsleute, Freunde und Familienmitglieder geht es den meisten Neu-Einwanderern ziemlich dreckig. Die Illusionen, mit denen sie in die Neue Welt gekommen sind, gehen ihnen schnell verloren. Ein Italiener meint enttäuscht: »Ich bin nach Amerika gekommen, weil ich gehört habe, dass die Straßen hier mit Gold gepflastert seien. Aber als ich hier angekommen bin, habe ich drei Sachen gemerkt: Erstens waren die Straßen nicht mit Gold gepflastert, zweitens waren sie überhaupt nicht gepflastert und drittens hat man von mir erwartet, dass ich sie pflastere.«

Da sich die Städte rapide ausdehnen – allein New York ist in den zwanzig Jahren nach dem Bürgerkrieg um das zehnfache gewachsen –, zeigt sich die Armut hier am deutlichsten. Viele Menschen müssen in Elendsvierteln leben, zusammengepfercht in schmutzigen, düsteren Mietshäusern. Knöcheltief liegt der stinkende Müll in den Innenhöfen. In den überfüllten, winzigen Wohnungen ohne Küche oder Bad breiten sich Krankheiten wie Tuberkulose und Typhus aus, einen Arzt können sich die meisten Bewohner nicht leisten. Das Leben ist hier so ungesund, dass beispielsweise in einem Chicagoer Einwandererviertel drei von fünf Kindern während des ersten Lebensjahres sterben. In manchen Gegenden ist die Kriminalität so hoch und die Banden so gefährlich, dass sich nicht einmal mehr die Polizei dorthin traut. Die ist ohnehin als bestechlich bekannt: Thomas F. Byrnes, der Leiter der New Yorker Kriminalpolizei, setzt sich, obwohl sein Jahresgehalt 2 000 Dollar beträgt, mit 350 000 Dollar Vermögen zur Ruhe. Zum Vergleich: die jungen russischen Jüdinnen, die in den stickigen, *Sweatshops* genannten Textilfabriken von früh bis spät Kleidung nähen, bekommen sieben Dollar in der Woche. Sie arbeiten hart, um den Verwandten daheim Geld zu schicken und sie in die USA nachzuholen.

Harte Zeiten

Die Verlierer des Booms interessieren in der voll auf Erfolg gepolten Gesellschaft des Vergoldeten Zeitalters kaum jemanden. Nicht nur für Einwanderer, auch für Arbeiter, Handwerker und Farmer sind die Zeiten hart. Schulden und die Wucherpreise, die die Eisenbahn für den Transport von Getreide berechnet, drücken die Farmer so, dass sie sich verzweifelt organisieren – daraus wird sogar eine Zeit lang eine neue Partei. In der Industrie legen die Menschen aus

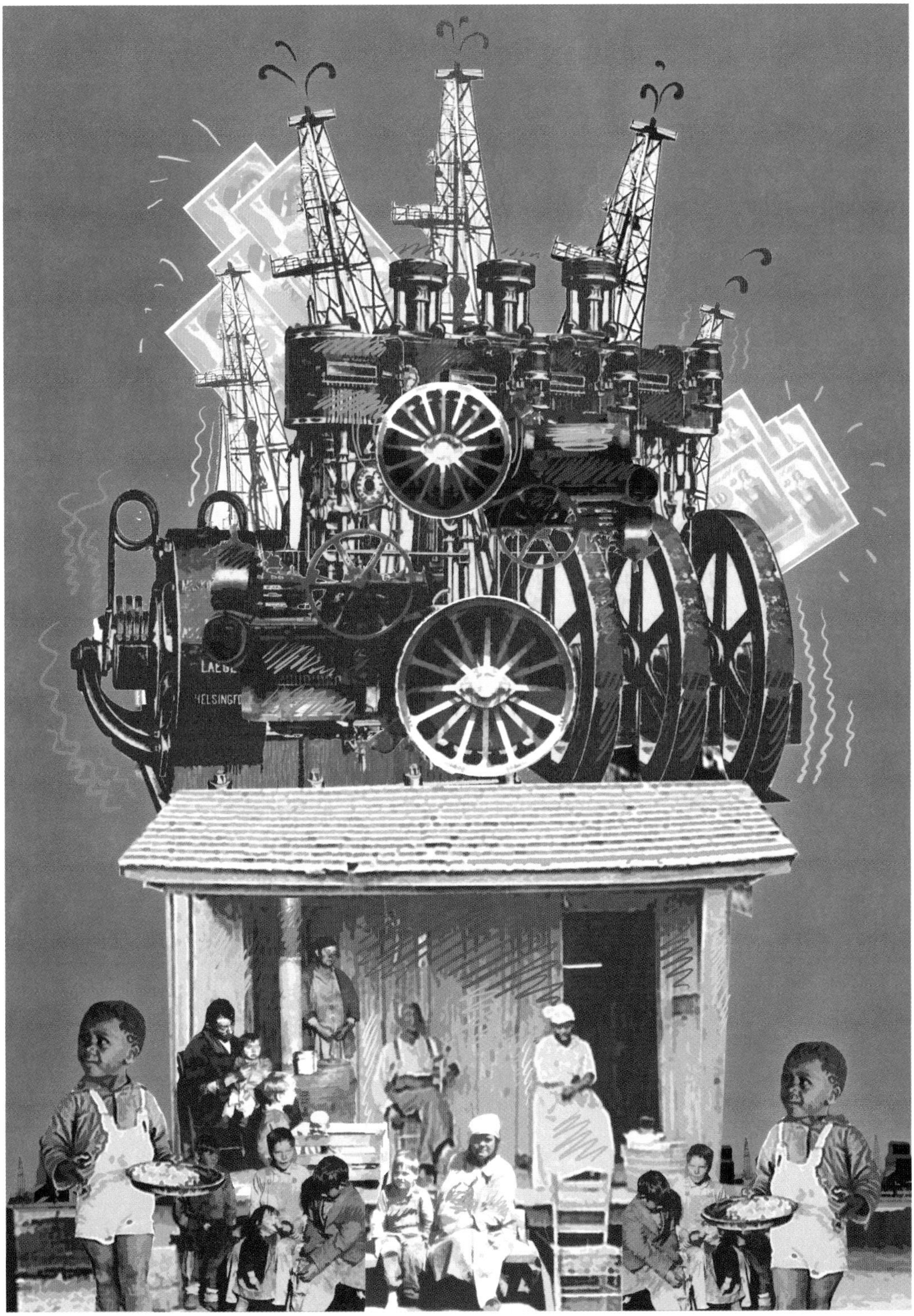

Protest gegen die unerträgliche Ausbeutung immer wieder die Arbeit nieder. Allein in den letzten zwanzig Jahren des 19. Jahrhunderts kommt es zu 23 000 Streiks. Aber es dauert lange, bis die Arbeiter beginnen, gemeinsam höhere Löhne und menschenwürdige Arbeitsbedingungen zu fordern. Dadurch, dass sie aus vielen Ländern kommen und viele Sprachen sprechen, fällt es ihnen schwer, sich zusammenzuschließen. Die erste dauerhafte Gewerkschaft, die *Knights of Labor* (»Ritter der Arbeit«) bildet sich erst 1869 und ist organisiert wie ein Geheimbund.

Ein Problem ist, dass viele Streiks spontan und unorganisiert ablaufen. Dadurch arten sie oft in Gewaltorgien aus. Beim großen Eisenbahnstreik von 1877, der wegen Lohnkürzungen ausbricht, wird aus den Demonstrationen ein plündernder Mob, der seine Wut am Eigentum der Eisenbahn auslässt. Als sich der Streik über das ganze Land ausbreitet, werden bei den Ausschreitungen über hundert Menschen getötet, der Sachschaden geht in die Millionen. Die Öffentlichkeit ist entsetzt und befürchtet einen Bürgerkrieg zwischen Arm und Reich. Obwohl die Gewerkschaften sich gerade erst bilden, haftet der Arbeiterbewegung schon ein übler Ruf an.

In dieser Zeit kommt in Europa die Idee des Anarchismus auf, der Gedanke, dass der Staat nur ein Unterdrückungsinstrument im Dienst der Reichen ist und im gewaltsamen Umsturz abgeschafft werden muss. Aus Deutschland und Russland wandern viele Anarchisten in die USA aus. Die Furcht der amerikanischen Bürger vor den Radikalen dehnt sich auf die Gewerkschaften aus, die im Verdacht stehen, etwas mit diesen umstürzlerischen Ideen zu tun zu haben.

Als es zu weiteren großen, gewalttätigen Streiks kommt, verschlimmert sich die Situation noch. 1892 beschließt der Stahlbaron Andrew Carnegie, den Arbeitern seiner Homestead-Stahlwerke den Lohn um achtzehn Prozent zu kürzen – obwohl das Unternehmen gute Gewinne macht – und sämtliche Gewerkschaftsvertreter zu entlassen. Während Carnegie seinen Urlaub in Italien genießt und nur hin und wieder telegrafisch Anweisungen gibt, brechen heftige Gefechte zwischen den Arbeitern und der von der Werksleitung angeheuerten Privatarmee der Detektei Pinkerton aus. Zwar werden die Pinkertons besiegt, aber als es Tote gibt, greift die Staatsmiliz ein. Schließlich müssen die Arbeiter aufgeben. Carnegie nutzt seinen Sieg, um die Löhne um weitere zwanzig Prozent zu drücken und die Arbeitszeiten von acht auf zwölf Stunden zu verlängern. Durch diese Einsparungen will er seinen Stahl noch günstiger verkaufen und Konkurrenten aus dem Markt drängen.

Ziel: soziale Gerechtigkeit

Langsam begreift die Regierung, dass die Wirtschaft außer Kontrolle geraten ist und Reformen dringend geboten sind. Doch der Staat ist inzwischen so schwach oder so sehr unter dem Einfluss von korrupten Bossen, dass er nicht dazu fähig ist, die Konzerne zu mehr Fairness zu zwingen. Zaghafte Versuche, die *Trusts* unter Kontrolle zu bringen, scheitern. Ein Präsident nach dem anderen gewinnt die Wahlen mit dem Versprechen, für eine saubere Regierung zu sorgen – und versagt. Als Kandidaten werden von den Parteien (deren Programme sich inzwischen zum Verwechseln ähnlich sind) bewusst Strohmänner ausgewählt, die wenig zu sagen haben und von denen nicht zu erwarten ist, dass sie irgend jemanden vor den Kopf stoßen. Das gehört zu den Gründen, warum es unter den Präsidenten nach Lincoln bis zur Jahrhundertwende keinen gibt, der als »stark« in die Geschichte eingegangen ist.

Nur einmal erleben die Parteien eine Überraschung. Chester A. Arthur (1829–1886), rechte Hand eines mächtigen politischen Bosses, aber in seiner Karriere nie durch besondere Fähigkeiten aufgefallen, erhält 1881 als Dank für treue Dienste den Posten des Vizepräsidenten. Ein Amt, das jahrzehntelang völlig bedeutungslos ist und im Regierungsalltag keinerlei Rolle spielt. Als Präsident James A. Garfield jedoch nach nur sechs Monaten im Amt erschossen wird, ist der Vize auf einmal Präsident. »Chet Arthur, Präsident der Vereinigten Staaten? Ach, du meine Güte!«, ruft einer seiner Freunde spontan, als er die Neuigkeiten hört. Doch Arthur wächst mit der Herausforderung. Er sagt sich von seinen zwielichtigen Freunden los, geht mutig gegen politische Korruption vor und setzt einige Reformen durch. Aber längst nicht genug. Noch regiert die entfesselte Wirtschaft das Land.

Das ändert sich erst, als Theodore Roosevelt (1858–1919) im Jahr 1901 Präsident wird. Er ist im Vergoldeten Zeitalter aufgewachsen und hat erkannt, dass die Probleme des neuen städtischen und industriellen Amerika sich nicht mehr oder weniger von selbst wieder lösen werden. Er verspricht den Amerikanern Fairness für alle. Damit bekennt er sich zu den Zielen der *Progressives* (was übersetzt etwa soviel heißt wie »die Fortschrittlichen«), einer neuen Partei, die Teil einer großen Reformbewegung ist. Nach den turbulenten neunziger Jahren des 19. Jahrhunderts halten die USA zu Beginn des neuen Jahrhunderts inne und beginnen darüber nachzudenken woran es liegt, dass das Land von solchen Krisen geschüttelt wird. Ein Umdenkprozess in Richtung einer sozialeren Demokratie beginnt. Schritt für Schritt wenden sich die politischen Vordenker von der Philosophie des *Laisser-faire* ab. Die Progressives, die von der Mittelklasse und den Republikanern getragen werden, sehen es nun als Aufgabe des Staats, dafür zu sorgen, dass es den Menschen gut geht.

Der energiegeladene Roosevelt hat nicht vor, so wie seine Vorgänger nur die Entscheidungen des Kongresses abzunicken. Er übernimmt das Ruder. Als erstes hat er vor, den *Trusts* und Monopolisten das Handwerk zu legen. Schon bald kann TR, so sein Spitzname, persönliche Erfahrungen mit den Räuberbaronen sammeln. Noch immer erschüttern heftige Streiks das Land. Roosevelts Amtsvorgänger hatten wenig Verständnis für die Menschen, die sich auf diese Art gegen schreckliche Arbeitsbedingungen und Ausbeutung zu wehren versuchten. Sie schickten einfach nur Truppen, um die Ordnung wiederherzustellen. TR geht einen anderen Weg. Als die Bergleute in den Kohleminen im Jahr 1902 zu streiken drohen und damit Amerikas Energieversorgung gefährden, versucht er, Firmenbosse und Gewerkschaftsvertreter zu Verhandlungen an einen Tisch zu bringen. Doch die Firmenvertreter blockieren, wo sie können, und verhalten sich so arrogant, dass Roosevelt schäumt. Er schimpft über die »außergewöhnliche Dummheit« dieser »Holzköpfe« und droht den Minenbesitzern mit politischen Konsequenzen. Mürrisch geben sie schließlich nach und gehen teilweise auf die Forderungen der Arbeiter ein. Seit diesem Erlebnis ist TR noch schlechter auf die *Trusts* und die »reichen Übeltäter« an ihrer Spitze zu sprechen als zuvor.

Dass die Progressives es schließlich schaffen, das Land wieder auf einen besseren Kurs zu bringen, ist aber nicht nur das Verdienst von Politikern wie TR, sondern auch von Journalisten. »Muckraker« – »Dreckwühler« taufte Roosevelt sie halb verächtlich, halb liebevoll, weil sie ihre Nase immer dorthin stecken, wo im übertragenen Sinne irgendetwas faul ist. Die »Muckraker« schaffen es, die ganze Nation auf Missstände aufmerksam zu machen und in Empörung darüber zu versetzen. Auf diese Weise beseitigen sie viele Widerstände, die den Reformen entgegenstehen.

Alles beginnt, als in einem der populären Magazine dieser Zeit, *McClure's*, Anfang des 20. Jahrhunderts eine mehrteilige Reportage über die üblen Machenschaften von Rockefellers Standard Oil-Konzern erscheint – verfasst von einer ernsten, jungen Frau namens Ida M. Tarbell. Drei Jahre lang hat sie hartnäckig nachgeforscht und Fakten für diese Serie gesammelt. Es ist kein Zufall, dass sie sich für dieses Thema interessiert: Sie ist auf den Ölfeldern Pennsylvanias aufgewachsen und hat erlebt, wie ihr Vater von Standard Oil mit illegalen Methoden vom Markt verdrängt und ruiniert worden ist.

Ihre Story wird ein Riesenerfolg, und *McClure's* beschließt, weitere Enthüllungsartikel zu veröffentlichen. Engagierte Journalisten berichten über die Zustände in den Slums, Korruption in den Städten, die ekelhaften Zustände in den Schlachthöfen von Chicago, den Machtmissbrauch von Gewerkschaftsbossen und die Untaten der Finanziers der Wall Street. Auch Kinderarbeit nehmen sie ins Visier: Um 1908 sind noch die Hälfte der Angestellten in den Textilmanufakturen jünger als vierzehn Jahre. Diese Reportagen erregen große Aufmerksamkeit, die Öffentlichkeit ist entsetzt über die Zustände, die die »Muckraker« schildern. Die anderen Magazine ziehen schnell nach und geben ebenfalls solche Artikel in Auftrag, so dass sich das »Muckraking« ab 1905 in eine breite Bewegung verwandelt hat, die bis etwa 1910 dauert (danach haben die Leute die Nase voll von Enthüllungen und Skandalen).

Roosevelt und die »Muckraker« können dennoch zufrieden sein. Auch wenn die Macht des Big Business eher noch gewachsen ist, gibt es dank der kritischen Berichte nun bessere Gesetze gegen unfaire Geschäftsmethoden, für Schutz am Arbeitsplatz, gegen Kinderarbeit und vieles andere.

Der letzte Kampf der Sioux

Jahrzehntelang waren die amerikanischen Ureinwohner in Westernfilmen die Bösen, die mit schrillen Schreien und dicker Kriegsbemalung versuchten, die Guten abzuschlachten. Meist werden sie schließlich von der Kavallerie erledigt, und der Zuschauer freut sich. Zum Glück gibt es inzwischen auch Filme aus der Sichtweise der Indianer oder mit viel Verständnis für sie, zum Beispiel *Der mit dem Wolf tanzt* oder *Little Big Man.*

Vor dem Bürgerkrieg ist das Land westlich des Mississippi noch Indianerland. Über die *Great Plains,* den schier endlosen grasbewachsenen Ebenen im Herzen des Kontinents, ziehen Büffelherden, die oft Hunderttausende von Tieren umfassen. Von ihnen leben die Sioux und die vielen anderen Stämme im Westen. Beunruhigt erleben sie, wie immer mehr Siedler den Mississippi überqueren, von Kalifornien aus Männer auf der Suche nach Bodenschätzen ins Herz des Kontinents gelangen und Cowboys von Texas aus nach Norden reiten.

Zwar sind den Einheimischen in den dreißiger Jahren des 19. Jahrhunderts die Rechte an den *Great Plains,* dem Prärieland vor den Rocky Mountains, zugesichert worden. Aber wie üblich halten sich weder die landhungrigen Siedler noch die Regierung in Washington lange an die Vereinbarungen. Die kriegerischen Stämme des Westens denken nicht daran, ihr Land kampflos aufzugeben. Von 1860 bis 1880 toben im Westen fast ununterbrochene Indianerkriege. Um den Ureinwohnern die Lebensgrundlage zu entziehen, schlachten die US-Armee und Westmänner wie Buffalo Bill systematisch die Büffelherden ab.

1867 stimmen die Comanchen, Kiowa, Arapaho und Cheyenne entmutigt zu, sich ins Ödland von Oklahoma umsiedeln zu lassen. Doch die Sioux, die die *Great Plains* dominieren, geben nicht auf. Besonders heftig tobt der Kampf um die Blacks Hills in North Dakota. Sie sind den Sioux heilig, doch als in dieser Gegend Gold gefunden wird, fallen Schwärme von Glücksrittern dort ein. Eine der ersten Gruppen von Goldsuchern wird von Lieutenant-Colonel George A. Custer (1839–1876) geführt, einem draufgängerischen, eitlen Offizier, der nicht gerade für seine militärischen Fähigkeiten bekannt ist. Die Sioux

Beim »Round up«

Ein paar echte Cowboys sind noch übrig, wie ich bei einem Trip in den Südwesten 1999 selbst feststellen konnte ...

In den grünen Bergen von New Mexico fand ich einen Ort, der mir gefiel – Chama –, und ich suchte mir dort ein Zimmer. Abends begab ich mich schräg über die Straße ins High Country Inn & Restaurant. Ich stolperte über die hohe Schwelle in einen rustikalen Saloon. Eine Hand voll Männer mit Cowboyhüten beherrschten die Szene, an der Theke war nur noch ein Platz frei, ganz außen. Als ich ein paar Dollars für die Jukebox tauschen wollte, kam ich mit zwei jungen Kerlen mit Stetson-Hüten am Nebentisch ins Gespräch. Ich fragte Cody und Dwayne, was sie so beruflich machten, und sie erzählten mir, dass sie Cowboys seien und am nächsten Tag Rinder von der Winter- auf die Sommerweide bringen würde. Dieses »Round up« fand zweimal im Jahr statt. »Hast du nicht Lust, mitzumachen?« fragte Cody.

»Klar doch«, sagte ich. »Wann und wo?«

»Ach, das machst du bestimmt nicht. Du müsstest verdammt früh aufstehen.«

antworten mit Gewalt, und die Gefechte wachsen sich zum Großen Sioux-Krieg aus, der fünfzehn Monate dauert und fast den ganzen Westen erfasst. Im berühmten Kampf am Little Bighorn River 1876 bekommt Custer und mit ihm die U.S. Army die Quittung: Als er mit nur 210 Männern auf ein Hauptlager der Sioux stößt, macht der legendäre Häuptling Tatanka Yotanka, besser bekannt unter dem Namen Sitting Bull (1831–1890), mit 2 500 Kriegern die kleine Gruppe restlos nieder.

Es bleibt einer der wenigen Siege der eingeborenen Stämme gegen die vordringenden Siedler. Auch die Sioux müssen ihr Land schließlich aufgeben und in ein unwirtliches Reservat ziehen. Tatanka Yotanka flieht nach Kanada, andere Führer des Aufstands werden gefangen genommen oder getötet. Wenige Jahre später muss Tatanka Yotanka aufgeben, er wird ebenfalls ins Reservat verfrachtet und dort schließlich von US-Soldaten erschossen. Noch wesentlich länger, fast fünfzehn Jahre, hält der Apachenhäuptling Goyathlay (oder Geronimo) seinen Widerstand im Südwesten der USA durch. Als er sich 1886 ergibt und gefangengenommen wird, ist die Ära der Indianerkriege zu Ende.

»Macht nichts«, sagte ich. Er zeichnete mir genau auf, wo wir uns treffen wollten, und zwar um halb fünf. Spätestens jetzt merkte ich, dass die Einladung ernst gemeint war. »Aber du kommst ja bestimmt doch nicht«, sagte er. »Wir warten zehn Minuten am Treffpunkt, länger nicht.« Ich konnte ihn auch nicht dadurch überzeugen, dass wir in die Hände spuckten und uns darauf die Hand gaben, oder dass ich »Cross my heart and hope to die« schwor. Als ich in mein Hotel zurückging, schneite es draußen in leichten Flocken, und es war saukalt. Na, das wird morgen ja ein schön unbequemer Viehtrieb, dachte ich.

Als ich am nächsten Morgen aufbrach, waren die Straßen noch völlig ausgestorben. Um fünf ratterte endlich ein Pick-up-Truck mit einem riesigen Pferdeanhänger aus der Dunkelheit und hielt vor mir. Hunde winselten, ein Pferd stampfte, Autotüren schlugen – plötzlich war Action auf dem einsamen Parkplatz. »I'm amazed! That you came and that you waited, even though we're late!« begrüßte mich Cody herzlich. Ich kroch ins Führerhaus, wo er mir schon eine Decke auf das Zwischenteil der Sitzbank gelegt hatte.

Wir düsten los, der Ort, an dem die Rinder waren, war einige Meilen entfernt. »Want some vitamins?« fragte Cody. »Klar«, sagte ich. Er drückte mir eine Dose Bier in die Hand, wie ich nach dem ersten Schluck herausfand. »Oh, vitamin B«,

In der verzweifelten Hoffnung, doch noch ihr Land zurückzugewinnen und ihre vielen toten Familienmitglieder und Freunde wiederzuerwecken, folgen viele Indianer in dieser Zeit der *Ghost-Dance*-Religion. Wie ein Fieber breitet sich der neue Glaube, der angeblich unverwundbar machen soll, von einem Reservat zum anderen aus. Die Indianer kämpfen nicht mehr, sie tanzen nur noch bis zur Erschöpfung. Doch die Regierung ist misstrauisch, vermutet Widerstand hinter diesen eigenartigen Geistertänzen. In dieser Stimmung kommt es 1890 bei Wounded Knee in South Dakota zu einem letzten Massaker: US-Soldaten ermorden rund 350 friedliche indianische Männer, Frauen und Kinder. Nun hat sich gezeigt, dass der Geistertanz nicht unverwundbar macht, und auch die letzte Hoffnung ist dahin. Von den ursprünglich einmal vier Millionen Ureinwohnern sind gerade einmal 250 000 übrig geblieben, die sich immer apathischer in ihr Schicksal fügen. Die Regierung versucht eifrig und mit wechselndem Erfolg, sie zu »amerikanisieren« oder zu »zivilisieren«. Was darauf hinausläuft, ihre Kultur auszulöschen. Erst 1924 gestehen die Vereinigten Staaten von Amerika den ursprünglichen Bewohnern des Kontinents die Bürgerrechte zu.

sagte ich, und die Cowboys lachten. Innerhalb der nächsten Stunde goss sich Dwayne an die fünf Büchsen hinter die Binde und warf die leeren Dinger aus dem Fenster. Die beiden waren sehr enttäuscht, dass ich ihren Schnupftabak nicht probieren wollte. Und das alles um fünf Uhr morgens. Wie gut, dass die Straßen leer waren – bis auf das eine oder andere Kaninchen. Hinten auf dem Anhänger rumpelte Daisy Mae, Codys Schimmelstute, die wahrscheinlich Mühe hatte, auf den Hufen zu bleiben.

Cody erzählte mir, dass er sieben Hunde habe, und wir fragten einander weiter aus, fasziniert davon, wie verschieden unsere Welten waren. Die beiden Jungs waren Singles um die 26 und arbeiteten auf Ranches in der Nähe von Pagosa Springs. Cody war ein altgedienter Rodeo-Reiter, er verbrachte jedes Jahr mindestens eine Woche deswegen im Krankenhaus. »Das Schlimme ist nicht, dass du runterfällst, das Schlimme ist, wenn sie auf dich drauftreten«, meinte er. Er hatte sich mit einem Rodeo-Stipendium den College-Besuch finanziert.

Zum Glück hatte es längst aufgehört zu schneien, stahlblau und klar wölbte sich der Himmel über uns. Schließlich erreichten wir das Grundstück von Ray, dessen Rinder wir eintreiben sollten. »That's Sylvia, a friend from Germany«, stellte Cody mich beiläufig vor, und damit war es in Ordnung. Ich bekam ein

Cowboys – Mythos und Wirklichkeit

Als Ureinwohner und Büffel aus dem Weg sind, merken die Siedler schnell, dass sich das Grasland der *Great Plains* wegen des extremen Klimas nicht besonders gut für die Landwirtschaft eignet, dafür aber hervorragend für die Rinderzucht. Es genügt, ein paar Kühe mit dem eigenen Brandzeichen zu versehen und dort auszusetzen. Einen Stall brauchen sie nicht, und Futter finden sie auf den Ebenen reichlich. Wenn sie sich vermehrt haben, fängt man einfach so viele ein, wie man braucht, und verkauft sie. Die Blütezeit des Cowboys beginnt, denn die Rinderherden in Texas müssen ja irgendwie zum Markt im Osten transportiert werden. Diese Cowboys sind eine bunt gemischte Gruppe: Mexikaner, Bürgerkriegsveteranen, Afroamerikaner, Indianer. Viele ihrer Traditionen, auch die typische Kleidung mit Stiefel, Sporen und Hut, haben sie aus Mexiko übernommen.

Diese rauen Jungs auf ihren Pferden treiben die vieltausendköpfigen Rinderherden auf monatelangen Treks nach Norden, zu *Cattle Towns*, den Rinderstäd-

Pferd zugeteilt, einen alten und ziemlich faulen Wallach namens Mr. Easy, dann trieben wir ein paar Rinder in Pferche und verpassten den neuen Kälbern Ohrmarken. Ich war beeindruckt davon, wie die Cowboys mit den Lassos und ihren Arbeitspferden umgehen konnten. Daisy Mae war klein, aber sehr muskulös, und sie reagierte auf Codys leisestes Kommando. Wendig wie eine Katze sprang sie hin und her und wirbelte herum. Man brauchte sie nicht anzubinden – lagen ihre Zügel auf dem Boden, blieb sie stehen, wo sie war. Easy dagegen hatte nichts dergleichen im Sinn, aber ich brachte ihn immerhin dazu, sich in die richtige Richtung zu bewegen.

Wir luden die Pferde in Rays Anhänger und fuhren hinaus zu den Feldern, wo die anderen Rinder waren. Die Cowboys trennten die Kühe mit Kälbern von den anderen, wobei die Border Collies gute Dienste leisteten, und trieben den Rest dann in die Pferche. Ich half, so gut ich konnte, spielte aber meist nur den lebenden Zaunpfahl, um die Rinder an einer Ecke am Ausbrechen zu hindern, während die Cowboys dem Vieh mit spitzen Schreien und Lassoschwenken Beine machten. Easy war einfach nicht schnell genug, um ein ausbrechendes Rind zurückzuholen, und wahrscheinlich hätte mich so eine Kuh ohnehin über den Haufen gerannt.

»Still enjoyin' yourself?« sagte Cody immer mal wieder augenzwinkernd, und ich bejahte das aus ganzem Herzen. »Good«, sagte er und zischte noch ein Bier, während Daisy Mae auf die Rinder zugalloppierte.

ten in Kansas. Diese Orte haben Eisenbahnanschluss und können die Tiere nach Osten weiterverfrachten. In den *Cattle Towns* geht es hoch her, viele Saloons und Bordelle haben sich auf die Bedürfnisse ihrer Kunden, der Cowboys, eingestellt. Solche *Cattle Drives* sind nur möglich, weil es auf dem ganzen Weg quer durch mehrere Staaten keine Zäune gibt, sondern nur offenes, freies Land. Doch das bleibt nicht so. Immer mehr Farmer lassen sich von Dürren, Hagel und Tornados nicht abschrecken und ziehen in die *Plains*. Denn die Eisenbahnen haben von der Regierung als Gegenleistung dafür, dass sie das Transportsystem ausbauen, große Landstriche überlassen bekommen. Nun sorgen sie dafür, dass sich entlang der Strecke Siedlungen bilden, damit überhaupt jemand ein Interesse hat, mit ihren Eisenbahnen zu fahren.

Die Farmer sehen es gar nicht gerne, wenn gigantische Rinderherden über ihre Felder trampeln. Es kommt zu ständigen Kämpfen zwischen Ranchern und Bauern. Besonders umkämpft sind in dieser trockenen Gegend die Wasserrechte. Der Todesstoß für das weite, freie Land des Westens ist die Erfindung des billigen, widerstandsfähigen Stacheldrahtzauns. Nun ist es machbar, Grundstücke abzuteilen. Frech zäunen mächtige Rancher große Teile Staatsland für sich ein, und die kleineren können sich nur wehren, indem sie die Zäune durchschneiden. Da in dieser Gegend jeder ein Gewehr oder eine Pistole besitzt, gibt es nicht selten Tote in diesen Konflikten um Land und Wasser.

Nur zwanzig Jahre, vom Bürgerkrieg bis circa 1886, dauert die große Zeit der Cowboys. Dann sind die *Cattle Drives* nicht mehr möglich, und aus den Cowboys, von denen es in Wirklichkeit immer weniger gibt, wird ein Mythos, der in Büchern und in der Zigarettenwerbung weiterlebt. Ausgerechnet in dieser Zeit der Industrialisierung, in der die Stadt die Führungsrolle übernimmt, wird der Mythos vom Wilden Westen geboren, der bis heute ein Inbegriff für die USA geblieben ist.

Teil III

Die Weltmacht

Kapitel 7

Eine neue Führungsrolle

(1898–1919)

Nachdem der Kontinent erobert ist, suchen sich die USA ihre Herausforderungen anderswo. Sie finden sie in Übersee – und entdecken ihre Möglichkeiten, über das Schicksal anderer Länder zu entscheiden. Durch den Ersten Weltkrieg sehen sich die USA gezwungen, eine politische und militärische Führungsrolle zu übernehmen.

Übersee-Abenteuer

Ein Jahrhundert lang hatten sich die USA vor allem mit sich selbst beschäftigt und wollten mit den Angelegenheiten der europäischen Mächte nichts zu tun haben. Doch gegen Ende des 19. Jahrhunderts geht der Trend in eine andere Richtung, die USA wenden sich langsam und zu Anfang etwas widerwillig nach außen. Der Grund: Die amerikanische Wirtschaft exportiert immer mehr Waren in alle Welt. Sie sucht nach neuen Märkten, auf denen sie ihre Produkte verkaufen kann, und nach neuen Rohstoffquellen. Um die Transportwege ihrer Waren auf den Weltmeeren zu schützen, vergrößern die USA ihre Flotte und bemühen sich um Marinestützpunkte in Übersee. Immer mehr Politiker sprechen sich für Expansion jenseits des amerikanischen Kontinents aus. Interessiert verfolgten sie die Aktivitäten Frankreichs, Englands und Deutschlands, die in Afrika und Asien rohstoffreiche Landstriche eroberten und zu ihren Kolonien machten. Es ist das Zeitalter des Imperialismus, und die USA sind nicht immun gegen seine Verlockungen. Doch ein großer Teil der Öffentlichkeit sträubt sich wie viele Politiker noch gegen den Gedanken. Sie erinnern an die demokratische Tradition der USA und lehnen es ab, es den europäischen Mächten gleichzutun.

Dann kommt es zum Konflikt um Kuba. So wie damals England, das Amerika nicht ziehen lassen wollte, ist auch Spanien nicht bereit, seine Kolonien in

Südamerika und in der Karibik in Frieden ihren eigenen Weg gehen zu lassen. In Aufständen und Revolutionen erkämpften sich die Menschen in vielen südamerikanischen Ländern in den ersten Jahrzehnten des 19. Jahrhunderts die Unabhängigkeit. Kuba, eine Insel, die rund 150 Kilometer von der Südspitze Floridas entfernt liegt, blieb eine der letzten spanischen Kronkolonien in Amerika. Doch gegen Ende des 19. Jahrhunderts lehnen sich die Menschen auch hier gegen die mit harter Hand regierenden Herren aus Europa auf.

Die US-Bürger erinnern sich noch gut an ihren eigenen Freiheitskampf, das Anliegen Kubas ist ihnen sympathisch. Aber sich in die Probleme – und besonders die Kriege – anderer Länder einzumischen, ist nicht ihr Fall. Ein Präsident nach dem anderen zögert, die Kubaner gegen Spanien zu unterstützen. Doch als die *Maine*, ein amerikanisches Kriegsschiff, unter eigenartigen Umständen im Hafen von Havanna, der Hauptstadt Kubas, explodiert, ist die Öffentlichkeit empört. Präsident William McKinley (1843–1901) will keinen Krieg, zumal völlig ungeklärt ist, was in Havanna genau passiert ist. Aber der Druck, etwas zu unternehmen, wächst immer weiter. Die Medien sind daran nicht unbeteiligt: In New York kämpfen gerade zwei mächtige Zeitungsbarone, Joseph Pulitzer mit seiner *New York World* und William Hearst mit dem *New York Journal*, um den Markt der Boulevardzeitungen. Einen Krieg könnten sie gut gebrauchen, der ist gut für die Auflage. Ihre billigen Sensationsblätter heizen die Stimmung mit Racheforderungen und reißerischen Berichten über angebliche Gräueltaten der Spanier immer weiter an, bis McKinley schließlich nachgibt. Er schickt 1898 Truppen nach Kuba.

TR haut auf die Pauke

Für manche ist dieser Krieg ein spannendes Abenteuer. So auch für den späteren Präsidenten Theodore Roosevelt (1858–1919), damals noch stellvertretender Marineminister. Der Spross einer wohlhabenden New Yorker Familie niederländischer Abstammung war als Kind und Jugendlicher kränklich und schwach. Doch der intelligente Junge mit der dicken Brille beschloss, aus sich einen härteren, männlicheren Menschen zu machen. Inzwischen hat er nicht nur die Eliteuniversität Harvard abgeschlossen, er ist auch topfit und ein temperamentvoller Mann der Tat, der in seiner Freizeit boxt, auf Berge steigt und auf die Jagd geht.

Wer ihn kennen lernt, staunt über seine unbändige Energie und seine starke Persönlichkeit. In der Regierung gehört der junge Republikaner zu denjenigen, die dafür sind, sich stärker jenseits der Grenzen der USA zu engagieren – er ist als »Mr. Imperialism« bekannt.

Als der Krieg ausbricht, will Roosevelt ihn um nichts in der Welt verpassen. Er schmeißt seinen Job im Marineministerium hin und ordert für sich ein Dutzend Ersatzbrillen sowie eine maßgefertigte Uniform von einem teuren Herrenschneider. Dann trommelt er die *Rough Riders* zusammen, ein Kavallerie-Regiment, das aus Freiwilligen besteht – einer wilden Mischung aus Cowboys, wohlhabenden Studenten und indianischen Trappern – und lässt sie unter seinem Kommando nach Kuba aufbrechen. Dort müssen seine Reiter erst mal zu Fuß gehen, weil die Pferde versehentlich an einer anderen Stelle der Insel abgesetzt worden sind. Obwohl sie kaum ins Geschehen eingreifen, werden die *Rough Riders* für die Öffentlichkeit schnell zu romantischen Helden.

Spanien ist nicht mehr die Weltmacht von einst. Durch innere Konflikte ist es zu geschwächt, um auch nur die letzten Reste seines einstigen Imperiums zu halten. Gerade einmal vier Monate dauert der Krieg. Nur wenige US-Soldaten fallen den Kugeln der Spanier zum Opfer, dafür sterben ein paar Tausend an Tropenkrankheiten und verdorbenen Fleischkonserven. Mit dem Sieg über Spanien, der Kuba die Unabhängigkeit beschert, fällt den USA eine reiche Beute in den Schoß: Spanien muss die Inseln Puerto Rico und Guam abtreten und die Philippinen verkaufen. Auf einmal haben die USA ein eigenes Imperium. Noch ist die Regierung unschlüssig, was sie damit anfangen soll, aber Geschäftsleute wittern schon gute Umsätze dort und Missionare viele Seelen, die sie retten können. Schließlich geben die USA der Versuchung nach, die Philippinen zu behalten und dadurch eine Basis in Asien zu bekommen. Sie wollen versuchen, die Filipinos zu bekehren und ihnen Bildung und Zivilisation zu bringen – noch schlummert in den Köpfen vieler Amerikaner das alte Sendungsbewusstsein. Was den Bewohnern dieser Inseln nicht besonders gefällt: Sie rebellieren gegen die US-Herrschaft genauso wie zuvor gegen die spanische.

Puerto Rico und Guam bleiben unter amerikanischer Kontrolle, dürfen sich aber nach und nach selbst verwalten. Puerto Rico wird sogar wie ein Staat behandelt, seine Bürger bekommen die amerikanische Staatsbürgerschaft. In Kuba versuchen die USA eine eigenständige Regierung zu unterstützen, aber richtig loslassen wollen sie auch nicht: Bis zur kubanischen Revolution Ende der fünfziger Jahre greifen sie immer wieder in die Politik der Zuckerinsel ein.

Nichts ist für einen Präsidenten, der wiedergewählt werden will, so hilfreich wie ein gewonnener Krieg: McKinley darf seine zweite Amtszeit antreten. Doch schon in ihren ersten Monaten fällt er einem Attentäter zum Opfer. Theodore Roosevelt, inzwischen Vizepräsident, tritt an seine Stelle und ist mit gerade einmal 43 Jahren der bisher jüngste Präsident der Vereinigten Staaten.

Es überrascht kaum jemanden, dass der ehrgeizige ehemalige Marineminister weiter auf den Imperialismus setzt. Seine Politik steht unter dem Motto »Speak softly and carry a big stick – Sprich leise und trag einen großen Knüppel.« Nun beginnen die Vereinigten Staaten, ihre Interessen stärker in der Welt zu vertreten und auf eine Politik der Ausdehnung zu setzen. Schon lange hatten die USA ein Auge auf Hawaii geworfen; nun annektieren sie die Inseln, obwohl der Großteil der Hawaiianer dagegen ist. Erst sehr viel später, 1959, wird Hawaii als neuer Bundesstaat aufgenommen. Um einen Kanal zwischen Nord- und Südamerika bauen zu können, helfen die USA Panama auf dubiose Art, sich von Kolumbien abzuspalten. Energisch treibt Roosevelt das Großprojekt Panama-Kanal voran,

Rettet die Wildnis!

Durch Gedankenlosigkeit und Gier wird im 19. Jahrhundert die herrliche Natur des Kontinents immer weiter zerstört. Siedlern und Geschäftsleuten erscheinen die »natürlichen Ressourcen« der Neuen Welt grenzenlos und unerschöpflich – aber das sind sie nicht. Manche Landschaften sind schon schwer geschädigt, Arten wie der Bison fast ausgerottet. Auch die Wandertaube, die über Jahrhunderte hinweg in Nordamerika gigantische Schwärme bildete – viele sollen über hundert Quadratkilometer groß gewesen sein und aus Milliarden von Tieren bestanden haben –, wird so stark gejagt, dass schon Ende des 19. Jahrhunderts kaum noch Wandertauben übrig sind. Sonntagsjäger holen an einem einzigen Tag im Jahr 1896 den letzten wilden Schwarm – einige hunderttausend Tiere! – vom Himmel. 1914 stirbt die letzte Wandertaube in einem Zoo in Cincinnati an Altersschwäche.

Als Roosevelt in North Dakota lebt, lernt er die Wildnis lieben – danach ist es für ihn eins der wichtigsten Anliegen überhaupt, sie zu schützen. Gegen den Widerstand erboster Geschäftemacher, die sich an den Wäldern Amerikas eine goldene Nase verdienen wollten, verhindert er, dass Gebiete, die dem Staat gehörten, weiterhin ungehindert ausgebeutet werden. Er schafft es, einige der schönsten Gebiete zu Nationalparks und anderen Schutzgebieten zu erklären.

damit Kriegs- und Frachtschiffe sich bald den langen Weg um Kap Hoorn an der Spitze Südamerikas sparen können. 1904 beginnt der Bau, doch fertig wird der Kanal zwischen Atlantik und Pazifik erst zehn Jahre später, kurz nach Ausbruch des Ersten Weltkriegs. 5 609 Menschen, hauptsächlich schwarze Arbeiter, verlieren beim Bau durch Unfälle oder Tropenkrankheiten ihr Leben.

Die USA sind eine Macht geworden, die ihre Interessen selbstbewusst überall in der Welt vertritt. Doch »Teddy« Roosevelt (nach dem übrigens der Teddybär benannt worden ist) interessiert sich nicht nur für Krieg und Expansion. Als sich die europäischen Kolonialmächte 1905 in Nordafrika in die Haare kriegen, vermittelt er und organisiert eine Friedenskonferenz – dafür wird ihm ein Jahr später der Friedensnobelpreis verliehen. »TR« schafft den Spagat, gleichzeitig Konservativer und einer der liberalsten Männer seiner Zeit zu sein, der sich zum Beispiel sehr für den Naturschutz engagiert.

Zu Roosevelts Ärger macht sein Nachfolger William Howard Taft (1857–1930), eigentlich einer seiner langjährigen Gefolgsleute, viele seiner Gesetze wieder rückgängig. Erbost tritt TR noch einmal zur Wahl an, doch diesmal macht Woodrow Wilson (1856–1924) das Rennen. Zum ersten Mal seit dem Bürgerkrieg haben es die Demokraten wieder ins Weiße Haus geschafft.

Wilson, ehemaliger Präsident der Universität Princeton, ist der Sohn eines Predigers und selbst ein tief religiöser Mann. Der schmale, asketisch wirkende Gelehrte hat feste moralische Grundsätze und sieht es als seine Aufgabe, der Menschheit zu dienen. Nun ja, nicht der ganzen Menschheit: Wilson kommt aus dem tiefen Süden, und Afroamerikaner hält er für eine »unwissende und minderwertige Rasse«. Die Mitglieder seiner Regierung, von denen viele ebenfalls aus dem Süden stammen, denken ähnlich – und führen in ihren Ministerien in Washington die eigentlich vor fünfzig Jahren abgeschaffte Rassentrennung wieder ein. Die Öffentlichkeit regt sich darüber nicht weiter auf; TR hat weit mehr Wirbel ausgelöst, als er den berühmten afroamerikanischen Vordenker Booker T. Washington ins Weiße Haus eingeladen hat.

Henry Ford und die Brüder Wright

Das Amerika, das Wilson gewählt hat, ist eine Gesellschaft, die sich auf den Weg in die Moderne macht. Zwischen 1890 und 1910 sind dreizehn Millionen

Einwanderer eingetroffen, die Bevölkerung ist bunter und vielsprachiger denn je. Und mobiler: Henry Ford hat die geniale Idee, Autos preiswert am Fließband zu produzieren und wird damit steinreich. Bald tuckern Tausende Autos vom Typ Model T (liebevoll *Tin Lizzie* genannt) mit dreißig Stundenkilometern über die meist ungeteerten Straßen und machen den Leuten, die noch mit Kutschen fahren, die Pferde scheu. Die Auswahl an Farben ist allerdings begrenzt, wer kein Schwarz mag, hat Pech gehabt.

Mit einem solchen Transportmittel können es sich Angestellte mit guten Jobs leisten, aus den überfüllten Innenstädten in die gepflegten Vororte zu ziehen. Die Städte wachsen immer mehr in die Breite.

Und in die Höhe: Erfunden wird der Wolkenkratzer schon Ende des 19. Jahrhunderts in Chicago, das 1871 komplett abbrennt und nach der neuesten architektonischen Mode mit reichlich Stahl wieder aufgebaut wird. In New York will man dem nicht nachstehen und baut ebenfalls in die Höhe. Dass auf der Insel Manhattan nicht viel Platz ist, spielt auch eine Rolle. Nun beginnt ein richtiger Wettlauf um das höchste Gebäude der Welt. 1894 holt das World Building mit einer Höhe von 94 Metern den Titel nach New York. Doch es wird schon zwei Jahre später vom Manhattan Life Insurance Building mit einer

Orville Wright

berichtet im Dezember 1903 in seinem Tagebuch über die Flugexperimente bei Kitty Hawk, in den Dünen von North Carolina:

Als wir aufstanden, blies ein Wind mit dreißig bis vierzig Kilometern pro Stunde aus nördlicher Richtung. Wir holten die Maschine gleich am frühen Morgen aus dem Schuppen und gaben den Männern an der Lebensrettungsstation am Strand das verabredete Zeichen. Nachdem wir den Motor und die beiden Propeller zum Aufwärmen ein paar Minuten hatten laufen lassen, stieg ich um 10.35 Uhr zu einem ersten Versuch auf die Maschine. Nachdem wir die Halterung gelöst hatten, rollte die Maschine los, wurde schneller und hob schließlich ab. Es fiel mir schwer, das vordere Ruder zu kontrollieren, da es seine Aufhängung zu weit in der Mitte hatte und sich daher bei Bedienung drehte und entweder zu weit nach oben oder zu weit nach unten schwang. Deshalb stieg die Maschine beim Start plötzlich auf drei Meter und schoss dann, als ich das Ruder bedienen wollte, genauso plötzlich wieder in Richtung Boden. Eine solche plötzliche

Höhe von 106 Metern überholt. Es folgen weitere Schlag auf Schlag. Einige der früheren Rekordhalter sind bis heute zu bewundern: Das Woolworth Building mit einer Höhe von 241 Metern wird 1913 fertig. Im Jahr 1930 wird das Chrysler Building eröffnet und überspringt – inklusive seiner Antenne – erstmals die Marke von 300 Metern. Am bekanntesten ist das Empire State Building, das 1931 fertig wird und mit einer Höhe von 381 Metern vorübergehend neue Maßstäbe setzt.

Niemand fällt der Abschied von den Holzgebäuden alten Stils schwer: Als San Francisco 1906 von einem gewaltigen Erdbeben erwischt wird, sind es nicht zuletzt die außer Kontrolle geratenen Feuer, die die Stadt zu zwei Dritteln vernichten.

Währenddessen wagen sich an einem Strand der Ostküste zwei ehemalige Fahrradmechaniker namens Wilbur und Orville Wright mit ihren wackelig aussehenden Konstruktionen in die Lüfte. »Schon seit einigen Jahren plagt mich der Glaube daran, dass es Menschen einmal möglich sein wird zu fliegen. Diese meine Krankheit wird immer heftiger, und ich befürchte, dass sie mich bald immer mehr Geld und vielleicht mein Leben kosten wird«, schreibt Wilbur Wright in einem Brief. Die Besessenheit der beiden, die jede freie Minute ihren

Richtungsänderung beendete den Flug nach 39 Metern. Dauer des Flugs rund zwölf Sekunden (mehr oder weniger, da die Uhr nicht gleich gestoppt wurde). Die Kurbel zum Start der Maschine war abgebrochen und die Kufe unter dem Ruder angeknackst. Nach der Reparatur machte Will einen zweiten Versuch.

Abends, nachdem wir das vordere Ruder abgenommen hatten, trugen wir die Maschine zurück zum Schuppen. Wir setzten sie ein paar Meter daneben ab, und während wir uns noch über den letzten Flug unterhielten, kam mit einem Mal eine Windbö auf und drückte die Maschine zur Seite. Wir rannten alle los, um sie festzuhalten, doch wir kamen zu spät. Will rannte nach vorn, konnte aber nichts mehr ausrichten. Vor unseren Augen kippte die Maschine um. Mr. Daniels, der keine Erfahrung im Umgang mit dieser Art Maschine hatte, versuchte den Rumpf festzuhalten, was nur zur Folge hatte, dass er umgeworfen wurde. Es ist ein Wunder, dass ihm nichts passiert ist. Die Aufhängungen des Motors waren sämtlich abgebrochen, die Führung der Antriebskette war völlig verbogen. Einige der senkrechten und fast alle der hinteren Rippen waren abgebrochen.[7]

Apparaten widmen und dafür ihren Laden vernachlässigen, zahlt sich aus: 1900 gelingt Wilbur und Orville der erste Gleitflug, und 1903 – nach unzähligen Misserfolgen und Abstürzen – starten sie sogar schon mit einer motorisierten Maschine. Kaum jemand nimmt Notiz von den Experimenten der beiden Brüder, die in Kitty Hawk Geschichte schreiben.

Auf einmal steht die Welt in Flammen

Trotz ihrer Abenteuer in Übersee sind die Menschen in den USA vor allem mit sich selbst beschäftigt und interessieren sich wenig für europäische Angelegenheiten. Schließlich ist Europa weit entfernt, dazwischen erstreckt sich ein riesiger Ozean. Doch dann beobachten die USA verblüfft und geschockt, dass jenseits des Atlantiks innerhalb weniger Wochen die Hölle losbricht. Als der österreichische Thronfolger Erzherzog Franz Ferdinand in Sarajevo 1914 von einem serbischen Attentäter erschossen wird, setzt eine fatale Kettenreaktion ein: Österreich will Serbien bestrafen, also mobilisiert Russland Truppen, um den verbündeten Serben beizustehen. Das wiederum ruft Österreichs Bündnispartner Deutschland, das vom autoritären Kaiser Wilhelm II. regiert wird, auf den Plan. Es erklärt erst Russland den Krieg und besetzt dann das neutrale Belgien, um in Frankreich

Die letzte Fahrt der *Lusitania*

Die *Lusitania* ist ebenso riesig wie die *Titanic* und prachtvoll ausgestattet mit Marmor, Wandgemälden und Kronleuchtern. Anfang Mai 1915 wagt sie noch einmal die Atlantiküberquerung, obwohl das Meer längst ebenfalls zum Kriegsschauplatz geworden ist. Ein bisschen mulmig ist den Passagieren schon zumute. Zu Recht: Wenige Tage vor Abfahrt, am 22. April 1915, hat die deutsche Regierung in einer Zeitungsanzeige davor gewarnt, in die Kriegszone hineinzufahren. Doch der Kapitän zeigt sich zuversichtlich, denn die *Lusitania* ist schneller als jedes U-Boot und außerdem ein neutrales Passagierschiff, das sicher niemand angreifen wird. Keiner der Passagiere weiß, dass die *Lusitania* auch 4 200 Kästen Munition für die Alliierten an Bord hat – das wird erst sehr viel später bekannt.

einzumarschieren, das ebenfalls mit Russland verbündet ist. Innerhalb kürzester Zeit ist ganz Europa in den Krieg verwickelt. Zwei waffenstarrende Machtblöcke stehen einander gegenüber: die Mittelmächte (Deutschland, Österreich, Ungarn und Türkei) und die Alliierten Mächte (Großbritannien, Frankreich, Russland und Italien). Sogar Japan ist in den Krieg eingetreten, weil es darin die Chance sieht, Deutschland Teile seiner Kolonien abzujagen.

Fatal ist, dass in diesem Ersten Weltkrieg neue Waffentechnologien eingesetzt werden: Maschinengewehre und Giftgas. Die Soldaten verschanzen sich in Schützengräben und werden bei den Versuchen, ein paar hundert Meter vorzurücken, niedergemäht. Monatelang bewegt sich die Front kaum noch. Auf beiden Seiten gibt es Hunderttausende Tote, ohne dass eine der Armeen die Oberhand gewinnen könnte.

In Amerika sind die meisten Bürger so wie Präsident Wilson heilfroh, dass Amerika nicht wie so viele andere Länder durch Bündnisverträge in die schrecklichen Ereignisse hineingezogen wird. Doch neutral zu bleiben ist gar nicht so einfach. Dazu leben in den USA zu viele Einwanderer aus Europa, die natürlich Partei für eine der beiden Seiten ergreifen. Allmählich schält sich heraus, dass die meisten Sympathien England und Frankreich gelten, denn diese Länder scheinen sich im Gegensatz zu Deutschland für die Demokratie einzusetzen. Dennoch halten sich die USA heraus. Bis sich Deutschland durch seine U-Boot-Angriffe die letzten Sympathien verscherzt. Dabei spielt ein britischer Luxusdampfer namens *Lusitania* unfreiwillig eine der Hauptrollen.

Auch der junge schneidige Kapitänleutnant Walther Schwieger, der das deutsche U-Boot *U-20* kommandiert, weiß nichts davon. Aber er ist ohnehin bekannt dafür, erst zu schießen und dann zu fragen, mit welchem Schiff er es überhaupt zu tun hat; seine Befehle geben ihm dafür freie Hand. Als er am 7. Mai in der Irischen See durch einen ungeschickten Kurswechsel des englischen Kapitäns die Chance erhält, zwei Torpedos auf das große Schiff abzufeuern, zögert er nicht. Als der Steuermann erschrocken feststellt, dass es die *Lusitania* ist, auf die sie geschossen haben, ist es zu spät. In nur achtzehn Minuten sinkt der Luxusliner, 1198 Passagiere sterben, darunter auch 124 US-Bürger. Das prominenteste Opfer ist der Multimillionär Alfred G. Vanderbilt. Er hatte drei Jahre zuvor ein Ticket für die fatale Jungfernfahrt der *Titanic*, verpasste damals jedoch die Abfahrt.

Die amerikanische Öffentlichkeit ist empört über die Versenkung des Luxusliners, Präsident Wilson protestiert scharf. Doch statt sich für die Tragödie zu entschuldigen, erklärt die deutsche Regierung die Aktion zu einem großen Erfolg für die deutsche U-Boot-Flotte und zu einer der Großtaten dieses Seekrieges. Damit besiegelt Deutschland, wie man heute weiß, sein Schicksal in diesem Krieg. Denn nun unterstützen die Vereinigten Staaten die Alliierten Mächte, zunächst mit Krediten und Nachschub. Noch verhindert eine starke Friedensbewegung, dass die USA Soldaten schicken. Auch Woodrow Wilson will (im Gegensatz zum gewohnt kampflustigen Theodore Roosevelt) nicht, dass Amerika in den Krieg zieht. Dafür und für seine Reformbemühungen wählen ihn die amerikanischen Bürger 1916 ein zweites Mal ins Weiße Haus. »Er hat uns aus dem Krieg rausgehalten«, wird zu seinem Wahlslogan.

Ironie der Geschichte: Schon kurz darauf sieht sich Wilson gezwungen, doch noch den Krieg zu erklären. Denn die deutschen Militärs haben kein Interesse an Frieden und versenken mit ihren U-Booten inzwischen jedes Schiff, das sie kriegen können, egal, ob es einer feindlichen Nation angehört oder nicht. Nachdem fünf amerikanische Handelsschiffe auf den Grund des Ozeans befördert worden sind, hat Wilson im April 1917 endgültig genug. »Die deutsche Regierung hat sich als Feind der Freiheit erwiesen«, erklärt er den Bürgern. »Die Welt muss sicher gemacht werden für die Demokratie.«

Die Alliierten haben Hilfe bitter nötig, und als die USA nach langem Zögern nicht nur Geld und Material, sondern auch Soldaten schicken, ist es schon fast zu spät. Überall sind die Alliierten auf dem Rückzug, sie können ihre Stellungen nicht mehr halten.

In den USA beginnt derweil eine gewaltige Mobilisierung. Die gesamte Wirtschaft wird in den Dienst des Krieges gestellt, alle wehrfähigen Männer werden einberufen. Zwei Millionen von ihnen werden schließlich nach Europa geschickt. Für die USA bedeutet das eine plötzliche Knappheit an Arbeitskräften. Diese Chance ergreifen viele Schwarze, die noch im Süden leben: eine Völkerwanderung in die Industriegegenden des Nordens setzt ein, die auch nach dem Krieg nicht abreißt. Das wiederum hat Rassenunruhen zur Folge, bei denen viele Schwarze getötet werden. Auch das politische Klima in den USA wird – gespeist durch reichlich Propaganda – hässlich: Auf einmal ist Patriotismus gefragt und Kritik unerwünscht. Neue Gesetze verbieten es, schlecht über die amerikanische Regierung zu sprechen. Nicht wenige Kriegsgegner, darunter viele Gewerkschaftler und Sozialisten, landen im Gefängnis.

Als die US-Truppen eintreffen, schöpfen die Alliierten wieder Hoffnung. Mit amerikanischer Hilfe schaffen sie es im Frühjahr 1918, die deutschen Soldaten zurückzudrängen. Bald wird klar, dass Deutschland und die anderen Mittelmächte keine Chance mehr haben.

Wilsons Traum vom Frieden

Im November 1918 ist der Krieg vorbei. Die Länder Europas liegen in Trümmern, politisch herrscht Chaos. In Russland haben die Kommunisten das Regime des Zaren beendet, in Deutschland wird der Kaiser durch eine Revolution abgesetzt. Fast zehn Millionen Soldaten sind im Ersten Weltkrieg umgekommen, auch in der Bevölkerung gab es viele Opfer. Und was jetzt? Wie könnte eine tragfähige neue politische Zukunft für den Kontinent und den Rest der Welt aussehen? Wie kann man verhindern, dass es noch einmal zu einem so schrecklichen Krieg kommt? Wilson, der Idealist, sieht es als seine Aufgabe an, eine neue, bessere Weltordnung zu schaffen. Dafür verhandelt er unermüdlich. Und weitgehend vergeblich. Seine berühmten Vierzehn Punkte, sein Friedensprogramm für Europa, werden von den Vertretern der siegreichen Nationen zerredet. Wilson fordert unter anderem, dass sich die europäischen Mächte aus den besetzten Gebieten zurückziehen und jedes Land seine eigene Regierung wählen darf. Er schlägt eine *League of Nations*, einen Völkerbund vor, der in Zukunft eine gemeinsame Sicherheitsstratege möglich macht und aggressiv handelnde Nationen in ihre Schranken verweist, ohne dass wieder die halbe Welt in Brand steht.

Doch die Alliierten bestehen darauf, dass Deutschland die alleinige Kriegsschuld trage und wollen es zwingen, Entschädigung für den entstandenen Schaden zu zahlen. Sie sind sehr daran interessiert, auf Kosten der Verlierer ihre Staatsgebiete auszudehnen und die Kolonien der Verlierer untereinander aufzuteilen. In den USA trifft die Idee eines Völkerbunds auf Widerstand und klingt ohnehin so utopisch, dass Wilson nicht mehr ernst genommen wird. Erst viele Jahre später wird sein Traum in Form der *United Nations*, der Vereinten Nationen, Wirklichkeit.

Die USA haben währenddessen eigene Probleme. Jetzt, da nach Kriegsende auf einmal die Regierungsaufträge ausbleiben, geht die Wirtschaft in den Sturzflug. Streiks erschüttern das Land. Der Rassismus erlebt einen Höhenflug, der

Ku Klux Klan hat Zulauf wie kaum jemals zuvor, und Rassenunruhen sind fast schon an der Tagesordnung. Zu allem Übel haben die zurückkehrenden Soldaten die Spanische Grippe mitgebracht, die im Jahr 1918 weltweit 22 Millionen Menschen tötet – doppelt so viele, wie im ganzen Ersten Weltkrieg umgekommen sind. In den USA sterben 670 000 Menschen an dem tödlichen Virus. Angesichts dieser heftigen Turbulenzen wächst in Amerika die Angst, dass ähnlich wie in Russland eine Revolution der Arbeiter bevorstehen könnte. Die patriotische Hysterie flaut nach Kriegsende nicht ab, sondern richtet sich jetzt noch stärker gegen Einwanderer und Radikale. Überall wittern die Bürger vermeintliche Bedrohungen. Eine von der Regierung geförderte Hatz auf Kommunisten und Anarchisten beginnt, die glücklicherweise kurzlebig ist.

Wilson kann all das nicht anpacken. Während er in Europa als Held und Friedensstifter gilt, geht seine Beliebtheit im eigenen Land unaufhaltsam in den Keller. Noch schlimmer aber ist, dass der US-Präsident bei seinen Verhandlungen schließlich in den meisten Punkten scheitert. Deutschland wird gezwungen, den Vertrag von Versailles zu unterschreiben, in dem es die alleinige Schuld am Krieg bekommt und zu horrenden Zahlungen verpflichtet wird. Damit ist der Keim für den Zweiten Weltkrieg schon gelegt.

In den USA gibt es kaum ein Interesse daran, sich weiter in der Welt zu engagieren. Wilson schafft es nicht, die Kongressabgeordneten von seiner Idee des Völkerbundes zu überzeugen, und so treten die Vereinigten Staaten dieser neuen internationalen Organisation nicht bei. Wilson erlebt die Folgen seines Scheiterns nicht mehr. Er hat bei den Verhandlungen und dem vergeblichen Versuch, in der Heimat Unterstützung für seinen Völkerbund zu mobilisieren, seine Gesundheit ruiniert und stirbt bald darauf.

Kapitel 8

Partylaune und Absturz

(1920–1936)

Nachdem der Weltkrieg überstanden ist, genießen viele Menschen in den Vereinigten Staaten ihr Leben und den Aufschwung. Moderne und Tradition prallen heftig aufeinander. Neue Musikstile wie Swing und Jazz bestimmen das Lebensgefühl und werden als *American Way of Life* in alle Welt exportiert. Doch dann bricht mit dem Börsenkurs an der Wall Street der Wohlstand dramatisch zusammen, es kommt zu einer folgenschweren Wirtschaftskrise.

Nach dem Ersten Weltkrieg sehnen sich viele Amerikaner danach, zur Normalität zurückzukehren. Da der Republikaner Warren G. Harding mit genau diesem Slogan wirbt, schafft er es 1921, ins Weiße Haus einzuziehen. Es hilft aber auch, dass er so nobel und würdig aussieht, wie man sich einen Präsidenten vorstellt. Harding beginnt sofort, Amerika wieder von der Welt zu isolieren. Und er setzt durch, was sich schon zuvor angebahnt hat: Amerika ist nicht mehr bereit, wie bisher Ströme von Einwanderern aufzunehmen. Ein Quotensystem wird eingeführt: Nun darf nur noch eine feste Anzahl von Menschen kommen, und zwar nur in dem Verhältnis, in dem sich die Bevölkerung im Jahr 1910 zusammensetzte. Das soll verhindern, dass noch mehr Menschen aus Süd- und Osteuropa kommen. Asiaten sind völlig unerwünscht.

Harding und seine Regierung machen fast alles zunichte, was die Reformer vor ihnen erkämpft hatten, sie kippen sogar ein Gesetz gegen Kinderarbeit. Gleichzeitig machen sie sich beliebt, indem sie die Wirtschaft fördern und die Steuern senken, besonders für die Wohlhabenden. Als Harding nach nur zwei Jahren Präsidentschaft an einem Herzschlag stirbt, herrscht allgemeine Trauer. Bis zahlreiche Skandale ans Licht kommen und klar wird, dass Hardings Regierung so korrupt gewesen ist wie kaum eine andere in der Geschichte der USA mit Ausnahme der von Ulysses Grant nach dem Bürgerkrieg.

Die Wilden Zwanziger

Doch dieser kleine Schock kann den Aufschwung nicht bremsen. Der amerikanische Traum scheint ungehindert weiterzugehen. Schon bald ist die Nachkriegsflaute überwunden, die USA erleben einen ungeahnten Wohlstand. Die ganze Welt will US-Produkte, und große Fabriken werden gebaut, um die Nachfrage nach den neu erfundenen Radios, Kühlschränken, Staubsaugern, Autos und anderen Konsumgütern zu befriedigen. Werbung wird ein großes Geschäft: Sie soll dafür sorgen, dass auch weiterhin gekauft, gekauft, gekauft wird, notfalls auf Kredit. Architekturtrends, Mode, Film und Musik werden als *American Way of Life* (amerikanischer Lebensstil) in alle Welt exportiert, die junge Nation wird zum Trendsetter.

Die US-Bürger haben mehr Freizeit als je zuvor. Nach den düsteren Jahren lassen besonders die jungen Leute ihrer Lebenslust freien Lauf. Tanzen, flirten oder einen der neu erfundenen Tonfilme anschauen gehen sind beliebte Vergnügen. Als *Roaring Twenties*, die Wilden Zwanziger, ist diese Zeit in die Geschichte eingegangen, aber auch als *Jazz Age.* Die Kultur der Afroamerikaner, lange unterdrückt und geschmäht, blüht auf. In den Großstädten der USA, vor allem New Orleans und Chicago, entwickeln schwarze Musiker aus europäischen und afrikanischen Elementen den Jazz und brechen kühn mit den bis-

Die Königin des Blues

Bessie Smith ist der Inbegriff der Bluessängerin, ihr Leben ist typisch für die Karrieren jener Zeit. Geboren wird die Tochter eines Baptistenpredigers 1894, sie wächst mit ihren Geschwistern in einer baufälligen, kleinen Hütte in Tennessee auf. Schon mit neun Jahren wird sie Waise. Sie verdient sich als Straßensängerin etwas dazu und heuert als Tänzerin einer reisenden Truppe an. Später beginnt sie in Shows aufzutreten. Tagsüber tanzt sie, abends singt sie in Clubs – für zehn Dollar die Woche plus Trinkgeld. Wer sie erlebt, vergisst sie nicht so schnell. »Ihre Stimme war gewaltig. Sie konnte den Blues ›*growlen*‹, ihn röhren wie in einer Kneipe, ihm Schönheit, Majestät, Würde und gleichzeitig eine tiefe Schlichtheit geben«, berichtet Jazz-Historikerin Sally Placksin. »Sie besaß eine stille, eindringliche Geistigkeit (und Verletzlichkeit), gepaart mit einer sicheren Begabung und einer Haltung des ›Mir ist

herigen Musiktraditionen. Stars wie Louis Armstrong (1901–1971) oder Duke Ellington (1899–1974) bringen mit ihren atemberaubenden Improvisationen das Publikum in den Clubs zum Toben. Die Wurzeln des Jazz reichen zurück zu den Arbeitsliedern der Sklaven, den Spirituals aus den schwarzen Kirchengemeinden, dem Blues, der auf ländlichen Festen gesungen wurde, ja sogar bis zu den Ritualen der berühmt-berüchtigten *Voodoo-Queens* aus dem New Orleans des 19. Jahrhunderts.

Entsetzt beobachtet die ältere Generation, dass junge Frauen nun in der Öffentlichkeit rauchen, kurze Röcke tragen (das heißt zu dieser Zeit, dass man ihre Knöchel sehen kann), sich schminken und ihre Korsetts auf den Müll werfen. Selbstbewusst steuern die so genannten *Flapper* ihre Autos, statt sich von ihren Verehrern durch die Gegend fahren zu lassen. Sie trauen sich sogar, über Sex zu reden. All das gilt als schrecklich unschicklich und unweiblich. Aber das stört diese Frauen nicht im Geringsten, sie haben Spaß an ihrer Rebellion. Seit 1920 haben sie auch das Wahlrecht, das sie immer nachdrücklicher eingefordert hatten. Woodrow Wilson, der von der Arbeit der Frauen während des Krieges sehr beeindruckt war, hatte sie dabei unterstützt. Geholfen hat aber sicher auch der immer heftigere Protest. Hunderte von Aktivistinnen hatten sich vor dem Weißen Haus bei Demonstrationen verhaften lassen.

alles egal‹. Dies alles kam dann auf der Bühne mit der Wucht eines Naturereignisses zum Ausbruch ...«

1920, als immer mehr Menschen Blues und Jazz entdecken, wird die tief religiöse junge Frau von einer Plattenfirma unter Vertrag genommen. Unermüdlich reist sie zwischen den Studioaufnahmen durchs Land und tritt in Zelten und Theatern auf, prunkvoll mit Schals, Fransen und Glasperlen behängt. Ende der Zwanziger ist Bessie, die »dunkle Diva«, ein Superstar.

Während der Wirtschaftskrise sinkt ihr Stern. Sie bekommt niedrigere Gagen, ihre Familie zerbricht. Zwei Jahre vor ihrem Tod sieht man die »Kaiserin des Blues« noch einmal in New York, bei einer Sonntagnachmittags-Jam-Session in einem Jazzclub. »Bessie Smith kam herein, sang, ging wieder und ließ die Zuhörer verwirrt und benommen zurück. Mildred Bailey weigerte sich, nach ihr zu singen«, erzählt Sally Placksin. 1937 stirbt Smith bei einem Autounfall. Als 1970 bekannt wird, dass sie in einem namenlosen Grab liegt, spendiert die Sängerin Janis Joplin einen Grabstein.

Auch die Afroamerikaner sind nicht mehr bereit, sich alles bieten zu lassen, was das weiße Amerika ihnen zumutet. Sie entwickeln einen neuen Stolz und ein Selbstbewusstsein, aus dem Jahrzehnte später die Black-Power-Bewegung hervorgeht. Nach einem blutigen Rassenkrawall gründen Afroamerikaner die *National Association for the Advancement of Colored People* (NAACP) und beginnen, für gleiche Rechte zu kämpfen. Schwarze Schriftsteller erleben eine Blütezeit, die nach einem New Yorker Stadtteil *Harlem Renaissance* getauft wird.

Doch nicht nur mit neuen, gewagten Moralvorstellungen und rebellierenden Minderheiten müssen sich die Amerikaner auf ihrem Weg in die Moderne herumschlagen. Auch sonst wird ihr Weltbild schwer erschüttert. Einsteins unglaublich klingende Theorien lösen das alte Bild vom Universum ab. Sigmund Freud findet heraus, wie stark der Mensch vom Unbewussten beherrscht wird und keineswegs nur von seinem Willen. Alles ist im Umbruch, alte Gewissheiten lösen sich auf, das Wort »neu« wird zum Schlagwort dieser Zeit. Maler versuchen mit abstrakten Bildern aus den alten Bahnen auszubrechen. Auch in der Literatur entwickeln sich neue, experimentelle Formen.

In dieser Zeit sehen viele Amerikaner ihr Land sehr kritisch. Einige der einflussreichsten Schriftsteller, Künstler und Vordenker verabschieden sich aus den USA, weil ihnen Leben und Menschen dort banal und engstirnig vorkommen und sich alles nur noch um Konsum und Geld zu drehen scheint. Viele dieser Kritiker sind im Ersten Weltkrieg dabei gewesen, haben darin ihre Illusionen und ihren Glauben an die Menschheit eingebüßt. Die »verlorene Generation« werden diese jungen Leute genannt. Einer von ihnen ist Ernest Hemingway (1899–1961), ein muskulöser, schnurrbärtiger Journalist mit kantigem Gesicht. Wie viele andere meldet sich Hemingway freiwillig zur Armee, weil er begierig darauf ist, Erfahrungen zu sammeln und das wirkliche Leben kennen zu lernen. Doch der Krieg – den er als Krankenwagenfahrer an der italienischen Front erlebt – hinterlässt Narben an seinem Körper und seiner Seele. Nach dem Krieg zieht Hemingway wie viele andere Amerikaner nach Paris. Dort kann man billig leben, weil der Wechselkurs des Dollars so gut ist, und hier findet er eine lebhafte Künstlerszene vor, wie es sie in den USA höchstens im Greenwich Village in New York gibt. Hemingway will Schriftsteller werden. Deshalb lebt er bescheiden und arbeitet hart an seinem intensiven, trügerisch einfachen Stil, der später weltberühmt werden wird. Oft lässt er sich mit seinen Freunden, zum Beispiel dem experimentellen Dichter Ezra Pound (1885–1972) und dem Schriftsteller F. Scott Fitzgerald (1896–1940), dem Autor des Erfolgsromans *Der große Gatsby*, durch das Pariser

Nachtleben treiben. Anhaltspunkte, wie es dabei in ihrem Inneren aussieht, finden sich in dem, was Hemingway schreibt. In seinen Büchern suchen die Menschen oft nach Sinn, nach einem Ort, an dem noch alles in Ordnung ist. Aber sie finden ihn selten, oder verlieren ihn genauso schnell wieder.

Al Capones große Chance

Die Moralapostel des Landes, allen voran christliche Frauen, sind schockiert über die abstrakten Bilder und die neue Freizügigkeit der Jugend. Verunsichert von den neuen Entwicklungen versuchen sie, entgegenzusteuern. Ihre Energie, die zuvor in den Kampf für dringend notwendige Reformen geflossen ist, stecken sie nun in den Kreuzzug gegen den »Dämon Alkohol« und dagegen, dass in den Schulen das Thema Evolution gelehrt wird. Denn die Behauptung Darwins, dass der Mensch sich nach und nach aus affenartigen Vorfahren entwickelt hat, lässt sich ihrer Meinung nach nicht mit der Bibel vereinbaren. In ihrem Kampf gegen die Evolutionstheorie haben die Konservativen jedoch nur im Süden Erfolg.

Mehr Glück haben die Tugendwächter bei ihrem Kampf gegen den Alkohol. Nach vielen Jahren hartnäckiger Überzeugungsarbeit schaffen es konservativreligiöse Gruppen, in ganz Amerika ein Alkoholverbot durchzukämpfen (das es in vielen einzelnen Staaten schon vorher gegeben hat). Am 17. Januar 1921 wird der neue Verfassungszusatz verabschiedet, und danach gibt es offiziell kein alkoholisches Getränk mehr zu kaufen. Klar, dass viele Amerikaner vor dem Inkrafttreten der so genannten Prohibition noch mal einen letzten feuchtfröhlichen Kneipenabend einlegen und in den Kellern Hochprozentiges horten. Die Unterstützer des neuen Gesetzes versprechen sich viel vom Trockenlegen Amerikas und glauben, dass die USA nun eine geläuterte, tugendhaftere Nation werden würden. Ein Land, in dem keine Besoffenen mehr ihre Frauen verprügeln. »Die Slums wird es bald nur noch in unserer Erinnerung geben!«, frohlockt ein Prediger.

Weit gefehlt. Natürlich denken die Menschen nicht daran, fortan auf ihre Drinks zu verzichten. Innerhalb kürzester Zeit haben Alkoholschmuggler (*Bootleger* genannt, weil sie die Flaschen in ihren hohen Stiefeln versteckten) und Schwarzbrenner Hochsaison. Auf einmal haben Verbrecher ein neues, lohnendes

Geschäftsfeld. Statt die Kriminalität einzudämmen, beschert die Prohibition ihr eine Blütezeit.

Chicago wird zum Brennpunkt der neuen Verbrecherzunft. Dort schwingt sich der in Italien geborene Al Capone (1899–1947), wegen einer langen Narbe auf der Wange auch »Narbengesicht Al« genannt, zum König der Unterwelt auf. Er erwirtschaftet mit Alkoholschmuggel und Glücksspiel schon bald ein Jahreseinkommen von sechzig Millionen Dollar. Seine Gangster kreuzen in glänzenden schwarzen Automobilen durch die Stadt und verteidigen ihr Revier mit den neu erfundenen Maschinengewehren; so mancher Rivale wird in Capones Auftrag mit Kugeln durchsiebt. Vergeblich versucht das FBI, dem Gangsterkönig seine Untaten nachzuweisen. Lange Zeit ist er zu geschickt, um sich erwischen zu lassen. Schließlich finden die Ermittler dann doch Capones Schwachstelle: Er hatte sein vieles Geld natürlich nicht versteuert. Wegen Steuerhinterziehung verfrachtet der Staat ihn 1931 für elf Jahre ins Gefängnis.

Nach und nach sehen auch die härtesten Konservativen ein, dass die Prohibition nicht den gewünschten Effekt gebracht hat, und so wird sie 1933 wieder abgeschafft.

Börsencrash und *Great Depression*

Der Glanz der Zwanziger ist trügerisch: Unter der Oberfläche rumort es schon. Und Ende des Jahrzehnts zerplatzt der Traum, mit dem Wohlstand und der Feierlaune ist es vorerst vorbei.

Als sich das Unheil zusammenbraut, haben die meisten Menschen noch den Eindruck, dass die Zukunft rosig aussieht. »Wir sind dem endgültigen Sieg über die Armut heute näher als je zuvor in unserer Geschichte«, verkündet Präsident Herbert Hoover (1874–1964) Ende der zwanziger Jahre. In Wirklichkeit ist die Wirtschaft in eine gefährliche Schieflage geraten. Die immer stärker automatisierten Fabriken und Farmen produzieren mehr, als die Menschen verbrauchen oder sich leisten können – dieses Missverhältnis wird ständig größer. Hinzu kommt, dass in den *Roaring Twenties* fast jeder vom schnellen Reichtum zu träumen scheint; mit Aktien zu spekulieren ist zum Volkssport geworden. Durch den grenzenlosen Optimismus dieser Zeit steigen die Preise für Wertpapiere in aberwitzige Höhen. Viele Anleger werden leichtsinnig, kaufen Aktien auf Pump.

Als es schließlich Anzeichen gibt, dass die Spekulationsblase platzen könnte, bekommen es diese Menschen mit der Angst zu tun und verkaufen ihre Aktien, so schnell sie können, was den Preis noch weiter drückt. Am dramatischen »Schwarzen Freitag«, dem 25. Oktober 1929, gehen auf diese Weise fast vierzehn Milliarden Dollar verloren, das ist fast dreimal soviel wie das in den USA umlaufende Geld. Vor der Börse in Manhattans Wall Street versammeln sich Massen von verzweifelten Anlegern auf der Straße, viele haben ihre gesamten Ersparnisse verloren. Es kommt zu Tumulten. Manche Verzweifelte begehen Selbstmord, als ihnen klar wird, dass sie ruiniert sind. Obwohl Hoover beschwört, dass die Wirtschaft im Grund gesund sei, und Politik und Wirtschaft Zuversicht verbreiten, ist der Zusammenbruch nicht mehr aufzuhalten. Auch in Europa ist die Situation dramatisch, die Katastrophe an der Wall Street hat sich dort ebenfalls ausgewirkt.

Dass es soweit kommen konnte, ist sicher auch die Schuld der beiden Präsidenten nach Harding. Der schweigsame Calvin Coolidge (1872–1933), der mit dem Slogan »Keep cool with Coolidge« gewählt worden war, hatte zwar intensiv die Wirtschaft gefördert. Aber für die Sorgen und Nöte der arbeitenden Bevölkerung hatte er sich ebenso wenig interessiert wie für gesellschaftliche Probleme. Stattdessen achtete er darauf, dass er selbst zwölf Stunden Schlaf am Tag bekam. Plus Mittagsschläfchen, versteht sich. Sein Nachfolger Herbert Hoover, ein Ingenieur und Geschäftsmann, glaubt an die amerikanische Tradition des Individualismus – dass jeder sich selbst helfen sollte. Er ist überzeugt davon, dass die Wirtschaft robust genug ist, um sich von selbst wieder zu erholen, und handelt nicht. Dadurch wird aus dem Börsenkrach die bisher schwerste Wirtschaftskrise in der Geschichte.

Tausende von Banken und Unternehmen machen Konkurs, Fabriken schließen, Farmen werden zwangsversteigert. Millionen Menschen verlieren fast von einem Tag auf den anderen nicht nur ihre Ersparnisse, sondern auch ihren Job und ihr Heim. In den Städten müssen viele Menschen auf Parkbänken schlafen, gegen die Kälte notdürftig eingewickelt in Zeitungen. Familienväter wühlen durch Mülltonnen, um Essbares zu finden. Diejenigen, die ihre Bleibe verloren haben, sammeln sich in dreckigen Slums oder ziehen auf der Suche nach Arbeit als so genannte *Hobos* durchs Land. Mit dem Winter kommen Kälte, Hunger und Verzweiflung.

Präsident Herbert Hoover ist von der Situation völlig überfordert. Selbst jetzt hält er noch an seinen Prinzipien fest. Obwohl er das Elend der Menschen sieht, lehnt er es ab, einzugreifen und zu helfen – das sei nicht Aufgabe des Staates. Die Menschen quittieren das mit bitterer Ironie. Die neuen Slums werden »Hoover-Städte« genannt, die Zeitungen »Hoover-Decken«, leere Taschen »Hoover-Flaggen«.

Hoover ist müde und entmutigt. Er arbeitet zwar bis spät in die Nacht, aber es kommt nicht viel dabei heraus. Das Land braucht dringend jemand, der es aus der Stimmung trüber Verzweiflung herausholt und etwas unternimmt. Zum Glück gibt es jemanden, der das kann.

Franklin D. Roosevelt und sein *New Deal*

Franklin Delano Roosevelt (1882–1945) kommt aus einem einflussreichen New Yorker Clan, mit dem auch Theodore Roosevelt entfernt verwandt ist. Die Roo-

Bessie Delany

war eine der ersten schwarzen Zahnärztinnen von New York. Sie ist inzwischen über hundert Jahre alt, erinnert sich aber noch deutlich an die schweren Zeiten:

Kurz nach meiner Rückkehr in die Staaten hatte ich selbst Geldsorgen. Die Depression wurde immer schlimmer und das Geld wurde zusehends knapper. Als ich eines Tages in Harlem durch die Straßen ging, sah ich etwas Merkwürdiges. Über die Straße flatterten lauter Papiere, und ich weiß noch, dass ich mich fragte, was das wohl zu bedeuten hatte. Ich bückte mich und schnappte mir eins dieser Papiere, und wissen Sie was? Es waren *meine Papiere,* Berichte aus meiner Zahnarztpraxis. Ich war auf die Straße gesetzt worden!

Ich rannte den ganzen Weg zu meiner Praxis und musste feststellen, dass der Vermieter all meine Sachen in Kisten gepackt und sie einfach auf die Straße gestellt hatte. Nun blies der Wind alles fort. Wir waren mit der Miete im Rückstand. Auch mein Bruder Hap war rausgeworfen worden!

An dieser Stelle ein Wort über die Delanys: Es hieß, wir seien zu 99 Prozent Nigger und zu einem Prozent Esel. Wir waren die stursten Leute, die man sich nur vorstellen kann. Nun, sobald Hap und ich das Geld für die Miete zusammengekratzt hatten, zogen wir einfach wieder ein. Und was glauben Sie, was passierte? Ein Jahr später warf uns der Vermieter wieder raus, aus demselben Grund wie beim ersten Mal. Aber wir kamen immer wieder auf die Füße, jawohl![8]

sevelts gehören nicht zu den skrupellosen Neureichen des späten 19. Jahrhunderts. »Der Unterschied (zwischen Arm und Reich) ist zu groß, er muss viel geringer werden. Das zu versuchen, sind die reich Geborenen doppelt verpflichtet.« Mit diesen Worten bringt Franklin D. Roosevelt sein Gefühl für soziale Verantwortung auf den Punkt.

Von dieser Einstellung ist bei ihm in jungen Jahren wenig zu spüren. Er hat eine sorglose Kindheit und gilt in seiner Jugend als amüsanter, aber oberflächlicher Bursche. »Seine Laufbahn als Berufspolitiker begann er, so scheint es, aus Ehrgeiz, Gefallsucht und Langeweile«, schreibt einer seiner Biografen. Doch dann steckt er sich mit 39 Jahren mit Polio (Kinderlähmung) an, seine Beine bleiben gelähmt. Lange zieht er sich völlig zurück, hadert mit seinem Schicksal. Nach sieben Jahren Kampf gegen die Krankheit akzeptiert Franklin Roosevelt schließlich, dass er nie wieder gehen wird, und kehrt in die Öffentlichkeit zurück. Nun erweist er sich als warmherziger und idealistischer Mensch, der Mitgefühl mit anderen hat, denen es schlecht geht. Zudem ist er trotz seiner Behinderung ein optimistischer, charmanter Mann voller Energie und Tatkraft. Er glaubt daran, dass die Wirtschaft nur dann im öffentlichen Interesse funktioniert, wenn sie reguliert wird. Ohne größere Probleme wird der ehemalige Gouverneur von New York ins Weiße Haus gewählt.

Gerade noch rechtzeitig. Die Situation verschlimmert sich immer weiter. Als Roosevelt sein Amt antritt und die klügsten Köpfe des Landes in seine Regierung beruft, hat Amerika einen katastrophalen Winter hinter sich. Vier Fünftel aller Banken sind inzwischen geschlossen. 1933 ist die Arbeitslosigkeit auf 24,9 Prozent gestiegen. In den Städten verkommen die Innenstädte immer mehr zu dreckigen Slums. Überall regiert der Hunger.

FDR, wie er genannt wird, vergleicht die Situation in Amerika mit einem Kriegszustand und bittet den Kongress um breite Entscheidungsbefugnisse, um die ganze Nation förmlich mobilisieren zu können wie damals im Ersten Weltkrieg. Er bekommt sie und handelt schnell. *New Deal* nennt er sein Programm; das heißt soviel wie »neue Chance«. In den ersten hundert Tagen seiner Präsidentschaft beschließen er und der Kongress in Rekordzeit eine Vielzahl von neuen Maßnahmen. Auf einmal ziehen alle an einem Strang. Roosevelt reformiert das Bankensystem, sodass einige Banken wieder öffnen können, er reguliert die Börse und verschafft Hausbesitzern und Farmern günstige Kredite, damit nicht noch mehr von ihnen ihr Heim verlieren. Gleichzeitig beginnt er die Wirtschaft zu stabilisieren und zu regulieren, regt höhere Löhne an und legt Standards für die Arbeitsbedingungen fest. Zwar sträuben sich die Arbeitgeber, doch Roosevelts Regierung bewegt sie mit einer Vielzahl von Ideen zum Mitmachen.

Ein ebenso wichtiger Teil des *New Deal* sind die Vielzahl von staatlichen Projekten, die Roosevelts Regierung gründet. Statt einfach Unterstützungsgelder zu verteilen, startet sie Arbeits- und Bildungsprogramme, in denen viele Menschen Arbeit finden und die gleichzeitig dem Gemeinwohl nützen. Allein drei Millionen arbeitslose junge Männer werden vom *Civilian Conservation Corps*, einer Art Naturschutzbrigade, eingestellt. Sie arbeiten in Wäldern, Nationalparks und Naherholungsgebieten, legen Wege an, pflanzen Bäume, bauen Campingplätze und Brücken.

Ein Vorzeigeprojekt des *New Deal* ist auch die *Tennessee Valley Authority*, ein riesiges Staudammprojekt, das elektrischen Strom in arme Gegenden der USA bringt und eine ganze Region aufblühen lässt. Auch eine andere Region hat Hilfe dringend nötig: Im Süden und Mittleren Westen der USA haben sich durch eine

Eine kurze Geschichte Hollywoods

Mit der Erfindung des Kinematographen durch die französischen Brüder August und Louis Lumière im Jahr 1894 beginnt die steile Karriere des Kinos. Mit offenem Mund bestaunen Zuschauer die ersten bewegten Bilder, auch wenn die Filme nur wenige Minuten lang sind und zum Beispiel zeigen, wie ein Zug in einen Bahnhof einfährt. Weil es noch keinen Ton zu den Bildern gibt, hauen bei den Vorstellungen Pianisten in die Tasten.

Lange ist Hollywood nur ein trockener Landstrich, auf dem Getreide und Ananas angebaut werden; ein paar Wohlhabende überwintern hier im milden kalifornischen Klima. Doch 1911 entdecken zwei Regisseure die Gegend, in der man das ganze Jahr über bei gutem Wetter drehen kann, und innerhalb weniger Jahre schießen zum Ärger der Alteingesessenen Studios, Läden, Restaurants, prächtige Kinopaläste und Bürohochhäuser aus dem Boden. In den Zwanzigern erlebt das Kino einen Aufschwung ohne Gleichen. 800 Stummfilme pro Jahr produziert die junge amerikanische Filmindustrie, die von wenigen mächtigen Studios beherrscht wird. Bald kennt fast jeder in Amerika die Gesichter von Stars wie Mary Pickford, Mae West, Charlie Chaplin und Douglas Fairbanks. Als 1923 Walt und Roy Disney ihr Unternehmen gründen, werden Donald Duck und Mickey Mouse geboren. Hollywood wird auf der ganzen Welt zum Inbegriff für großes Kino.

Dürre und falsche Bewirtschaftung ganze Staaten wie Oklahoma und Arkansas in eine lebensfeindliche Staubschüssel verwandelt. Verzweifelt fliehen 800 000 heimatlos gewordene Farmer mit ihrem ganzen Hausstand nach Kalifornien, wo sie sich Jobs in der Obsternte erhoffen. Doch was sie dort vorfinden, ist meist Armut und Abhängigkeit. Der Schriftsteller John Steinbeck (1902–1968) hat die Völkerwanderung der so genannten *Okies* in den dreißiger und vierziger Jahren in seinem berühmten Roman *Früchte des Zorns* verewigt. Roosevelts Regierung beginnt ökologische Programme und den Kampf gegen die Überproduktion in der Landwirtschaft, um dem Problem Herr zu werden.

In seinen »Kamingesprächen« im Radio wendet sich FDR regelmäßig direkt an die Menschen und erklärt ihnen seine Pläne und Maßnahmen. Schnell merken die Amerikaner: Dieser Präsident verschanzt sich nicht wie seine Vorgänger fern im Weißen Haus. Er wird immer beliebter und bekommt Unterstützung von allen Seiten. Auch dank seiner Frau: Eleanor Roosevelt (1884–1962)

Auch die Dreißiger und Vierziger sind Boomjahre für Hollywood. Die von Wirtschaftskrise und Krieg gebeutelten Menschen sehnen sich nach Ablenkung und strömen in die Kinos, um ihre Helden Clark Gable, Gary Cooper, Greta Garbo oder Marlene Dietrich zu sehen. Klassiker wie *Die Meuterei auf der Bounty* (1935), das Südstaaten-Drama *Vom Winde verweht* (1939) – dessen Casting damals ganz Amerika in Atem hält – und der Kultfilm *Casablanca* (1942) entstehen.

In den Fünfzigern, als sich fast jede Familie ein Fernsehgerät anschafft, brechen harte Zeiten für Hollywood an. Obwohl die Bosse der großen Studios zunächst noch zuversichtlich sind: »Das Fernsehen wird sich auf keinem Markt länger als sechs Monate behaupten können. Den Leuten wird es langweilig werden, jeden Abend in so eine kleine Holzkiste zu starren«, prophezeit Studioleiter Darryl F. Zanuck im Jahr 1946. Verzweifelt versuchen er und seine Kollegen, die Menschen wieder ins Kino zu locken. Sie schaffen es mit Filmen wie *African Queen* (1952), *12 Uhr mittags – High Noon* (1952) und *Das Fenster zum Hof* (1954) von Alfred Hitchcock. Mit neuen Stars wie Marilyn Monroe, Marlon Brando und James Dean bleibt das Kino auch für eine junge Generation attraktiv.

Obwohl heute jedes Land seine eigene Filmindustrie hat, ist Hollywoods Macht ungebrochen – Filme und Fernsehsendungen aus den USA werden rund um die Welt gezeigt, was (leider, wie manche Menschen meinen) dazu geführt hat, diese Länder ein Stück weit zu »amerikanisieren«.

ist das soziale Gewissen ihres Mannes, eine kluge, engagierte Frau, die viel Gutes bewirkt.

Neue Hoffnung durchströmt das Land. Auch wenn längst nicht alle Maßnahmen funktionieren, die FDR und seine Leute sich ausdenken. Statt auf einem festen Standpunkt zu beharren, ist Roosevelt bereit, vieles auszuprobieren und das, was sich bewährt, zu übernehmen. 1935 startet FDR den zweiten *New Deal,* ein umfassendes Programm, das die USA in eine soziale Marktwirtschaft und einen Wohlfahrtsstaat verwandelt. Zum ersten Mal gibt es nun eine Arbeitslosenversicherung, eine Rente und Hilfsprogramme für Behinderte. Finanziert wird das zum Teil über Staatsschulden, aber auch über höhere Steuern für Wohlhabende, die *Roosevelt* prompt vorwerfen, seine »eigene gesellschaftliche Klasse zu verraten«.

Fast einstimmig wählt das Land FDR für eine zweite Amtszeit.

Ab Mitte der dreißiger Jahre geht es im *New Deal* vor allem darum, das Erreichte zu sichern. Und Roosevelts Fazit ist bitter: So viel er und seine Regierung auch getan haben, sie haben es dennoch nicht fertiggebracht, die Wirtschaftskrise zu beenden. Das schafft – Ironie der Geschichte – erst der Zweite Weltkrieg.

Kapitel 9

Der Kampf gegen Hitler

(1936–1949)

Die USA wollen auf keinen Fall wieder in einen Krieg verwickelt werden. Beunruhigt sehen sie zu, wie Hitler Europa erobert, mischen sich aber erst ein, als Japan den US-Flottenstützpunkt Pearl Harbor auf Hawaii angreift. Um den Krieg zu entscheiden, setzen die USA die Atombombe ein. Nach dem Krieg stehen sich zwei waffenstarrende Machtblöcke unversöhnlich gegenüber.

Die Welt im Griff von Diktatoren

Die Welt scheint verrückt geworden: Skrupellose Gewaltherrscher, wohin man blickt. In Japan ist eine aggressive Militärclique an der Macht. Der kleine Inselstaat expandiert und fällt 1937 sogar in das riesige China ein. In Italien kommen 1922 die Faschisten um Benito Mussolini (1883–1945) an die Macht und machen sich sofort daran, politische Gegner auszuschalten. Mussolini schwingt sich zum Diktator auf und lässt sich »Il Duce« (der Führer) nennen. In Deutschland wird 1933 Adolf Hitler (1889–1945) zum Reichskanzler ernannt. Hitler fordert Rache für Versailles und plant, große Teile Europas für die »arische Rasse« zu erobern. In Spanien hat sich 1936 der General Francisco Franco (1892–1975) in einem Staatsstreich an die Spitze der Regierung gesetzt. Zwar setzen sich die Demokraten zur Wehr, doch da Franco von Hitler und Mussolini unterstützt wird, unterliegen sie. In der Sowjetunion schließlich herrscht seit 1924 Josef Stalin (1879–1953), der Kritiker seiner Herrschaft hinrichten oder in Lager nach Sibirien bringen lässt. Mehrere Millionen Menschen fallen seinen »Säuberungen« zum Opfer.

Es ist erschreckend, wie schnell es diesen Männern gelungen ist, ganze Länder, ganze Regierungen ihrem Willen zu beugen. Ein bis drei Jahre genügen ihnen, um bis dahin geordnete, demokratische Staaten völlig umzukrempeln und Diktaturen zu schaffen, in denen Terror und Einschüchterung an der Tagesordnung sind. Der Rest der Welt schaut tatenlos zu. Im Spanischen Bürgerkrieg wird vielen Menschen zum ersten Mal bewusst, wie aggressiv die neuen Diktaturen gegen Freiheit und Menschenrechte vorgehen. Einige US-Bürger – Intellektuelle, Schriftsteller, unter ihnen auch Ernest Hemingway – kämpfen als Freiwillige auf der Seite der Republik gegen die Diktatur. Doch von Seiten der Regierungen passiert wenig. Selbst als Hitler-Deutschland mit seinen Eroberungen beginnt, sich 1938 Österreich einverleibt und 1939 die Tschechoslowakei überfällt, bleibt es bei schwachen Protesten. England und Frankreich hoffen, dass Hitler sich mit dem Bisherigen zufrieden gibt. Sie lassen sich von seinen Versprechungen einlullen und versuchen es ihm gegenüber mit einer Beschwichtigungstaktik und Nachgiebigkeit. Während sie noch hoffen, dass vielleicht doch alles gut ausgeht, verbünden sich die Diktatoren bereits, um gemeinsam ihre Pläne durchzusetzen.

Als Franklin D. Roosevelt 1933 ins Weiße Haus einzieht, wird Hitler gerade zum Reichskanzler ernannt. Als FDR 1935 darum kämpft, die Wirtschaftskrise zu bewältigen, recken sich dem Führer auf dem Nürnberger Reichsparteitag schon Hunderttausende von Armen im Hitlergruß entgegen. Amerika ist Hitler verhasst, verächtlich sagt er, es sei »halb verjudet, halb vernegert und alles auf dem Dollar beruhend«. Roosevelt nennt er »seinen ärgsten Feind«. Roosevelt hält seinerseits wenig von Hitler. »Was sollen Leute wie wir mit einer solchen Persönlichkeit anfangen?«, fragt er 1939 in einer Besprechung. »Wir würden ihn als Spinner bezeichnen. Aber es hat keinen Zweck, ihn einen Spinner zu nennen, weil er eine Macht darstellt.«

Doch obwohl Roosevelt ahnt, dass Hitler Europa beherrschen will, kann er wenig dagegen tun. Nach dem Schock des Ersten Weltkriegs haben sich die Vereinigten Staaten immer weiter aus der Weltpolitik zurückgezogen. Sie haben sich in einem Abkommen verpflichtet, bei Kriegen neutral zu bleiben und keinem der kriegführenden Staaten zu helfen. Die Truppen wurden nach Hause geschickt, 1933 haben sogar Holland oder Schweden mehr Soldaten als die USA. Eine starke Friedensbewegung hat sich gebildet, in der darüber nachgedacht wird, wie man Kriege ganz abschaffen könnte. Kurz: Die Bürger der USA wollen auf gar keinen Fall noch einmal in ein solches Gemetzel hineingezogen werden. Auch wenn ihre Sympathien auf der Seite der Demokratien Europas sind. FDR selbst setzt auf eine Politik der guten Nachbarschaft, statt sich wie seine Vorgänger überall einzumischen, wo den Vereinigten Staaten eine politische Entwicklung nicht passt.

Als Hitler am 1. September 1939 zum Angriff auf Polen übergeht, erklären Frankreich und England den Krieg. Doch noch ahnt niemand, dass sich aus diesem Konflikt ein neuer Weltkrieg entwickeln wird, an dem mit Ausnahme Lateinamerikas praktisch die ganze Welt beteiligt ist und der so viele Tote fordern wird wie kein anderer Krieg zuvor.

Blitzkrieg und Pearl Harbor

Dann geht alles ganz schnell. Im Frühjahr 1940 beginnt Deutschland seinen »Blitzkrieg«, erobert Norwegen und Dänemark, greift die Niederlande, Belgien und Frankreich an. Schon im Juni marschieren deutsche Truppen in Paris ein. Jetzt steht England allein gegen die Nationalsozialisten, die schon halb Europa beherrschen. Um den Widerstand der Briten zu brechen, lässt Hitler – der inzwischen offiziell mit Mussolini verbündet ist – London und andere große Städte von Flugzeugen aus bombardieren. Zum Glück ist der britische Premierminister Winston Churchill (1874–1965) nicht so leicht kleinzukriegen.

In dieser schlimmen Situation läuft FDRs zweite Amtszeit ab. Roosevelt führt praktisch keinen Wahlkampf, er ist mit wichtigeren Dingen beschäftigt. Ein drittes Mal wird er gewählt – er ist der erste amerikanische Präsident, dem das gelingt. Und der letzte, denn danach wird gesetzlich geregelt, dass höchstens zwei Amtszeiten möglich sind.

FDR sucht nach Wegen, das Neutralitätgesetz zu umgehen und England zu unterstützen. Er verabschiedet ein Gesetz, um den Briten Waffen und Schiffe zur Verfügung stellen zu können, so wie man einem Nachbarn ohne viele Fragen seinen Gartenschlauch leiht, wenn dessen Haus brennt. Die USA werden, wie von Roosevelt gefordert, das »Arsenal der Demokratie« und liefern Kriegsgerät im Wert von fünfzig Milliarden Dollar. FDR und Churchill formulieren in der berühmten *Atlantic Charter* die Ziele der Alliierten (wie die Verbündeten gegen die »Achsenmächte« Deutschland, Italien und Japan genannt werden). Kern des Dokuments sind die »Vier Freiheiten«, auf denen nach Roosevelts Meinung die neue Weltordnung nach dem Krieg beruhen muss: Freiheit der Rede, Freiheit des Glaubens, Freiheit von Not und Freiheit von Furcht.

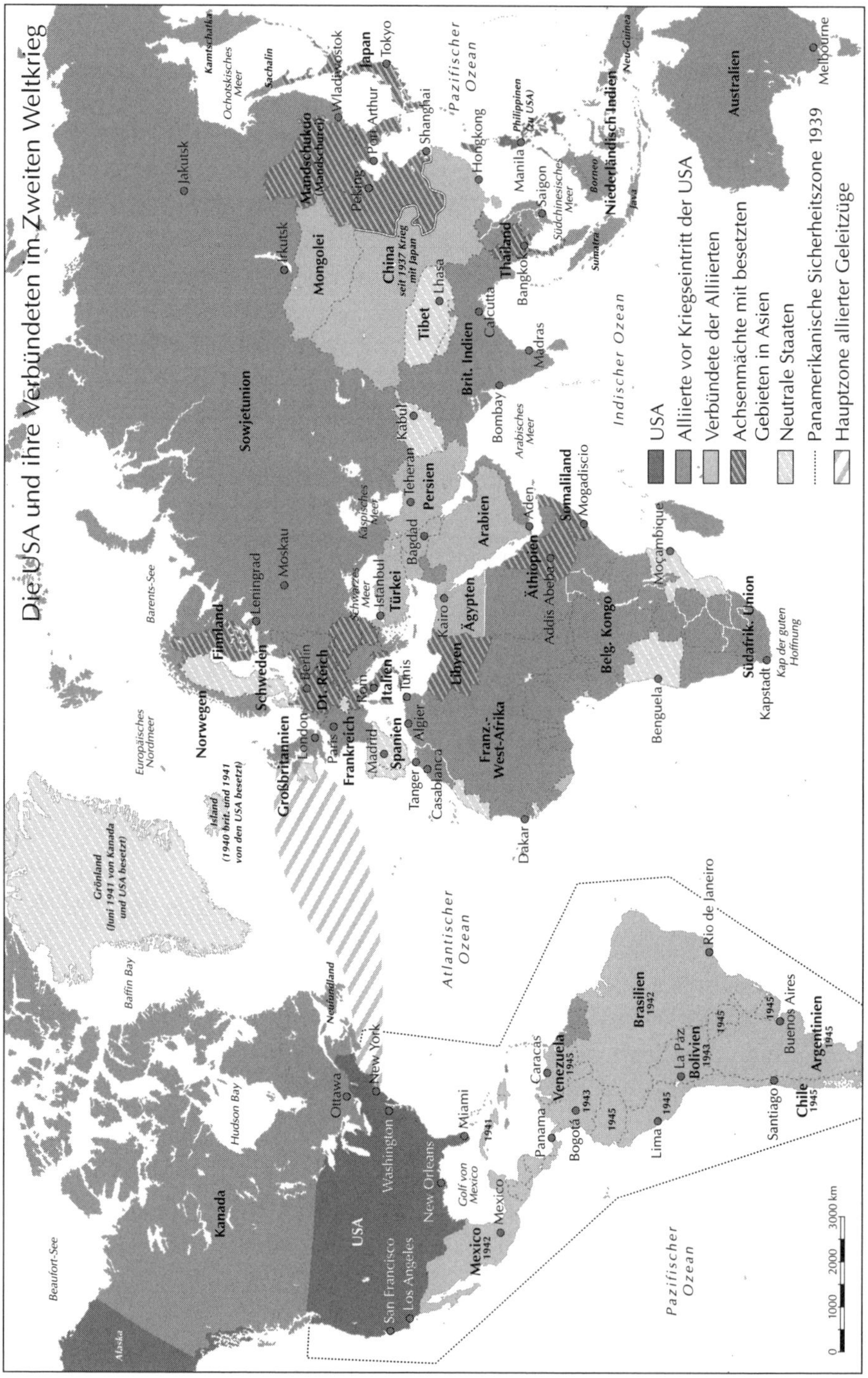
USA
Alliierte vor Kriegseintritt der USA
Verbündete der Alliierten
Achsenmächte mit besetzten Gebieten in Asien
Neutrale Staaten
Panamerikanische Sicherheitszone 1939
Hauptzone alliierter Geleitzüge
0 1000 2000 3000 km
Alaska
Beaufort-See
Kanada
Hudson Bay
Baffin Bay
Grönland (Juni 1941 von Kanada und USA besetzt)
Island (1940 brit. und 1941 von den USA besetzt)
Europäisches Nordmeer
Barents-See
Neufundland
Ottawa
New York
Washington
USA
San Francisco
Los Angeles
New Orleans
Miami
Golf von Mexico
Mexico 1942
Mexico
Pazifischer Ozean
Atlantischer Ozean
Panama
Caracas
Venezuela 1945
Bogotá 1943
Lima
La Paz
Bolivien 1943
Brasilien 1942
Rio de Janeiro
Chile 1945
Santiago
Argentinien 1945
Buenos Aires
Norwegen
Schweden
Finnland
Großbritannien
London
Paris
Frankreich
Madrid
Spanien
Tanger
Casablanca
Algier
Tunis
Rom
Italien
Berlin
Dt. Reich
Leningrad
Moskau
Sowjetunion
Schwarzes Meer
Istanbul
Türkei
Kaspisches Meer
Bagdad
Teheran
Persien
Kabul
Kairo
Ägypten
Libyen
Arabien
Aden
Äthiopien
Addis Abeba
Somaliland
Mogadiscio
Franz.-West-Afrika
Dakar
Belg. Kongo
Benguela
Moçambique
Südafrik. Union
Kapstadt
Kap der guten Hoffnung
Arabisches Meer
Bombay
Brit. Indien
Madras
Calcutta
Indischer Ozean
Tibet
Lhasa
China seit 1937 Krieg mit Japan
Mongolei
Irkutsk
Jakutsk
Mandschukuo (Mandschurei)
Peking
Port Arthur
Wladiwostok
Shanghai
Japan
Tokyo
Sachalin
Ochotskisches Meer
Kamtschatka
Hongkong
Thailand
Bangkok
Saigon
Manila
Philippinen (zu USA)
Südchinesisches Meer
Borneo
Sumatra
Java
Niederländisch Indien
Neu-Guinea
Australien
Melbourne

Die USA und ihre Verbündeten im Zweiten Weltkrieg

Doch trotz dieser edlen Ziele ist es nicht das Schicksal der Juden, die inzwischen systematisch in Vernichtungslagern ermordet werden, das die USA dazu bringt, in den Krieg einzutreten. In dieser Zeit gibt es auch in den Vereinigten Staaten deutliche antisemitische Strömungen. Zwischen 1938 und 1944 sind dreißig bis fünfzig Prozent der US-Bürger der Ansicht, die Juden hätten in den Vereinigten Staaten zu viel Macht. Deshalb wagen amerikanische Juden kaum, darauf aufmerksam zu machen, was in Deutschland und im eroberten Osteuropa geschieht, aus Angst, dass die Bürger den Kampf gegen Hitler dann als »jüdischen Krieg« sehen und Hilfe verweigern. Jüdische Flüchtlinge aus Europa sind in den USA unerwünscht. Obwohl sich Eleanor Roosevelt für sie einsetzt, werden nur wenige aufgenommen, darunter so prominente Auswanderer wie Albert Einstein (1879–1955), der den Rest seines Lebens in Princeton lebt und lehrt. Manche Schiffe, wie der Dampfer *St. Louis* mit 930 jüdischen Flüchtlingen an Bord, sind schon in Sichtweite der amerikanische Küste und müssen trotzdem umkehren, weil die Flüchtlinge keine Einreisegenehmigung bekommen.

Zwar weiß die amerikanische Regierung seit 1942, dass Hitler Juden deportieren und töten lässt. Doch die Gerüchte über Konzentrationslager und Gaskammern sind so schrecklich, dass es vielen Politikern schwer fällt, sie zu glauben. Selbst eine Zeitung wie die *New York Times*, die der jüdischen Familie Sulzberger gehört, handelt die Deportation von 400 000 ungarischen Juden in einer kleinen Meldung auf Seite 12 ab und berichtet auf der Titelseite über die Verkehrsprobleme New Yorks in der Sommerzeit!

Noch immer ist die Öffentlichkeit der USA dagegen, dass ihr Land in den Krieg eintritt. Die Amerikaner sind, wie der junge John F. Kennedy provozierend sagt, »nur bereit, bis zum letzten Engländer zu kämpfen«. Obwohl Hitlers Armee nun auch ganz Südosteuropa kontrolliert und weit in die Sowjetunion vorgerückt ist, und obwohl schon deutsche U-Boote an der Küste der USA gesichtet werden.

Erst ein Sonntagmorgen, der 7. Dezember 1941, ändert die Haltung der USA. Während eine japanische Delegation zum Schein mit der Regierung in Washington verhandelt, rücken die japanischen Streitkräfte zu einem Überraschungsangriff auf Hawaii vor. Dort, im Hafen Pearl Harbor auf der Hauptinsel Oahu, liegt die amerikanische Pazifikflotte vor Anker. Kurz vor dem Angriff schöpfen die USA Verdacht und schicken eine Warnung nach Hawaii, aber da ist es schon zu spät. Schwärme von japanischen Kampfflugzeugen stürzen sich auf die ankernden Schiffe. Zwei Stunden später ist alles vorbei, in Pearl Harbor gibt es nur noch Rauch, Trümmer und Tote. Tausende von Menschen sind gestorben, 150 Flugzeuge und neunzehn Schiffe sind zerstört. Am gleichen Tag greift Japan die Philippinen und zahlreiche andere Pazifikstaaten an.

Für die USA ist der Angriff auf Pearl Harbor ein Schock. Mit einem Schlag weicht die zögerlich-neutrale Stimmung Rachegelüsten. Die Vereinigten Staaten erklären Japan den Krieg, und Nazi-Deutschland und Italien erklären als Japans Verbündete den USA den Krieg. Alle Männer zwischen achtzehn und 45 werden in die Armee einberufen. Autofabriken beginnen Panzer zu produzieren, Textilhersteller nähen Moskitonetze statt Hemden. Benzin wird rationiert. Viele hochrangige Manager melden sich freiwillig in Washington und arbeiten für ein Gehalt von einem Dollar im Jahr, um die Wirtschaft auf den Krieg umzustellen (deswegen werden sie *One-Dollar-Men* genannt). Auf einen Schlag weicht die Massenarbeitslosigkeit der Vollbeschäftigung, alle Arbeitskräfte werden gebraucht. Auch verheiratete Frauen, die zuvor schief angesehen wurden, wenn sie Jobs annehmen wollten. Ein Problem haben nur die japanischen Einwanderer in den USA. Nach Pearl Harbor wird die anti-japanische Stimmung in den USA zu einer Hysterie. Aus Furcht vor Spionen im eigenen Land entscheidet sich die Regierung, die an der Westküste lebenden Japaner – insgesamt 100 000 Menschen –, für die Dauer des Krieges in Lager zu sperren. Obwohl mehr als die Hälfte von ihnen US-Bürger sind und viele schon in zweiter Generation in Amerika leben. Hastig müssen sie ihren Besitz verkaufen und büßen dabei oft einen großen Teil ihres Vermögens ein. Erst Jahrzehnte später hat die amerikanische Regierung zugegeben, dass sie den Amerikanern japanischer Abstammung damals ein schlimmes Unrecht angetan hat.

D-Day – Tag der Entscheidung

Obwohl es die Japaner waren, die Pearl Harbor angegriffen haben, ist für FDR das wichtigste Ziel, Hitler zu besiegen, denn Deutschland erscheint ihm als die schlimmere Bedrohung. Roosevelt arbeitet nun eng mit Churchill zusammen. Stalin gehört ebenfalls zu seinen Verbündeten, denn er kämpft gegen den gemeinsamen Feind.

Die Alliierten schaffen es, Nordafrika wieder unter ihre Kontrolle zu bringen und im Atlantik die Oberhand zu bekommen. Das glückt, weil die Briten inzwischen den Funk-Code Nazi-Deutschlands geknackt haben und eine neue Erfindung, das Radar, ihnen auf See enorme Vorteile gibt. Im Pazifik verwenden die US-Truppen einen Code, den niemand entschlüsseln kann: die extrem komplizierte Sprache Navajo, die nur von den Indianern im Südwesten Amerikas gesprochen wird. Bei allen wichtigen Gefechten gegen Japan sind solche *Code Talkers* im Einsatz, die in ihrer Muttersprache wichtige Nachrichten übermitteln.

Mit dem Sieg der Alliierten 1943 in Sizilien stürzt Mussolini. Jetzt müssen sie nur noch mit Hitler fertig werden. Churchill und FDR denken über eine Invasion über den Ärmelkanal nach, um die deutsche Wehrmacht zu stoppen.

Zu den umstrittenen Entscheidungen des Krieges gehört, dass die Luftstreitkräfte von USA und England 1942 beginnen, Deutschland zu bombardieren, um

Carl Gorman (Kin-Ya-Onnybeyeh)

war im Zweiten Weltkrieg einer der Navajo Code Talker. *Gorman wurde 1907 in Arizona im Navajo-Reservat geboren, sein Vater war ein Händler und Rancher. Nach dem Krieg wurde Carl Gorman zu einem bekannten Künstler.*

In der Schule habe ich immer Ärger bekommen, weil ich mich geweigert habe, die Sprache der Navajo aufzugeben. Später war diese Sprache dann sehr nützlich. Mit 28 anderen Navajo habe ich nach meiner Grundausbildung bei den Marines von unserem geheimen Einsatz gehört. Davor hatten wir keine Ahnung, dass sie unsere Sprache als Code verwenden würden. Einigen unserer Kameraden müssen wir ziemlich verdächtig vorgekommen sein. Für sie haben wir ausgesehen wie Japaner, und wenn wir in unsere Funkgeräte gesprochen haben, dann müssen sie gedacht haben, dass wir Japanisch sprechen. Aber unsere Arbeit war geheim, wir durften unseren Kumpels nichts davon erzählen.

Es gab 200 *Code Talker.* Die Japaner haben es nie geschafft, den Code zu knacken, da die Sprache der Navajo keine Ähnlichkeit mit irgendeiner anderen Sprache der Welt hat. Außerdem hatten wir einen Code im Code: Wir haben Vogelnamen verwendet, um Flugzeuge zu benennen, und Fischnamen für Schiffe. Anfangs hatten wir 200 Codewörter, später über 600.

Viele Menschen haben mich gefragt, warum ich für mein Land kämpfe, wenn uns die Regierung so schlecht behandelt. Aber bevor der weiße Mann in dieses Land kam, war alles Indianerland, und wir denken immer noch, dass es unser Land ist, also kämpfen wir auch dafür.[9]

das Land zu demoralisieren und zum Aufgeben zu zwingen. Dabei sterben nur wenige Soldaten, leiden müssen die Bewohner der Städte. Innerhalb von wenigen Monaten sind die meisten deutschen Großstädte nur noch Ruinen. Damals werden solche Taktiken als gerecht empfunden, schließlich haben die deutschen Streitkräfte zuvor englische Städte auf die gleiche Art zu vernichten versucht.

Immer wieder treffen sich die »Großen Drei«, Churchill, Roosevelt und Stalin, um ihre Strategien zu besprechen. Sie einigen sich nach langem Zögern darauf, eine Invasion Europas zu versuchen. Mehrere Millionen britische und amerikanische Soldaten trainieren für die so genannte *Operation Overlord*. Als Datum wird dafür der 6. Juni festgelegt. *D-Day* wird er genannt, *Decision Day*, der Tag der Entscheidung. Es ist alles andere als klar, ob die Aktion glücken wird und es machbar ist, Hitlers Verteidigungsanlagen zu überwinden. Viele der amerikanischen Soldaten haben keinerlei Kriegserfahrung. Für alle Fälle hat Dwight D. Eisenhower (1890–1969), der Oberkommandierende, eine Erklärung in der Tasche, in der er die volle Verantwortung für das Scheitern der Invasion übernimmt. Damit alles klappt, hat er 65 000 Einsatzpläne verteilen lassen, die dick wie Telefonbücher sind.

Die Alliierten haben Glück: Hitler ist sorgfältig platzierten Falschinformationen aufgesessen und glaubt bis zum letzten Moment, dass die Briten und Amerikaner bei Calais über den Ärmelkanal kommen werden. Doch dort warten die deutschen Truppen vergebens. In Wirklichkeit landen die Alliierten Hunderte von Kilometern weiter, in der Normandie. Es muss ein beeindruckender Anblick gewesen sein: Eine fast geschlossene Kette von Kriegsschiffen und Landungsbooten rückt auf die Küste zu, schon waten Tausende von Soldaten durchs flache Wasser und graben Panzer ihre Ketten in den feuchten Sand der Küstenabschnitte, die Codenamen wie »Omaha Beach« oder »Utah Beach« tragen. Allein in den ersten achtzehn Stunden gehen 155 000 Soldaten an Land, so viel, wie im ganzen Irak-Krieg 2003 eingesetzt wurden.

Die Invasion gelingt, obwohl vieles schief geht. Weil das Wetter so schlecht ist, ertrinken mehr als tausend Soldaten durch den hohen Seegang. Am »Omaha Beach« haben deutsche Truppen an diesem Tag zufällig eine Übung und mähen die amerikanischen Soldaten mit Maschinengewehren nieder, kaum dass sie aus den Booten geklettert sind.

Obwohl der Krieg eigentlich verloren ist, gibt Hitler den Befehl, weiterzukämpfen. Amerikaner und Briten rücken dennoch rasch vor. Im September haben sie Frankreich und Belgien befreit. Während sie sich vom Westen aus

USA
USA

nähern, marschiert die Rote Armee von Osten aus durch Deutschland. Für die Deutschen ist schnell klar, dass es sehr viel besser ist, von Amerikanern »befreit« zu werden als von den Sowjets. Die »Amis« machen sich längst nicht so unbeliebt wie die Russen, die sich schnell den Ruf erwerben, plündernd und vergewaltigend durch die Lande zu ziehen.

Was die einmarschierenden Soldaten sehen, ist erschreckend. »Die Straßen sind relativ frei, aber es gibt nicht ein einziges Gebäude, das nicht ausgebrannt ist. In manchen Straßen ist der Gestank – süßlich und eklig von den toten Körpern – überwältigend«, notiert der junge Soldat John F. Kennedy, später Präsident der Vereinigten Staaten, in seinem Tagebuch.

Zehn Monate nach der Invasion, am 25. April 1945, treffen sich die beiden Armeen in Torgau an der Elbe. Hitler erschießt sich im Führerbunker in Berlin. Sein »Tausendjähriges Reich« hat nur zwölf furchtbare Jahre lang gehalten, die westlichen Demokratien, die er so verachtet hat, haben gesiegt. Er hat seinen Erzfeind nur um wenige Tage überlebt: Franklin D. Roosevelt, von den Anstrengungen des Krieges ausgelaugt und schwer krank, ist am 12. April an einer Gehirnblutung gestorben, nachdem er gerade für eine vierte Amtszeit gewählt worden ist. Harry Truman (1884–1972), sein Vizepräsident, nimmt seinen Platz ein.

Mein Vater, Gerhard Englert

erinnert sich noch gut daran, wie es damals war, als die Amerikaner in das Dorf Dietzenbach in der Nähe von Frankfurt einmarschiert sind. Er war damals sechs Jahre alt.

Wir sind raus auf die Straße, weil ständig Flugzeuge über die Dächer donnerten. Dann rollten auch schon die Panzer durchs Dorf. Einer unserer Nachbarn fasste sich ein Herz, ging den einmarschierenden Soldaten entgegen und schwenkte dabei eine weiße Fahne, die er sich aus einem Betttuch gebastelt hatte. Natürlich haben ihn die Amis nicht ernst genommen. Sie hockten gut gelaunt auf ihren Panzern und haben uns Schokolade und Orangen zugeworfen. Es war das erste Mal in meinem Leben, dass ich eine Orange gegessen habe.

Später haben wir die Kippen gesammelt, die die Soldaten halb geraucht wegwarfen, und versucht, daraus selbst Zigaretten zu drehen. Als wir sie probiert haben, ist mir so hundeelend geworden, dass ich nie wieder eine Zigarette angerührt habe!

Am 8. Mai feiern die Alliierten ihren Sieg. Aber sie sind geschockt von den Gaskammern, Leichenbergen und bis zum Skelett abgemagerten Menschen, die sie bei der Befreiung der Konzentrationslager vorfinden. Das, was sie für Propaganda gehalten hatten, ist grausige Realität.

Die Bombe

Im Pazifik läuft es für die USA weniger gut als in Europa. Im verbissenen Kampf um eine tropische Insel nach der anderen müssen sie viele Niederlagen einstecken und verlieren dabei immer mehr Schiffe und Soldaten. Besonders gefürchtet sind die Kamikaze-Piloten, die ihr Flugzeug selbstmörderisch auf feindliche Schiffe stürzen lassen. Japanische Streitkräfte dringen bis nach Australien vor, schaffen es aber nicht, dort Fuß zu fassen.

Doch im Frühjahr 1945 ist auch der Krieg gegen Japan so gut wie entschieden. US-Streitkräfte haben es geschafft, immer mehr von den Japanern besetzte Inseln von Nachschublinien zu isolieren und sich immer weiter nach Japan vorzukämpfen. Der japanische Kriegsgeneral Tojo tritt zurück, er hat begriffen, dass der Krieg verloren ist. Aber die Gefechte gehen weiter, das Land ergibt sich nicht. Im Gegenteil, die Japaner kämpfen mit wütender Verzweiflung, denn jetzt geht es nicht mehr um Eroberung, sondern um ihre Heimat. Der heftige Widerstand bei den Kämpfen um Iwojima und Okinawa, zwei kleine Inseln südlich von Japan, macht den amerikanischen Oberbefehlshabern Sorgen: Sie fürchten, dass die Invasion Japans extrem blutig verlaufen würde und viele amerikanische Soldaten nicht mehr heimkehren würden. In dieser Situation entscheidet sich Truman, die neu entwickelte Atombombe einzusetzen.

Sie geht zurück auf einen Brief, den Albert Einstein an Präsident Roosevelt geschrieben hatte. Wie die anderen geflohenen Physiker aus Europa hat auch Einstein große Angst davor, dass Hitler eine Atombombe entwickeln und sie dazu benutzen könnte, Europa und die ganze Welt in die Knie zu zwingen. Deshalb weist er in einem Brief an den amerikanischen Präsident Roosevelt 1939 auf die Gefahr durch die Kettenreaktion von Uran hin: »Das neue Phänomen würde auch zum Bau von Bomben führen, und es ist vorstellbar – obwohl sehr viel weniger gewiss –, dass extrem starke Bomben eines neuen Typs auf diesem Wege konstruiert werden könnten.« Roosevelt wird aufmerksam und beschließt, die Bombe selbst entwickeln zu lassen, um Deutschland zuvorzukommen. Im Dezember 1941, ein paar Tage bevor Hitler Amerika den Krieg erklärt, beginnt das berühmt-berüchtigte *Manhattan Project,* die Entwicklung der Atombombe. Unzählige Wissenschaftler werden dafür verpflichtet und verschwinden jahrelang mit unbekannter Adresse. Unter der Leitung von J. Robert Oppenheimer (1904–1967) schaffen es die Physiker tatsächlich, zwei einsatzfähige Bomben zu entwickeln. Aber weder sie noch Truman ahnen, welche Zerstörungen »die Bombe« wirklich anrichten würde. Manche Wissenschaftler und Militärs plädieren für eine öffentliche Demonstration, um Japan einzuschüchtern, aber sowohl das als auch eine Warnung an die geplanten Zielstädte wird von der Armeeführung abgelehnt, um den Überraschungseffekt nicht zu verspielen und sich nicht zu blamieren, falls die Bombe doch nicht zünden sollte.

Vielleicht wäre es möglich gewesen, einen Frieden zu verhandeln – manche Historiker sind dieser Meinung. Doch bevor es dazu kommt, wirft am 6. August 1945 um 8.15 Uhr japanischer Ortszeit der Langstreckenbomber *Enola Gay* die äußerlich unscheinbare Bombe namens *Little Boy* über der Hafenstadt Hiroshima ab. Sie explodiert mit solcher Hitze und greller Helligkeit, dass die Menschen nahe der Abwurfstelle verdampfen und sich ihre Silhouetten in den Beton einbrennen. Wer weiter entfernt ist und hineinsieht, erblindet sofort. Über der Stadt steigt der unverkennbare Atompilz auf. Der größte Teil der Stadt wird sofort zerstört, rund 100 000 Menschen sterben im nuklearen Feuersturm. Fast ebenso viele fallen in den Jahren darauf der radioaktiven Strahlung zum Opfer, siechen dahin und sterben. Noch heute sind die Schrecken dieser Explosion in Japan nicht vergessen.

Wieso wird drei Tage später eine zweite Atombombe auf die Stadt Nagasaki geworfen? Nach Hiroshima ist allen Beteiligten klar, dass es gegen eine solche Waffe keine Gegenwehr geben kann, dass sich Japan ergeben wird. Ein Teil der Erklärung scheint zu sein, dass der Abwurf beider Bomben zum selben Zeitpunkt befohlen worden ist; es war geplant, sie fast gleichzeitig zu zünden. Doch selbst dann hätte Truman den Befehl geben können, die zweite Bombe nicht einzusetzen. Er tut es nicht. Vielleicht, weil Japan sich nach Hiroshima nicht sofort ergeben hat. Erst am 14. August, nach der zweiten Bombe, erzwingt der japanische Kaiser gegenüber der Regierung die Kapitulation und verkündet sie seinem Volk höchst persönlich.

Nun ist auch der Krieg im Pazifik vorbei. Aber der Preis dafür ist hoch, die Angst vor einem atomaren Krieg überschattet die Welt bis heute.

Europa wird aufgeteilt

Bei ihren Treffen in der iranischen Hauptstadt Teheran im Dezember 1943 und in der ukrainischen Stadt Jalta im Februar 1945 haben die »Großen Drei« immer öfter auch über Europas Schicksal nach dem Krieg nachgedacht. Roosevelt hat deutlich gemacht, dass er eine demokratische Friedensordnung will, in der (wie in der Atlantic Charter festgelegt) jedes Volk seine eigene Regierungsform wählen kann. Doch seine beiden Mitstreiter haben anderes im Sinn. Churchill hat das Ziel, das britische Kolonialreich zu erhalten, Stalin will in den von der Roten Armee besetzten Ländern ein politisches System sowjetischen Stils errichten. Schon kurz nach dem Sieg wird klar, dass USA und Sowjetunion nicht lange Verbündete bleiben werden.

Es ist Deutschlands Glück, dass nicht nur Sowjets, sondern auch Briten und Amerikaner an der Rettung Europas beteiligt waren und dadurch ein Mitspracherecht bei der Verwaltung der befreiten Gebiete bekommen. Sonst hätte es keine Bundesrepublik gegeben, sondern nur einen Staat nach dem Muster der DDR. So aber wird Deutschland in unterschiedliche Besatzungszonen aufgeteilt – Briten und Franzosen verwalten Gebiete im Norden, Amerikaner im Süden, Sowjets im Osten. Berlin wird als Hauptstadt gesondert behandelt, auch hier erhält jede der so genannten Siegermächte eine eigene Zone.

Die Alliierten wollen sicherstellen, dass von Deutschland keine Gefahr mehr ausgehen wird. Deshalb setzt sich FDR für eine Umerziehung des deutschen Volks ein, um den Nationalsozialismus auszurotten und die preußischen Ideale von Disziplin, Gehorsam und militärischer Stärke, an die noch viele Deutsche glauben, durch demokratische Grundwerte zu ersetzen. Das klappt, wie wir heute wissen, so gut, dass der einstige Kriegstreiber Deutschland heute sogar friedfertiger ist als die USA.

Manche US-Strategen glauben, dass Deutschland nie wieder eine Industrie haben dürfe, damit es nicht wieder gefährlich werden könne. Der Morgenthau-Plan sieht nach dem Motto »Schwerter zu Pflugscharen« vor, Deutschland in ein hauptsächlich von Ackerbau und Viehzucht bestimmtes Land zu verwandeln. Doch der Plan findet keine Mehrheit. Roosevelt begnügt sich damit, Deutschland eine neue, demokratische Verfassung und Regierung zu verordnen.

Gemeinsam mit den anderen Alliierten ziehen die USA in Nürnberg (aber auch in Japan) Kriegsverbrecher für ihre Taten zur Rechenschaft. Zehn Monate lang müssen sich ehemalige Naziführer für ihre Verbrechen verantworten. Das

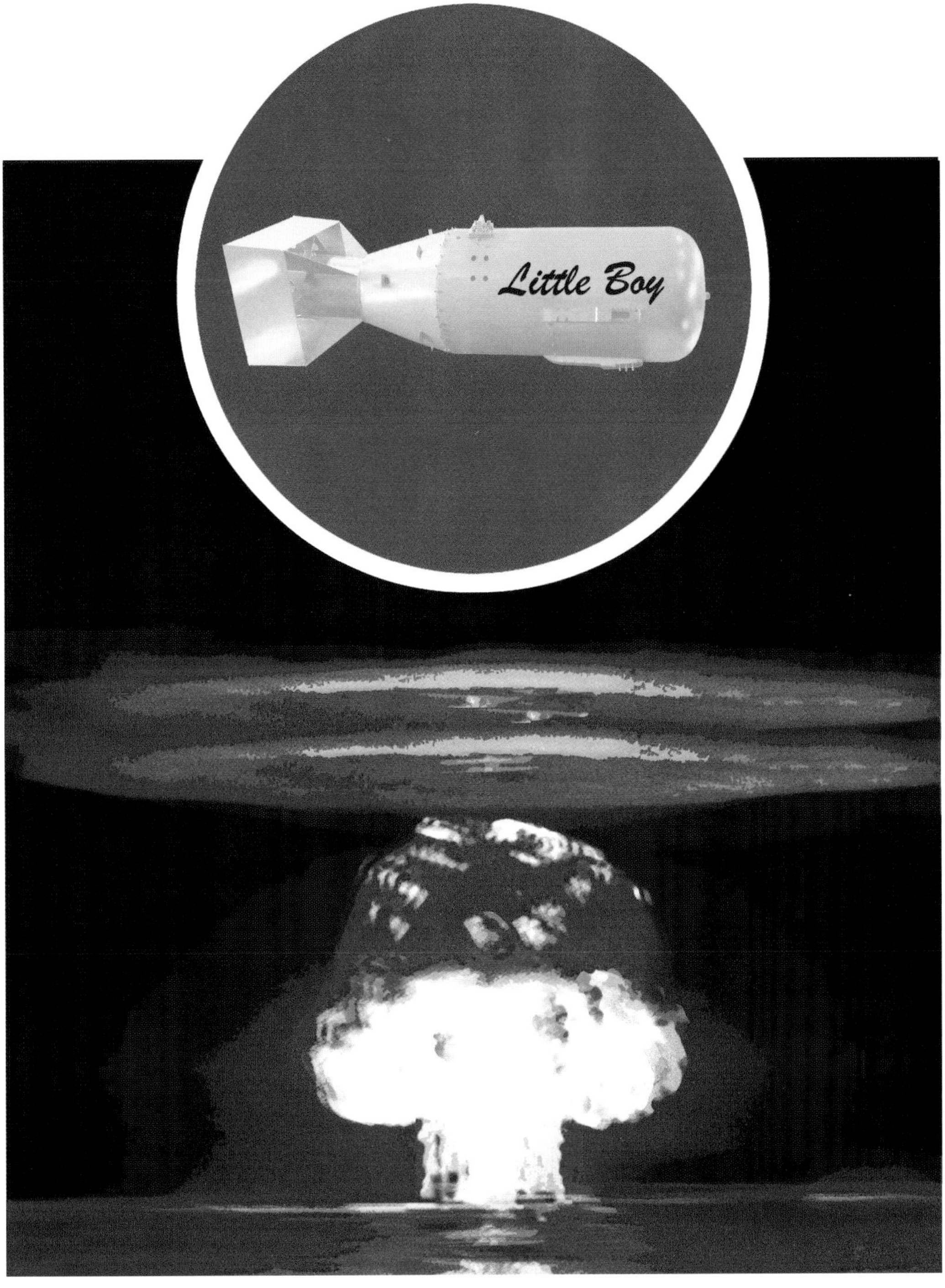
Little Boy

Argument »Es wurde mir befohlen« lassen die Richter nicht gelten. Drei Angeklagte werden freigesprochen, sieben zu Gefängnisstrafen verurteilt und elf zum Tode. Doch viele der Nazi-Verbrecher haben es geschafft, nach Südamerika zu fliehen oder in Europa unterzutauchen.

Seit dem Zweiten Weltkrieg haben die USA einen starken Einfluss auf Westdeutschland, die beiden Länder sind eng verbunden. Mit den Besatzungstruppen kommt auch die amerikanische Konsumkultur nach Deutschland. Und zumindest außenpolitisch spielt auch die Bundesrepublik für die Vereinigten Staaten eine Schlüsselrolle. Denn nun beginnt der Kalte Krieg zwischen den kapitalistischen USA und der kommunistischen Sowjetunion, und Deutschland ist mittendrin.

Kapitel 10

Mitten im Kalten Krieg

(1950–1963)

Nach dem Krieg stehen in den USA auf der einen Seite Konsum und braves Familienleben auf dem Programm, auf der anderen Jugendrebellion und Rock'n'Roll. Politisch kommt es zum Kräftemessen zwischen den beiden Weltmächten USA und Sowjetunion. Um ein Haar bricht der Atomkrieg aus. Während der junge, beliebte Präsident Kennedy dem Kommunismus entschlossen entgegentritt, zögert er lange, den Afroamerikanern bei ihrem Kampf um die Bürgerrechte zu helfen.

Straßenkreuzer, *Beatniks* und James Dean

Manche nennen die fünfziger Jahre auch die »Goldenen Fünfziger«. Nach langen Jahren der Krise herrscht in den USA wieder Wohlstand: Die Wirtschaft brummt, angekurbelt vom heimischen Konsum. Die Boys kommen aus dem Krieg nach Hause, heiraten und kaufen sich von der Abfindung ein Häuschen in den Vorstädten mit gepflegtem Rasen und einem weißen Lattenzaun davor, diesem Symbol der heilen Welt der Mittelschicht. Die Frauen bleiben zu Hause, bekommen Kinder und räumen das Haus voll mit den neuen Haushaltsgeräten und mindestens einem Fernseher. Vor der Tür steht der dicke Straßenkreuzer mit viel Chrom. Im Radio läuft *Grand Ole Opry* – die legendäre Country-Music-Show aus Nashville –, im Kino liefern sich Doris Day und Rock Hudson witzige Wortgefechte. »Ike« Eisenhower, der ehemalige Weltkriegs-General, ist Präsident und legt während seiner acht Jahre im Weißen Haus großen Wert darauf, dass ihm Zeit zum Golfspielen bleibt.

Gleichzeitig entsteht in den USA eine aufsässige Jugendkultur, die gegen diese brave, angepasste Welt der Fünfziger rebelliert. Die Teenager haben Geld und Freizeit wie kaum eine Generation vor ihnen. Viele fahren mit aufgemotzten

Autos durch die Gegend, liefern sich gegenseitig Straßenrennen und treiben die Statistik der jugendlichen Straftäter in neue Höhen. Andere driften durch Amerika und experimentieren mit Drogen. Jack Kerouacs *On the Road* (*Unterwegs*) wird der berühmteste Roman dieser *Beat*-Generation. Hip und cool zu sein ist für die *Beatniks* sehr wichtig.

Die Kino-Idole der Teenager sind James Dean und Marlon Brando, ihre Musik ist der Rock'n'Roll von Elvis Presley, Chuck Berry und Bill Haley.

Marlon Brando (1924–2004) wird mit Filmen wie *Der Wilde* und *Die Faust im Nacken* schnell als Rebell Hollywoods bekannt. James Deans Karriere ist kurz, aber drei große Filme genügen, seinen Ruhm zu sichern. Der blonde Junge wächst nach dem Tod seiner Mutter bei streng religiösen Verwandten auf einer Farm auf. Später studiert er einige Semester lang Jura und geht auf die Schauspielschule. Mit winzigen Rollen beim Fernsehen hält er sich über Wasser, bis ein Auftritt in einem Broadway-Stück ihm schließlich den Durchbruch bringt. Durch seine Rollen als aufsässiger, unverstandener junger Mann in *Jenseits von Eden* und *Denn sie wissen nicht, was sie tun,* beide aus dem Jahr 1955, wird er zum Symbol einer Generation. Seine gleichzeitig rebellische und verletzliche Ausstrahlung lässt ihm die Herzen zufliegen, und sein früher Tod macht ihn, ähnlich wie später Marilyn Monroe, endgültig zum Mythos. Zu einem Fotografen sagt er einmal: »Ich werde nicht älter als dreißig.« Er hat Recht. Als er 1955 mit seinem neuen Porsche unterwegs ist, nimmt ihm jemand die Vorfahrt, der Porsche wird zu einem Haufen zerbeultem Metall und Dean bricht sich das Genick. Nach seinem Tod kommt der Starkult um ihn erst richtig in Gang. Ein Journalist schreibt später über ihn: »Ich dachte, Dean sei eine Legende, doch ich hatte Unrecht. Er ist größer als das, er ist eine Religion.«

Elvis Presley wird ähnlich verehrt. Der junge Lastwagenfahrer aus Tupelo in Mississippi hat 1954 mit »That's Alright Mama« seinen ersten Hit. Seine Hüftschwünge entsetzen die Sittenwächter Amerikas, aber die junge Generation liegt ihm schnell zu seinen in blaue Wildlederschuhe gekleideten Füßen. Ebenso begabt wie fürs Musikmachen und dafür, kitschige Filme zu drehen, ist der Südstaatler mit den gefärbten Haaren fürs Geldausgeben. Er legt sich drei Köche, vierzehn Fernseher, ein Dutzend Pferde und zwei Privatflugzeuge zu. Damit ist es kein Problem, mal eben die tausend Kilometer von seinem Luxusanwesen Graceland in Tennessee nach Denver zu fliegen, nur um ein paar der dort angeblich besonders leckeren Erdnussbutter-Sandwiches zu essen. Aber seine große Liebe sind fahrbare Untersätze. Mit kindlicher Freude sammelt er alles, was mindestens zwei Räder hat, unter anderem mehrere Harley Davidsons und dreirädrige Supercycles, einen Mercedes 280 SL, einen Rolls Royce, einen Ferrari und mehrere Cadillacs.

Konservative Amerikaner finden, dass seine Musik verdächtig »schwarz« klingt, und damit haben sie Recht: Im Rock'n'Roll von Elvis sind die Einflüsse des schwarzen Gospel, des Chicago Blues und des Boogie Woogie nicht zu überhören. Doch das fällt zunächst niemandem auf, denn schwarze Musik gilt als minderwertig und wird nicht im weißen Radio gespielt. Ehe er Elvis kennen lernte, soll sein Produzent Sam Phillips gesagt haben: »Wenn ich einen weißen Mann finden könnte, der die Stimme und das Einfühlungsvermögen eines Schwarzen hat, dann könnte ich eine Million Dollar machen.«

Doch allmählich kommt auch die schwarze Musikkultur zu ihrem Recht. In Städten wie Chicago oder Detroit, in denen viele schwarze Arbeiter leben, spielen Muddy Waters oder John Lee Hooker mit immer größerem Erfolg ihren Electric Blues. In den Jazzkellern von Harlem und Manhattan entwickeln Musiker wie Dizzie Gillesbie, Charlie Parker, Thelonious Monk und John Coltrane einen völlig neuen Jazz namens Bebop und Freestyle, der die Musik revolutioniert und in aller Welt erfolgreich wird.

Kraftproben zweier Supermächte

Politisch bestimmt in diesen Jahren die Feindseligkeit zwischen USA und Sowjetunion die Atmosphäre. Diese Zeit wird »Kalter Krieg« genannt, denn es ist ein Krieg, der vor allem mit wirtschaftlichen und psychologischen Mitteln geführt wird und zum Glück nie ausbricht.

Nach Ende des Weltkriegs liegt Europa in Trümmern. Nun sind nur noch zwei Weltmächte übrig: die USA und die Sowjetunion (wie der Staatenverbund rund um Russland damals heißt). Schon bald nach Ende der Gefechte wird der einstige Verbündete den Vereinigten Staaten immer unheimlicher. Stalin hat Osteuropa unter seiner Kontrolle, steuert die Regierungen dort und unterdrückt Kritik mit Gewalt. Wer sich, wie beim Arbeiteraufstand in Ostdeutschland im Juni 1953, wehrt und versucht, sich von der Sowjetunion abzuwenden, der wird mit Soldaten und Panzern zum Parieren gezwungen. Besorgt spricht Churchill

GT 5767

schon wenige Tage nach dem Krieg davon, dass diese Länder hinter einem »Eisernen Vorhang« verschwinden werden. Überall scheint sich der Kommunismus auszubreiten. In China gehen 1949 die Kommunistische Partei und Mao Tse Tung als Sieger aus dem Bürgerkrieg hervor.

Truman und seine Regierung sind höchst besorgt. Sie glauben (wie auch die Politiker nach ihnen) an die Domino-Theorie, also daran, dass ein einziges zum Kommunismus bekehrtes Land in einer Kettenreaktion auch die Nachbarländer und schließlich die ganze Region kommunistisch werden ließe. Deshalb verkündet der neue Präsident im Kongress seine Truman-Doktrin: »Es muss der Grundsatz der USA werden, allen Völkern, deren Freiheit von militanten Minderheiten oder durch einen äußeren Druck bedroht ist, Beistand zu gewähren.« Fortan hilft die US-Regierung überall auf der Welt mit Geld oder Truppen, um dem Kommunismus entschlossen entgegenzutreten. Besonders Länder der Dritten Welt, die mit dem Kommunismus flirten, werden zum Schauplatz des Konflikts der beiden mächtigen Blöcke. Am häufigsten kracht es in Asien, unter anderem in Korea. Die USA unterstützen den Süden, als dieser vom kommunistischen Norden angegriffen wird.

Beide Supermächte sind entschlossen, die Überlegenheit ihres politischen Systems zu beweisen und einander auf allen Gebieten zu übertrumpfen. Beide sind bis an die Zähne bewaffnet und häufen immer mehr Waffen an. Diese Rivalität versetzt die ganze Welt in Angst und Schrecken, denn sowohl Amerika als auch Sowjetunion haben Nuklearwaffen, mit denen sie bei einem Dritten Weltkrieg die ganze Erde verwüsten könnten. Zwar haben die USA versucht, Einzelheiten der Konstruktion geheim zu halten, aber schon 1949 erfahren sie, dass auch die Sowjetunion inzwischen Atombomben entwickelt hat.

Die Spannungen zwischen diesen beiden Mächten bestimmen mehr als vierzig Jahre lang die Weltpolitik. Und bescheren Rüstungsfirmen blendende Gewinne, denn die Ausgaben für Waffen vervielfachen sich. Immer wieder gibt es Krisen zwischen USA und Sowjetunion, zum Beispiel als ein Spionageflugzeug vom Typ U-2 über Russland abgeschossen wird.

Europa, das mitten zwischen den beiden Machtblöcken liegt, wird zu einem der Hauptschauplätze des Kalten Krieges. Dass die USA beim Wiederaufbau helfen, geschieht nicht ganz uneigennützig: Deutschland soll ein Bollwerk gegen den Kommunismus werden. Doch egal, aus welchen Motiven die Hilfe kommt, sie ist dringend notwendig. Große Teile von Köln, Berlin, Frankfurt und vielen anderen Städten sind nur noch Ruinen, im Winter drohen viele Menschen zu erfrieren und zu verhungern. Erschrocken von der Not, die sie im eroberten Land sehen, stellen die USA ein groß angelegtes Hilfsprogramm zum Wiederaufbau Europas, den Marshall-Plan, auf die Beine. Noch heute erinnern sich viele ältere Menschen an die CARE-Pakete mit Lebensmitteln, von denen direkt nach dem Krieg fünf Millionen Stück in Deutschland verteilt werden.

Schon bald kommt es in Deutschland zur Kraftprobe der beiden Supermächte: Weil sie den Marshall-Plan ablehnt, blockiert die Sowjetunion am 23. Juni 1948 Westberlin, das mitten in der kommunistischen Besatzungszone liegt, und schneidet es von der Außenwelt ab. Präsident Truman will die belagerte Stadt nicht ihrem Schicksal überlassen. Aus der ganzen Welt ruft die Air Force Frachtflugzeuge zusammen und organisiert mit ihnen die Versorgung Westberlins. Die Luftbrücke ist ein gigantischer Kraftakt, aber er gelingt. Nach fast einem Jahr beenden die Sowjets die Blockade.

Doch sie haben deutlich gemacht, dass sie kein geeintes Deutschland wollen. Zwei deutsche Staaten entstehen: die Bundesrepublik mit ihrem ersten Kanzler Konrad Adenauer und die Deutsche Demokratische Republik (DDR). Sofort binden die USA Westdeutschland in das neue Verteidigungsbündnis, die *North Atlantic Treaty Organisation* (NATO) ein. Die zwölf Nationen, die das Bündnis 1949 unterschreiben, verpflichten sich damit, einander zu verteidigen. Das Ge-

Die »Amis« in Deutschland

Dass so viele US-Truppen in Westdeutschland stationiert sind, hat unerwartete Nebeneffekte: Obwohl die Soldaten in ihren Kasernen und Siedlungen oft unter sich bleiben, lernen sie das Land kennen – und nicht wenige von ihnen heiraten junge deutsche »Fräuleins«. Wer als Deutscher in die USA reist, bekommt den Vorwurf »Mein Vater ist im Kampf gegen Deutschland gestorben!« nicht zu hören. Stattdessen erzählen viele Leute eifrig von deutschen Vorfahren oder davon, dass jemand aus der Verwandtschaft jahrelang in Hanau oder Fürstenfeldbruck stationiert war und es ihm in Deutschland so gut gefallen habe.

Umgekehrt funktioniert es natürlich genauso, die US-Popkultur kommt in Deutschland an. Deutsche Jugendliche sind wild auf Jeans, Kaugummi, Coca-Cola und Hollywood-Filme. Wer amerikanische Musik liebt, der hört in dieser Zeit den Soldatensender AFN. Immer mehr englische Wörter schleichen sich in die Alltagssprache ein. Amerika gilt als cool, und alle Trends, die zählen,

genstück dazu ist der Warschauer Pakt, in dem die Sowjetunion und die von ihr beherrschten Länder im Osten (auch Ostdeutschand) Mitglied sind.

Die Luftbrücke verändert die Beziehungen zwischen Westdeutschland und den westlichen Alliierten. »Aus Besetzern und Besetzten wurden Partner mit einem gemeinsamen Ziel«, stellte Captain Jack O. Bennett fest, der während der Luftbrücke einige Tausend Mal die »Rosinenbomber« genannten Frachtflugzeuge nach Berlin flog.

Hexenjagd auf Kommunisten

Immer schon ist der Feind als »der Böse« gesehen worden. Im Kalten Krieg ist das nicht anders. Die meisten Amerikaner haben keine Zweifel, dass die »Roten« finstere Schurken sind und unbedingt gestoppt werden müssen, bevor sie die Herrschaft über die Welt an sich reißen. Ein Kommunist ist automatisch jemand, der die Regierung stürzen und durch sein eigenes politisches System ersetzen will. In Russland denkt man ähnlich über die »bösen Kapitalisten« in Amerika.

scheinen von dort zu kommen. Auch meine Mutter hat mit sechzehn für Elvis geschwärmt. »Die allererste Schallplatte, die ich mir von meinem Taschengeld gekauft habe, war *King Creole*«, erzählt sie. Eine ihrer rettungslos in Elvis verknallten Freundinnen pilgert sogar nach Friedberg, wo ihr Idol von 1958 bis 1960 als Soldat stationiert ist (worüber die *Bravo* genauestens berichtet).

Durch die engen Kontakte zwischen den beiden Ländern entwickelt sich in Westdeutschland ein ganz besonderes Verhältnis zu Amerika: eine Mischung aus Sympathie für den faszinierenden »großen Freund« und Abneigung gegen die selbstbewusst agierende Weltmacht. Jahrzehntelang hielt besonders die deutsche Regierung das Ideal der deutsch-amerikanischen Freundschaft und der engen Zusammenarbeit hoch, bis es nach dem Fall der Mauer 1989 an Bedeutung verlor. Aber bis heute ist der kulturelle Einfluss der USA auf Deutschland ungebrochen – in der Sprache, im Kino und Fernsehen, in den Charts. Und weiterhin haben die 12 000 Jugendlichen, die jedes Jahr ein Schuljahr im Ausland verbringen, ein klares Traumziel: eine High School in den USA.

Die antikommunistische Stimmung in den USA steigert sich Ende der Vierziger zur Hysterie. Eine übertriebene Angst vor angeblichen Spionen, die heimlich die Gesellschaft unterwandern, herrscht. Trumans Justizminister orakelt düster: »Es gibt viele Kommunisten in Amerika. Sie sind überall – in Fabriken, Büros, Metzgereien, an Straßenecken, in Privatunternehmen –, und jeder von ihnen trägt in sich den Keim des Verderbens für unsere Gesellschaft.«

Aus Angst vor einem Krieg mit den Russen legen viele Amerikaner Bunker in ihren Häusern an und horten Notvorräte. In den fünfziger Jahren werden an Schulen Luftschutzübungen durchgeführt, um die Bevölkerung auf einen sowjetischen Atomangriff vorzubereiten. Wenn die Sirene ertönt, sollen die Kinder unter ihre Bänke kriechen und den Kopf mit den Armen schützen. Es hat sich bei den Verantwortlichen anscheinend noch nicht herumgesprochen, was genau eine Atombombe ist ...

Truman fördert diese Ängste noch, als er anordnet, die Vergangenheit und den Hintergrund jedes Regierungsbeamten genau zu überprüfen. Unternehmen und Organisationen ziehen nach und durchleuchten ihre Angestellten ebenfalls. 6,6 Millionen Menschen werden allein zwischen 1947 und 1952 so ausgeforscht. Kein einziger Spion wird dabei enttarnt.

Ein skrupelloser Politiker, der republikanische Senator Joseph McCarthy (1908–1957), macht sich diese Stimmung zunutzte. Bei einer Rede im Abgeordnetenhaus hält er ein paar Zettel hoch und ruft: »Ich habe hier in meiner Hand eine Liste mit den Namen von 205 Personen, die dem Innenminister als Mitglieder der Kommunistischen Partei bekannt sind und die dennoch weiterhin hier arbeiten und die Entscheidungen des Innenministeriums beeinflussen.« Wie sich später herausstellt, lügt McCarthy schamlos. Beweise hat er nicht. Immer, wenn er genauere Informationen herausgeben soll, kontert er mit neuen Anschuldigungen und deutet an, dass es überall kommunistische Verschwörungen gäbe.

Erfolg hat er trotzdem. Von nun an darf McCarthy mit Unterstützung der aufgeschreckten Regierung überall Jagd auf Kommunisten und »un-amerikanische Aktivitäten« machen. Dabei zerstört er das Leben von unzähligen Menschen, denn in der aufgeheizten Stimmung reichen schon Behauptungen ohne Beweise. Meist verliert der Beschuldigte seinen Job, wird vielleicht sogar auf eine Schwarze Liste gesetzt, damit ihn nie wieder jemand einstellt. Um Material gegen die angeblichen »Roten« zu sammeln, werden Freunde und Kollegen des Verdächtigen gezwungen, öffentlich gegen ihn auszusagen – wer sich weigert, kommt ins Gefängnis. Das Schlimme ist: Gegen Gerüchte kann man sich nicht wehren, die Opfer haben keine Chance, ihren Namen reinzuwaschen.

Schwarze Listen werden eingeführt, zum Beispiel in Hollywood. Schauspieler, Drehbuchautoren und Regisseure, die darauf landen, haben keinerlei Chancen mehr, in ihrem Beruf zu arbeiten. Solche Listen existieren bis Mitte der sechziger Jahre. Aber McCarthy katapultiert sich schon viel früher ins Abseits: Ermutigt von seinen Erfolgen greift er mit seinen Verdächtigungen schließlich die Armee an – und findet dort Gegner, die sich nicht so leicht einschüchtern lassen. Mit Verspätung wird Senat und Öffentlichkeit klar, mit welch skrupellosen Methoden McCarthy arbeitet. Kurz darauf wird er des Senats verwiesen.

Gleiche Rechte für Schwarz und Weiß

Der Kampf gegen den Kommunismus ist nicht das einzige Thema, das die USA in dieser Zeit bewegt. Im Süden der USA gärt es. Dort herrscht noch immer Rassentrennung. Seit das Oberste Gericht 1896 geurteilt hat, dass getrennte Einrichtungen rechtmäßig sind, gibt es ganz offiziell Schulen, Bahnabteile, Bars, Restaurants und Hotels, in denen Afroamerikaner unerwünscht sind. Es gibt sogar unterschiedliche Toiletten für Schwarze und Weiße. Die im Süden aufgewachsene Afroamerikanerin Sadie Delany erinnert sich: »Als wir zum Park kamen, stellten wir fest, dass sich auch dort einiges verändert hatte. Den Brunnen, wo wir Wasser holten, teilte nun ein großes hölzernes Schild. Auf einer Seite war das Wort ›Weiße‹ aufgemalt, auf der anderen Seite stand ›Farbige‹. Wir waren vielleicht kleine Kinder damals, ja, aber die Botschaft war laut und überdeutlich. Doch wenn niemand hinsah, nahm meine Schwester Bessie den Schöpflöffel von der Seite der Weißen und trank daraus.« Für Schwarze bedeutet das Leben im Süden, immer wieder gedemütigt zu werden, Bürger zweiter Klasse zu sein. Auch Wählen zu gehen ist für Afroamerikaner kaum möglich, mit einer Vielzahl von Schikanen werden sie in den Südstaaten daran gehindert.

Doch in den fünfziger Jahren ist ihre Geduld am Ende. Mutig wehren sich viele gegen die Diskriminierung und erobern sich Stück für Stück ihre Bürgerrechte. 1954 hebt das Oberste Gericht das umstrittene Rassentrennungs-Urteil auf. Nur ist das Problem, dass die Südstaaten sich weigern, das auch umzusetzen: Dort wächst die Feindseligkeit gegenüber den schwarzen Amerikanern.

Eine beeindruckende Massenbewegung beginnt mit einem Zwischenfall in einem Bus in Montgomery, Alabama. Am 1. Dezember 1954 fährt die schwarze Näherin Rosa Parks (*1913) im Bus nach Hause. Sie ist müde, denn es war ein langer Arbeitstag. Der Bus ist voll, und als ein weißer Mann einsteigt, kann er sich nicht setzen. Er fordert Parks auf, ihm ihren Platz zu überlassen. Dazu sind Schwarze einer örtlichen Vorschrift nach verpflichtet. Statt mit gesenktem Blick zu gehorchen, weigert sich Rosa Parks. Sie wird verhaftet.

Diesmal sind die Afroamerikaner der Stadt nicht bereit, die Sache auf sich beruhen zu lassen. Sie treffen sich in der Dexter Avenue Baptist Church und organisieren einen Boykott gegen die Busgesellschaft. Statt die Busse zu benutzen, nehmen sie das Rad, organisieren Fahrgemeinschaften oder gehen lange Strecken zu Fuß. Monatelang. Die Busse fahren fast leer durch die Straßen, dafür sind die Bürgersteige gestopft voll. Obwohl die Stadt nicht nachgibt, haben die Bürger ein deutliches Signal gegen die Rassentrennung gegeben. Sie wollen, dass das Ideal der Unabhängigkeitserklärung – Freiheit und das Streben nach Glück – endlich für alle gilt. Dass die USA fast hundert Jahre nach Befreiung der Sklaven endlich ihr Versprechen einlösen.

Der Pastor der Baptistengemeinde ist der erst 26-jährige Martin Luther King (1929–1968), ein sanfter Mann mit ebenholzfarbenem Gesicht, der sich als begabter Redner erwiesen hat. Er ist in Atlanta, einer großen Stadt im tiefen Süden, geboren worden und hatte liebevolle, wohlhabende Eltern. Als er erste Erfahrungen mit dem Rassismus macht, keimt in ihm wie in vielen Schwarzen ein Hass gegen die Unterdrücker auf. Aber an der Universität, an der er Philosophie und Theologie studiert, lernt er weiße Studenten kennen, die genau wie er gegen die Ungerechtigkeiten sind, denen Afroamerikaner ausgesetzt sind. Und als er in Boston, also im Norden, sein Studium fortsetzt, erlebt er eine Gesellschaft ohne Rassentrennung, in der er als Schwarzer nicht diskriminiert wird. Nach und nach wird ihm klar, dass nicht die Weißen der Feind sind, sondern die Art, wie die Gesellschaft in den USA organisiert ist.

Als der Bus-Boykott beginnt, wird der charismatische, sympathische junge Mann zum Führer des Widerstands in Montgomery und bald auch der landesweiten Bürgerrechtsbewegung. Er hat im Studium über zivilen Ungehorsam gelesen und bewundert den gewaltlosen Widerstand von Mahatma Gandhi in Indien. Die gleichen Prinzipien wendet er nun in seinem Kampf gegen die Rassentrennung an. »Auch wenn wir jeden Tag verhaftet werden, wenn wir jeden

Tag ausgenutzt werden, wenn wir jeden Tag mit Füßen getreten werden – lasst euch von niemandem so tief hinabziehen, dass ihr ihn dafür hasst. Wir müssen die Waffen der Liebe verwenden«, sagt er den Afroamerikanern. »Uns muss klar werden, dass so vielen Leuten beigebracht wird, uns zu hassen, dass sie nicht völlig für diesen Hass verantwortlich sind.« Selbst als er Morddrohungen bekommt und eine Bombe in seinem Haus landet, glaubt er daran, dass eine Versöhnung zwischen Schwarz und Weiß möglich ist.

Ganz im Gegensatz zu einem anderen einflussreichen Afroamerikaner, Malcolm Little, später bekannt als Malcolm X (1925–1965). So wie King ist er in Georgia geboren. Doch er ist in einem Elternhaus voller Armut und Gewalt aufgewachsen, muss erleben, wie Rassisten das Haus der Familie niederbrennen und verliert mit zwölf Jahren Eltern und Geschwister. Schon als Jugendlicher hasst er die weißen Unterdrücker. Der junge Mann, der wegen seiner rötlichen Haare »Detroit Red« genannt wird, rutscht in die Kriminalität ab und wird ein Zuhälter und Dealer. Erst im Gefängnis weckt ein gebildeter Mitgefangener in ihm die Liebe zu Büchern und Wissen. Ein anderer Gefangener bekehrt ihn zur *Nation of Islam,* einer amerikanischen Variante des Islam, die im Gegensatz zum Christentum keinen blonden, hellhäutigen Jesus verehrt. »Du weißt ja noch nicht mal, wer du bist, deinen wahren Familiennamen, deine wahre Muttersprache«, hört er. »Der weiße Teufel hat dich von all deinem Wissen über dein Volk abgeschnitten.« Malcolm konvertiert zum Islam, legt seinen alten Nachnamen, den seine Vorfahren von ihrem weißen Besitzer bekommen haben, ab und ersetzt ihn durch ein X.

Als er begnadigt wird, erkennen seine einstigen Freunde »Detroit Red« kaum wieder, denn nun lebt er nach strengen moralischen Vorschriften. Er ist ein guter Redner und schafft es schnell, rebellische junge Afroamerikaner für seine Ideen und seinen Slogan *Black Power,* Selbstbewusstsein und Würde der Schwarzen, zu begeistern. Durch einen Dokumentarfilm wird er landesweit bekannt. Malcolm X predigt eine Trennung der Rassen, für ihn sind Martin Luther Kings Ideen und sein Traum von einem Zusammenleben in Frieden und Harmonie naiv und dumm. Besonders Weiße sind über seinen Hass erschrocken.

Doch auch der Hass, der den schwarzen Bürgerrechtlern entgegenschlägt, ist erschreckend. Als neun schwarze Kinder 1957 in Little Rock, Arkansas, auf eine »weiße« High School gehen wollen, hindert sie der Gouverneur mit Hilfe der Nationalgarde daran. Präsident Eisenhower muss Bundestruppen schicken, um den Afroamerikanern zu ihrem Recht zu verhelfen. Für die Kinder bleibt es ein Spießrutenlauf, in die bisher »weiße« Schule zu gehen: Tag für Tag müssen sie, geschützt von Soldaten, durch eine hasserfüllte Menge hindurch, die sie beschimpft und bespuckt.

Martin Luther King und seine Anhänger beginnen Anfang der Sechziger friedliche *Sit-ins*, Sitzstreiks, zu organisieren, um gegen Einrichtungen mit Rassentrennung zu protestieren. Oft werden die jungen Demonstranten von Rassisten brutal geschlagen, getreten und sogar mit Elektroschockgeräten traktiert. Trotz allem halten sie sich eisern an ihren Vorsatz, keine Gewalt anzuwenden. Auch die Polizei schikaniert die Bürgerrechtler, immer wieder kommt es zu Massenverhaftungen und Angriffen. All das wird von Fernsehkameras dokumentiert, und mit ihrem Mut und ihrer Friedfertigkeit haben die Afroamerikaner die öffentliche Meinung auf ihrer Seite. Meist haben sie die bestreikte Einrichtung nach einigen Wochen erfolgreich zermürbt.

Nachdem das Oberste Gericht in einem Urteil die Rassentrennung auf Bus-

Derrick Bell

wurde 1930 geboren, engagierte sich in der Bürgerrechtsbewegung und war einer der Afroamerikaner, die durch Aktionen (zum Beispiel Sit-ins, *absichtliche Missachtung der Rassentrennung und Streiks) auf die Situation in Amerika aufmerksam machten. Er wurde später Anwalt und der erste schwarze Professor an der berühmten Harvard-Universität.*

Eine halbe Stunde stand ich schon an einer Straßenecke in der Stadt und wartete ungeduldig auf fünf Freunde, mit denen ich verabredet war. Es war alles abgesprochen: Tag, Uhrzeit und Ort des *Sit-ins.* Wir wollten uns alle in Schale werfen, mit Anzug und Krawatte und blitzblanken Schuhen, und auch etwas Bargeld mitnehmen – für den Fall, dass entgegen dem allgemeinen Kenntnisstand in den Restaurants und Bars der Pittsburgher Innenstadt doch Schwarze bedient wurden.

Weitere zehn Minuten vergingen. Mittlerweile war mir klar, dass meine Freunde nicht mehr kommen würden. Nun konnte ich die Sache abblasen, einen neuen Aufruf unternehmen und es einige Tage oder eine Woche später wieder versuchen. Aber ich war nun einmal darauf eingestellt, gerade an diesem Tag die Bar zu testen. So steuerte ich sie an, im klarsten Bewusstsein, dass es unklug, vielleicht sogar töricht war, ganz allein da hineinzugehen. Aber

bahnhöfen untersagt hat, beginnen 1961 die *Freedom Rides*: Gruppen von schwarzen und weißen Aktivisten aus dem Norden fahren in Bussen Richtung Süden, um das Urteil in den überregionalen Busbahnhöfen auszuprobieren und gegen die Rassentrennung zu demonstrieren.

Präsident Eisenhower hat nicht viel Verständnis für die Bürgerrechtsbewegung. Doch als John F. Kennedy 1961 die politische Bühne betritt, ändert sich die Stimmung im Land. Mit einer Geste schafft er es, viele Afroamerikaner für sich zu gewinnen: Als Martin Luther King unter fadenscheinigen Vorwänden verhaftet und zu vier Monaten Zwangsarbeit verurteilt wird, empfehlen Kennedys Berater ihrem Kandidaten, sich in die Sache einzuschalten. Kennedy erreicht, dass King schon ein paar Tage später auf freiem Fuß ist. Obwohl der junge Präsident lange zögert, sich aktiv für die Bürgerrechtler einzusetzen, machen ihn die Zustände im Süden wütend. Nicht zuletzt, weil die Bilder der Gewalt gegen Schwarze in allen Nachrichtensendungen dem Image Amerikas in der

egal: Ich war in dieser Stadt geboren und aufgewachsen. Hatte hier das College besucht und Jura studiert, meinem Land zwei Jahre als Offizier der Air Force gedient, davon ein Jahr in Korea. Ich hatte das Recht bedient zu werden – gleichviel, welche Hautfarbe ich hatte. Wenn man mich festnahm oder tätlich angriff, gab es wenigstens etwas Publizität für meine NAACP-Zweigstelle.

Vorsichtig, aber doch so unbekümmert wie möglich trat ich ein. Ich kletterte auf einen Barhocker, traf den Blick des Barkeepers und bestellte ein Bier. Er ignorierte mich. Ich wiederholte meine Bestellung. Keine Reaktion. Die weißen Gäste, in ihre Gespräche vertieft, taten, als gäbe es mich nicht. Es war keine Arbeiterbar, wo die Reaktionen auf meine Anwesenheit mit Sicherheit gewalttätiger ausgefallen wären. So saß ich und saß und saß. Meine schwarze Hautfarbe war sehr sichtbar, aber als Gast war ich unsichtbar. Ich hatte mir keinen Plan für den Fall zurechtgelegt, dass sie mich schneiden würden. Wie viel wirksamer wäre unser Testbesuch ausgefallen, wenn ich mit meinen Freunden fünf oder sechs von den zwölf Barhockern mit Beschlag belegt hätte!

Eine Stunde verging. Es wurde dunkel, und ich sah, dass einige weiße Jugendliche im T-Shirt auf der Straße standen und durch das Fenster in die Bar sahen. Es wurde Zeit zu gehen. »Ich bin von der Pittsburgher NAACP«, sagte ich zum Barkeeper. »Wir kommen wieder.« Dann ging ich hinaus, ohne auf die Weißen auf der Straße zu achten. Einer von ihnen murmelte »eingebildeter Nigger«, aber sie folgten mir nicht, als ich zur Straßenbahnhaltestelle ging.[10]

Welt schaden – und das, während die USA der Sowjetunion gerade die Überlegenheit ihres politisches System beweisen will!

Im September 1962 kommt es zu einem weiteren Showdown. Der junge Afroamerikaner James Meredith (*1933) will an der Universität von Mississippi studieren, doch das wird ihm verweigert – an der Universität herrscht Rassentrennung. Obwohl das Oberste Gericht der USA Meredith Recht gibt, stellt sich vor laufenden Kameras der Gouverneur selbst Meredith in den Weg, als er die Universität betreten will. Nun ist Präsident Kennedy gezwungen zu handeln und Partei zu ergreifen. Er entscheidet sich für die Bürgerrechtler. Unter dem Schutz von 16 000 Soldaten der Nationalgarde kann Meredith sich an der Universität einschreiben.

In seiner Fernsehansprache am 11. Juni 1963 verurteilt John F. Kennedy die Rassentrennung, nun findet er den Mut zu klaren Worten. Er appelliert an das Gewissen der Nation, fordert die USA auf, das Versprechen des *American Dream* endlich einzulösen und kündigt den Entwurf eines neuen Bürgerrechtsgesetzes an. Um für dieses Gesetz zu kämpfen, rufen die Bürgerrechtler zu einem großen »Marsch auf Washington« auf, einer Demonstration, wie es sie noch nicht gegeben hat; sie wird zum Höhepunkt der Bewegung. Über 250 000 Menschen, Schwarze und Weiße, sind dabei und hören Martin Luther Kings berühmte Rede »I have a dream«: »Ich habe einen Traum, dass meine vier kleinen Kinder eines Tages in einer Nation leben werden, in der man sie nicht nach ihrer Hautfarbe, sondern nach ihrem Charakter beurteilen wird.«

Trotz der Versuche der Südstaaten, das Bürgerrechtsgesetz zu blockieren, wird es beschlossen.

Kennedy: Ein Präsident wird gemacht

John F. Kennedy ist schon zu Lebzeiten ein Mythos. Doch ohne die Unterstützung seines Familienclans hätte es einer der berühmtesten Präsidenten der Vereinigten Staaten vermutlich nicht bis ins Weiße Haus geschafft.

Sein Vater Joseph Kennedy (1888–1969) war der Sohn armer irisch-katholischer Einwanderer, die sich Mitte des 19. Jahrhunderts in Boston niederließen. Durch clevere, nicht immer ganz legale Deals wird er schon in jungen Jahren Millionär. Mit seiner tief religiösen Frau Rose zeugt Kennedy neun Kinder und setzt sich in den Kopf, dass einer seiner Söhne Präsident der Vereinigten Staaten werden soll. Eigentlich ist dafür sein ältester Sohn Joe vorgesehen. Der ist intelligent, erfolgreich, sportlich, gut aussehend, kurz: eindeutig ein zukünftiger Gewinner. Doch Joe stirbt im Zweiten Weltkrieg, und so richten sich die Hoffnungen des strengen, ehrgeizigen Vaters auf den zwei Jahre jüngeren John F., genannt Jack. Er hat zwar nur mittelmäßige Noten, ist kränklich und manchmal aufsässig, aber dafür bezaubert er die Menschen mit Witz und Charme. Weil er wegen seiner Krankheiten so oft im Bett bleiben muss, liest er viel über Geschichte und Politik und erwirbt sich so ein breites Wissen.

Der junge Jack studiert in Harvard, einer der besten Universitäten der USA. Während sich sein Vater vor dem Militärdienst gedrückt hat, will Jack wie sein Bruder im Zweiten Weltkrieg mitkämpfen. Nur knapp überlebt er den Schiffbruch des Torpedoboots, das er kommandiert. Nach dem Krieg arbeitet er kurz als Zeitungsreporter und geht dann in die Politik. Durch ausgeklügelte Wahlkampfstrategien, die finanzielle Unterstützung seines Vaters und seine persönliche Ausstrahlung schafft er es schon als 29-Jähriger in den Kongress, erst als Abgeordneter, dann als Senator. Dort nennt man ihn scherzhaft »Der Mann, der Henry Cabot Lodge in 75 000 Tassen Tee ertränkt hat«, denn seinen knappen Sieg gegen seinen Konkurrenten Lodge verdankt er unter anderem den von seinen Wahlhelfern organisierten Teepartys, auf denen Frauen den jungen, attraktiven Kandidaten aus der Nähe anhimmeln durften.

Zu einem solchen Siegertypen gehört natürlich auch die passende Frau. Die schöne, elegante Jacqueline Lee Bouvier (1929–1994), die so wie er aus einer wohlhabenden Familie kommt und an einer Elite-Universität studiert hat, ist perfekt für ihn. Jack und Jackie werden das Traumpaar Amerikas, und die Öffentlichkeit wird mit Fotos einer heilen Familie beglückt. Hinter den Kulissen sieht es weniger rosig aus: Der lebenslustige Jack hat zahlreiche Affären, unter anderem mit Schauspielerin Marilyn Monroe. Jackie selbst gibt Riesensummen für Kleider, Schmuck und anderen Luxus aus, auch das ist oft Grund für Streit.

Was die Öffentlichkeit keinesfalls wissen darf, ist, dass sich hinter Kennedys gewinnendem Lächeln ein schwer kranker Mann verbirgt. Erst Jahrzehnte nach John F. Kennedys Tod kommt heraus, das er an zahlreichen Krankheiten litt und täglich zwölf verschiedene Medikamente nehmen musste. Öffentliche Auftritte überstand er nur mit starken Schmerzmitteln.

Obwohl er als Senator oft wegen Krankheit bei Debatten fehlt, ist er beliebt und kann sich Hoffnung auf das Weiße Haus machen. Ein Problem ist jedoch sein Glaube: Noch immer sind die USA fast ausschließlich protestantisch, der katholische Glaube gilt als Religion für arme Einwanderer. Viele Wähler haben Angst, ein katholischer Präsident könnte eine Marionette des Papstes werden. Doch Kennedy schafft es, glaubhaft zu versichern, dass er sich an die Trennung von Kirche und Staat halten wird.

Bleibt nur noch der Nachteil, dass John F. Kennedy kaum politische Erfahrung hat. Sein Konkurrent Richard Nixon (1913–1994) dagegen, der Kandidat der Republikaner, war acht Jahre lang Vizepräsident unter Eisenhower. Nixons Pech ist, dass sich die Politik verändert hat. Seit fast jede Familie einen Fernsehapparat hat, zählt im Wahlkampf mehr denn je das Image des Kandidaten und wie er sich darstellen kann. Die erste Debatte zwischen Nixon und Kennedy wird im Fernsehen übertragen – und entscheidet die Wahl. Nixon ist noch geschwächt von einer Krankheit. Er ist blass, schwitzt und hat, weil es später Nachmittag ist, einen deutlichen Bartschatten. Sechzig Millionen Menschen sehen live, wie unwohl er sich in seiner Haut fühlt. Der sonnengebräunte Kennedy dagegen strahlt Energie und jugendliche Frische aus. Seine Antworten auf die Fragen sind so klar und knackig, dass Nixon ihm immer wieder zustimmt.

Kennedy gewinnt die Wahl, wenn auch mit knappem Vorsprung. Im Nachhinein haben viele Leute behauptet, John F. Kennedy gewählt zu haben – viel mehr, als in Wirklichkeit der Fall war. Denn es dauert nicht lange, bis er zum Idol wird. Und das, obwohl er nur tausend Tage, knapp drei Jahre lang, Präsident ist. Historiker sehen seine Leistung nüchterner als seine zahlreichen Fans, denn viel passiert ist in seiner Regierungszeit nicht, oft bleibt es bei schönen Worten. Sicher ist: Nach dem gemütlichen »Ike« Eisenhower wirkt Kennedy wie ein frischer Wind. Mit seinen 43 Jahren ist Kennedy einer der jüngsten Präsidenten der USA. Er steht für die junge Generation, für Aufbruch und Neubeginn.

»Wir stehen heute an der Schwelle zu einer *New Frontier*«, sagt Kennedy und beschwört damit den Pioniergeist des Grenzlands. Er fordert die Amerikaner auf, etwas für ihr Land zu tun, statt zu erwarten, dass das Land etwas für sie tut. Und er schafft es, die Menschen mitzureißen und sie für neue Herausforderungen zu begeistern. Als Kennedy das *Peace Corps* gründet – eine Organisation, die junge Freiwillige in die Dritte Welt schickt, um vor Ort Menschen zu helfen –, melden sich die Bewerber scharenweise.

Kennedy beruft junge, intelligente Leute in seine Regierungsmannschaft, »die Besten und die Klügsten«, wie er sagt. Zum ersten Mal hat Amerika ein Präsidentenpaar mit Stil. Die Kennedys bringen Eleganz, Kultur und Weltoffenheit ins Weiße Haus mit. Berühmte Musiker geben dort Konzerte, prominente Schriftsteller und Maler werden eingeladen, Jackie gibt glanzvolle Bälle und Staatsempfänge. Hunderttausende Amerikanerinnen bewundern die First Lady und ahmen ihren Look nach.

Doch politisch läuft Jack schnell vor die Wand. Es rächt sich, dass er nur so wenig Wählerstimmen bekommen hat: Viele seiner Reformvorhaben scheitern im Kongress, in dem er viele Gegner hat. Und gleich zu Beginn seiner Regierungszeit blamiert er sich vor der Weltöffentlichkeit. Zwei Jahre vor Kennedys Amtsantritt waren in Kuba – nur 150 Kilometer von der Küste Floridas entfernt! – die Kommunisten an die Macht gekommen, nach Jahren des Bürgerkrieges hatte Fidel Castro (*1926) den von den USA unterstützten Diktator vertrieben. In Florida versammeln sich Exilkubaner, die von Castros Regierung enteignet worden sind. Für den April 1961 planen sie eine Invasion und Kennedy unterstützt das Vorhaben. Doch die Landung in der Schweinebucht gerät zum Debakel, und als herauskommt, dass die Regierung der USA dahintersteckt, fällt ein erstes schlechtes Licht auf den Präsidenten.

Rettet Berlin!

Mindestens ebenso viel Kopfzerbrechen wie Kuba macht Kennedy die Sowjetunion mit ihrem aufbrausenden Staatschef Nikita Chruschtschow (1894–1971), der 1956 den Aufstand der Menschen in Ungarn brutal hat niederschlagen lassen. Chruschtschow fordert, dass die westlichen Alliierten aus Berlin abziehen. Kennedy lehnt ab. »Wir können und werden nicht zulassen, dass die Kommunisten uns aus Berlin vertreiben«, verkündet er öffentlich, für ihn ist ein Angriff auf Berlin ein Angriff auf den Westen. Die Menschen in Westberlin sind froh, dass er Entschlossenheit zeigt und damit sogar einen Krieg riskiert. Ohne den Schutz der USA wäre Berlin verloren. Was es bedeuten würde, wenn die Stadt unter Kontrolle der Sowjetunion geriete, ist allen klar.

Jede Woche fliehen 20 000 Menschen aus dem sowjetischen Sektor in den Westen. Doch damit ist es bald vorbei. Am 13. August 1961 sehen die entsetzten Bürger Berlins, wie Polizisten und Soldaten an der Sektorengrenze Stein auf Stein schichten und sämtliche Zufahrtwege abriegeln. Die Amerikaner protestieren zwar, verhindern den Mauerbau aber nicht. Im Grunde sind sie froh, dass keine russischen Truppen in Westberlin einmarschiert sind. Doch in der Stadt geht weiterhin die Angst um.

Immer wieder kommt es in Berlin zu Krisen zwischen Amerikanern und Sowjets, im Oktober stehen sich sogar Panzer an der Sektorengrenze gegenüber. Um den Deutschen zu versichern, dass er sie nach wie vor unterstützt, reist Kennedy im Sommer 1963 persönlich nach Berlin. Jubel empfängt ihn: Er ist in Deutschland beliebt wie kaum ein anderer Politiker. Eine Million Menschen können einen Blick auf ihn erhaschen, als er durch die Straßen fährt und am Schöneberger Rathaus seine berühmte Rede hält. Darin verurteilt er die Mauer heftig. »Ich bin ein Berliner«, sagt er zum Schluss auf Deutsch. Er hat sich auf ein Karteikärtchen notiert, wie man das ausspricht, und vorher lange geübt. Seine Botschaft ist klar: Ich bin einer von euch. Ich lasse euch nicht im Stich.

JFKs Besuch hinterlässt in Deutschland einen tiefen Eindruck. Aber auch Kennedy ist bewegt. Auf dem Rückflug sagt er: »Solange wir leben, werden wir niemals wieder einen solchen Tag wie heute erleben.«

Wettlauf zum Mond

Lange können sich die Vereinigten Staaten einbilden, sie seien ihrem Gegner und Konkurrenten technologisch überlegen. Dass das nicht stimmt, erfahren die Amerikaner am 4. Oktober 1957. An diesem Tag gibt die Sowjetunion bekannt, ihre Wissenschaftler hätten es geschafft, einen Satelliten in die Umlaufbahn zu schießen. Verdutzt und fasziniert lauschen viele Amerikaner auf das feine Piepen aus dem All, die Signale der Raumsonde *Sputnik*, die im Radio übertragen werden. Die ganze Nation ist im Schockzustand: Die Russen sind dabei, den Weltraum zu erobern! Wieso macht Amerika das nicht auch? Wie kann es sein, dass die Russen so weit voraus sind?

In aller Eile wird ein Weltraumprogramm improvisiert, um mit dem Konkurrenten Schritt zu halten. Doch eine amerikanische Rakete nach der anderen stürzt noch auf der Rampe in sich zusammen, weicht vom Kurs ab oder explodiert in einem Feuerball. Während die USA reihenweise Fehlschläge einstecken müssen, schickt die Sowjetunion immer größere Satelliten und schließlich sogar einen Hund nach oben. Im April 1961 steht fest: Der erste Mensch im Weltall ist ein Russe und heißt Juri Gagarin!

Diese Schmach können die USA nicht auf sich sitzen lassen. Bald danach tritt Präsident Kennedy, gerade erst vom Schweinebucht-Desaster gebeutelt, vor die Presse und verkündet, dass jetzt eine nationale Kraftanstrengung nötig sei, um die Führung im Kampf zwischen »Freiheit und Tyrannei« wiederzugewinnen. Das neue Ziel soll sein, »noch vor Ende des Jahrzehnts einen Menschen auf dem Mond landen zu lassen und ihn wieder sicher zur Erde zurückzubringen.« Leicht vorzustellen, was für ein Albtraum ihn plagt: dass amerikanische Astronauten, wenn sie auf dem Mond landen, dort schon eine rote Flagge mit Hammer und Sichel vorfinden.

Ohne Murren bewilligt der Kongress fast neun Milliarden Dollar, um den Kalten Krieg ins All zu verlagern. Ein gigantisches Raumfahrtprogramm beginnt, an dem über zwei Millionen Menschen in irgendeiner Form beteiligt sind. Mit Hilfe des deutschen Wissenschaftlers Wernher von Braun (1912–1977), der

Neil Armstrong

war der erste Mann, der den Mond betrat, und wurde damit zu einem der berühmtesten Astronauten aller Zeiten.

Es wurde Zeit für mich, mit meinem Gang über den Mond zu beginnen. Ich konnte sofort die weithin vertretene Theorie abtun, dass die von keinem Wind berührte Oberfläche des Mondes von einer gefährlich tiefen Staubschicht bedeckt sei, in der von Menschen gemachte Maschinen versinken müssten. Die Fußplatten des Landefahrzeugs hatten sich nur ganz wenig in den Mondboden eingedrückt, und meine Stiefel sanken nur wenige Millimeter ein. Ich konnte aber die Fußspuren meiner Stiefel sehen, und ebenso die Abdrücke der Laufflächen in den feinen sandartigen Partikeln. Das Umherbewegen auf dem Mond schien keine Schwierigkeiten zu bereiten, es war noch einfacher als bei der Simulation der geringen Schwerkraft...

Als Buzz Aldrin und ich nach der Rückkehr in die *Eagle* die Kabine wieder rekomprimiert und unsere Helme abgelegt hatten, erlebten wir eine kleine Überraschung. Es herrschte ein ganz bestimmter Geruch in der Kabine. Es schien mir nach feuchter Asche in einem Kamin zu riechen. Es wäre vermessen gewesen zu behaupten, dass der Geruch von dem Mondmaterial herrührte, das wir mit in die Kabine gebracht hatten; aber wir mussten doch vermuten, dass dies der Fall war.[11]

einst im Dienst Nazi-Deutschlands Raketen entwickelte, gelingt es, nach und nach auch Amerikaner ins All zu befördern. Die Astronauten – sämtlich ziemlich kurz geraten, da sie in die engen Raumkapseln passen müssen – werden zu Amerikas neuen Helden. Besonders beliebt ist John Glenn, der am 20. Februar 1962 dreimal die Erde umrundet und wie seinerzeit Charles Lindbergh in den Genuss einer Konfettiparade durch die Straßen von New York kommt.

Kennedy erlebt nicht mehr, dass die USA tatsächlich wie geplant die *New Frontier* überschreiten und die Russen überflügeln. Aber die ganze Welt fiebert vor den Bildschirmen mit, als die Astronauten von *Apollo 11* am 20. Juli 1969 auf dem Mond ihre Fußabdrücke hinterlassen und Neil Armstrong seine berühmten Worte spricht: »Dies ist ein kleiner Schritt für einen Menschen, aber ein großer Schritt für die Menschheit.«

Haarscharf am Dritten Weltkrieg vorbei

1962 muss Kennedy die härteste Bewährungskrise seines Amts meistern, der Kalte Krieg erreicht seinen Höhepunkt. Dreizehn Tage lang steht die Welt am Rand eines Atomkriegs. Der Auslöser: Heimlich versucht Chruschtschow, auf Kuba – also direkt vor der Haustür der USA – Atomraketen zu stationieren. Von dort aus könnten sie in fünf Minuten, also fast ohne Vorwarnzeit und ohne eine Möglichkeit, sie aufzuhalten, große Städte überall in den USA erreichen und zerstören. Luftbilder, die von einem Spionageflugzeug aufgenommen werden, verraten Chruschtschows Plan: Am Dienstag, den 16. Oktober, erfährt Kennedy von den Raketen. Einige sind schon auf Kuba, viele weitere werden gerade von sowjetischen Schiffen auf die Insel gebracht. Sofort trifft sich ein geheimer Krisenstab und berät, wie die USA darauf reagieren sollen. Die Vertreter des Militärs sind dafür, unmittelbar einen Angriff zu fliegen und die Raketen zu zerstören, bevor sie einsatzfähig sind. Doch Kennedy will versuchen, zu einer friedlichen Lösung zu kommen.

In den ersten Tagen entscheidet er sich, noch nicht zu verraten, dass er von den Raketen weiß. Damit niemand Verdacht schöpft, absolviert er Wahlkampfauftritte und bricht sie unter dem Vorwand, er sei erkältet, ab. Währenddessen versetzt er die Streitkräfte in Alarmbereitschaft. Am Montag, den 22. Oktober, informiert Kennedy die Menschen in einer Fernsehansprache von den Raketen

– und lässt keine Zweifel daran, dass er bei einem Angriff auf die Vereinigten Staaten mit ganzer Härte Vergeltung üben würde. Er verkündet eine Seeblockade Kubas, die verhindern soll, dass weitere sowjetische Schiffe und damit noch mehr Raketen nach Kuba gelangen. Seine Signale sind klar: Entweder die Sowjetunion gibt nach, oder es gibt Krieg.

Alle Beteiligten sind nervös. Wie wird die Sowjetunion reagieren? Werden sie ihre Schiffe stoppen oder versuchen durchzubrechen? Kennedy weiß: wenn auch nur ein Schuss fällt, dann könnten sich die Vergeltungsmaßnahmen innerhalb kürzester Zeit so weit hochschaukeln, dass der Atomkrieg kaum mehr aufzuhalten ist. Auch die Bevölkerung weiß das. Vor Entsetzen wie gebannt sitzen viele Menschen vor dem Fernseher. »Ich war zehn Jahre alt und lebte in einem kleinen ländlichen Ort auf Prince Edward Island in Ost-Kanada. Meine Eltern horteten Lebensmittel und mein Großvater grub einen Schutzbunker«, berichtete der Kanadier George Dixon dem Fernsehsender BBC. »Wir waren darauf vorbereitet, dass das Ende der Welt bevorstand, und wurden Kennedy-Verehrer, als es nicht kam.« Die damals elfjährige Charlotte Johnson erinnert sich: »Ich weiß noch, wie ich den Präsidenten im Fernsehen gesehen habe und eine solche Angst hatte, dass mir der kalte Schweiß ausgebrochen ist. Noch Jahre danach habe ich geträumt, dass ich hochschaue und der Himmel voller feindlicher Flugzeuge ist.«

Warum geht die Sowjetunion überhaupt das Risiko ein, die USA so zu provozieren? Chruschtschow will – gewarnt durch den Vorfall in der Schweinebucht – die Insel vor einer weiteren Invasion schützen. Außerdem liegt ihm daran, der nuklearen US-Übermacht etwas entgegenzusetzen. Die USA hatten schon vor Jahren Raketen in der Türkei stationiert, in unmittelbarer Nähe der Sowjetunion. Doch vermutlich will die Sowjetunion wie schon im Fall Berlin sehen, wie weit sie gehen kann.

Am 24. Oktober um zehn Uhr früh beginnt die Blockade. Schon wenige Minuten später treffen dreißig russische Schiffe an der Blockadelinie ein, an der die amerikanische Flotte wartet. Bange Sekunden vergehen, bis klar wird, dass die sowjetischen Schiffe ihre Fahrt verlangsamen und abdrehen.

Noch ist die Krise nicht vorbei. Auf Kuba wird, wie neue Luftbilder verraten, mit Hochdruck daran gearbeitet, die verbliebenen Raketen einsatzfähig zu machen. Was tun? Im Krisenstab wird hitzig diskutiert. Kennedys Problem sind nicht nur die Sowjets, sondern auch die eigenen schon voll auf Krieg eingestellten Generäle. Sie sind dafür, mit aller Härte zu reagieren, lassen sogar entgegen Kennedys ausdrücklichem Befehl Warnschüsse abfeuern.

Schließlich stimmen die USA der Bedingung der Sowjetunion zu, keine Invasion Kubas zu versuchen, und handeln (wie erst in den achtziger Jahren bekannt geworden ist) einen Geheimdeal mit dem russischen Botschafter aus: Wenn die Sowjets die Raketen aus Kuba abziehen, entfernen die USA ihre Raketen aus der Türkei. Chruschtschow akzeptiert. Die Krise ist vorbei. Dieser gefährliche Zwischenfall wendet Kennedys Einstellung stärker zum Frieden, er beginnt, die gemeinsamen Interessen von USA und Sowjetunion zu betonen und sich für den Stopp von Atombombentests einzusetzen. »Denn letztlich bildet die Tatsache, dass wir alle Bewohner dieses kleinen Planeten sind, das uns im Tiefsten gemeinsame Band«, sagt er in einer Rede im Juli 1963. »Wir alle atmen die gleiche Luft. Uns allen liegt die Zukunft unserer Kinder am Herzen. Und wir sind alle sterblich.« Sowohl in Washington als auch in Moskau gab es Fehleinschätzungen, Pannen und unklare Befehle. Nur knapp wurde ein Krieg verhindert, der möglicherweise einen großen Teil der Erde zerstört und radioaktiv verseucht hätte. »Es war Glück«, gesteht der ehemalige US Verteidigungsminister Robert McNamara später ein.

An einem Tag in Dallas

Der 22. November 1963 ist einer der Tage, die ins kollektive Gedächtnis der USA und der Menschen im Westen eingegangen sind. Praktisch jeder aus dieser Generation kann sich noch erinnern, was er an diesem Tag getan hat. Dem Tag, als Kennedy erschossen wurde.

Der Tag beginnt wie viele andere im Leben eines Präsidenten. Die Kampagne für Kennedys Wiederwahl hat begonnen, er ist beliebter denn je. Auch nach Texas, also in den tiefen Süden, fährt JFK, um dort eine Rede zu halten. In der Hauptstadt Dallas ist man ihm wegen seines Engagements für die Bürgerrechtsbewegung nicht besonders wohl gesonnen, feindselige Anzeigen in der Zeitung und als Steckbriefe aufgemachte Flugblätter beschimpfen ihn vor seinem Besuch als Landesverräter. Dennoch jubeln ihm Hunderttausende zu, als er in einer offenen Limousine durch die Straßen fährt. Lächelnd sitzt er neben seiner Frau, die an diesem Tag ein bonbonrosa Kostüm trägt.

Um genau 12.30 Uhr Ortszeit fallen Schüsse. Getroffen sinkt der Präsident gegen seine Frau. Zwar rast der Fahrer sofort zum Krankenhaus, doch es ist längst zu spät: Eine der Kugeln hat John F. Kennedy am Kopf getroffen. Schon um 14.38 Uhr wird sein Stellvertreter Lyndon B. Johnson als Präsident vereidigt.

Wenig später wird ein erster Tatverdächtiger gefasst: Lee Harvey Oswald, ein ehemaliger Soldat mit Verbindungen zur Sowjetunion und Sympathien für Kuba. Er beteuert seine Unschuld, doch niemand glaubt ihm. Und am 24. November wird er selbst von Jack Ruby, einem Nachtclub-Besitzer, erschossen.

War Oswald ein Einzeltäter? Oder Teil einer größeren Verschwörung, eventuell angezettelt vom amerikanischen Geheimdienst CIA? Es hat viele Untersuchungen gegeben, von denen die meisten die Einzeltäter-Theorie stützen. Doch die Ermittlungen wurden von der überforderten Polizei in Dallas so schlampig geführt, dass die Hintergründe des tödlichen Attentats bis heute nicht zufrieden stellend geklärt sind.

Ironie des Schicksals: Zu Lebzeiten hat Kennedy viele seiner Reformvorhaben nicht verwirklich können. Nun schafft es Johnson geschickt, viele Gesetze nach dem Motto »Kennedy hätte es so gewollt« durchzudrücken.

Kapitel 11
Flower Power
(1964–1974)

Die Sechziger und frühen Siebziger sind eine Zeit der Proteste. Junge Leute wehren sich gegen den Krieg in Vietnam und die Werte ihrer Eltern, Minderheiten versuchen ihre Rechte durchzusetzen, Frauen brechen aus ihren traditionellen Rollen aus. Ein politischer Skandal nach dem anderen erschüttert das Vertrauen in die Regierung.

Der Albtraum Vietnam

Lyndon B. Johnson (1908–1973), nach seinen Anfangsbuchstaben auch LBJ genannt, ist ein Mensch mit zwei Gesichtern. Der Texaner kann freundlich und gesellig sein. Er setzt sich leidenschaftlich für die Bürgerrechte der Afroamerikaner, eine bessere Gesundheitsversorgung und Bildung ein. Schockiert davon, dass ein Fünftel der amerikanischen Bevölkerung unter der Armutsgrenze lebt, ruft er zu einem Krieg gegen die Armut auf und setzt viele neue Gesetze durch. Andererseits ist er ein rücksichtsloser Machtmensch, der bekannt dafür ist, seine Mitarbeiter einzuschüchtern. In die Geschichte ist Lyndon B. Johnson eingegangen als der Mann, der den Vietnamkrieg führte. Einen Krieg, der fast ein Jahrzehnt – von 1964 bis 1972 – dauert, Hunderttausende Tote fordert und das Land in zwei Lager spaltet. Denn während die Regierung in Washington immer mehr junge Leute zwingt, in diesem Krieg zu kämpfen (der sie oft das Leben kostet oder für immer verstümmelt) und Bombardierungen der Zivilbevölkerung anordnet, macht ein großer Teil der US-Bevölkerung deutlich, dass sie diesen brutalen Krieg nicht will und für Unrecht hält. Ironischerweise berufen sich beide Seiten – die Regierung und die Kriegsgegner – auf klassische amerikanische Ideale. Der Vietnamkrieg wird im Namen der Freiheit sowohl geführt als auch abgelehnt.

Als die USA es nicht schaffen, diesen Krieg gegen eine kleine, bäuerliche Nation zu gewinnen, ist die Katastrophe komplett. Seither steht Vietnam für einen nur allzu realen Albtraum, eine bittere Erinnerung, die zu bewältigen viele Jahre dauerte. Zwanzig Millionen Menschen besuchen jedes Jahr das Vietnam Memorial in Washington D.C., eine Mauer aus schwarzem, poliertem Granit mit den eingravierten Namen jedes einzelnen der rund 58 000 gefallenen amerikanischen Soldaten. Viele Familien fahren dorthin, berühren den Namen des Sohnes, Vaters, Bruders oder Onkels, zeigen ihn den Enkeln, fertigen ein *Rubbing* davon an oder legen Blumen nieder.

Wieso kämpft Amerika überhaupt in einem fernen asiatischen Land, an dem es eigentlich nicht das geringste Interesse hat? Das fragen sich auch immer mehr US-Bürger, als der Krieg sich immer länger hinzieht und Hunderttausende junge Amerikaner nach Südostasien geschickt werden. Die Wurzeln dieses Krieges reichen weit zurück: In den fünfziger Jahren weigern sich die Franzosen, ihre ehemaligen Kolonien in Südostasien aufzugeben und kämpfen um die Kontrolle Vietnams. Dessen Bürger hatten sich gegen die Fremdherrschaft aufgelehnt, für unabhängig erklärt und eine kommunistische Regierung unter der Führung von Ho Chi Minh (1890–1969) gewählt. Das ist für die USA ein rotes Tuch, und die Präsidenten Truman und Eisenhower beginnen, Frankreich mit Geld und Militärberatern zu unterstützen, damit das weiterhin westlich dominierte Südvietnam nicht vom kommunistischen Nordvietnam erobert wird. Denn nach der Domino-Theorie hätte das bedeutet, ganz Südostasien an den Kommunismus zu verlieren.

Kennedy erhöht die Zahl dieser »Berater«, von denen viele schlicht Soldaten sind, auf 16 000. Sein Nachfolger Lyndon B. Johnson erbt das Problem. Er entscheidet sich dafür, noch mehr Soldaten zu schicken und Nordvietnam zu bombardieren. Der Anlass, den er der Öffentlichkeit und dem Kongress dafür gibt, ist ein angeblicher Angriff auf US-Schiffe im Golf von Tonkin, der, wie sich später herausstellt, so nicht stattgefunden hat. Nach diesem Pseudo-Zwischenfall hat die Regierung Johnson den Freibrief loszuschlagen, ohne Nordvietnam den Krieg zu erklären und damit womöglich das mächtige kommunistische China in den Konflikt hineinzuziehen.

Doch das Problem ist, dass das Regime, das die USA in Südvietnam stützt, beim Volk unbeliebt und korrupt ist. Und dass Johnson und seine Berater die Entschlossenheit der Nordvietnamesen unterschätzen: Der Vietcong (die kommunistischen Widerstandskämpfer im Süden), erweist sich als überraschend entschlossen und schwer zu besiegen. Immer mehr amerikanische Soldaten stapfen mit schweren Maschinengewehren durch den Dschungel, brennen Reisfelder und Dörfer nieder und erschießen Bauern, die angeblich mit dem Vietcong zusammenarbeiten oder ihm Unterschlupf bieten. Im Jahr 1965 sind 184 000 US-Soldaten in Vietnam, 1969 sogar 542 000, viele von ihnen erst neunzehn Jahre alt. Ganze Flotten von US-Hubschraubern sind über dem Dschungel unterwegs und versprühen das Entlaubungsmittel Agent Orange, um den Vietcong-Kämpfern den Schutz des undurchdringlichen Blätterdachs zu nehmen. Auf das winzige Vietnam gehen fast doppelt so viele Bomben nieder wie auf Europa und Japan im Zweiten Weltkrieg. Doch obwohl die Johnson-Regierung sich optimistisch zeigt, ist kein Sieg in Sicht.

Es regt sich Widerstand

In den ersten Jahren ist die Zustimmung der Öffentlichkeit zu diesem Krieg, der die »Freiheit verteidigen« und »Amerikas Versprechen halten« soll, hoch. Doch als die Kämpfe kein Ende finden, wächst der Widerstand. Auch das Fernsehen spielte eine Rolle dabei. Weil es keine offizielle Kriegserklärung gibt, können die Medien relativ ungehindert und ohne Zensur über die Ereignisse berichten. Ihre Bilder von sterbenden Menschen, bombardierten Dörfern, schreienden, von Napalm (eingedicktem Benzin) verbrannten Kindern kommen abends live in Millionen amerikanischer Wohnzimmer. Angewidert ist die Öffentlichkeit aber auch über Grausamkeiten wie dem Massaker in My Lai, einem Dorf, in dem US-Soldaten etwa 500 Menschen, vor allem Frauen und Kinder, förmlich hinrichten. Vergeblich versucht die Armee, den Fall zu vertuschen.

Die Öffentlichkeit beginnt, bohrende Fragen zu stellen. Warum kämpfen die USA auf der anderen Seite der Welt gegen asiatische Reisbauern, die ihnen nichts getan haben? Warum müssen so viele junge Männer in einem Krieg sterben, der immer sinnloser erscheint? Und warum schafft es die Supermacht eigentlich nicht, gegen ein paar Dschungel-Guerillas zu gewinnen?

»Irgendwie muss dieser Wahnsinn aufhören«, appelliert Martin Luther King 1967. Lyndon B. Johnsons Politik wird immer unglaubwürdiger. Sein Krieg gegen die Armut in Amerika selbst ist Nebensache geworden.

Für die Jugendlichen und jungen Erwachsenen, für eine ganze Generation, wird der Vietnamkrieg eine entscheidende Erfahrung. Jeder Einzelne muss sich fragen: Soll ich den Befehlen folgen, nach Vietnam gehen und kämpfen? Oder soll ich den Dienst in diesem Krieg verweigern und irgendwie versuchen, mich der Einberufung zu entziehen? Besonders am Anfang, als viele Amerikaner den Krieg noch unterstützen, entscheiden sich viele, der Einberufung Folge zu leisten und zu kämpfen. Sie alle müssen später mit ihren schrecklichen Erinnerungen leben.

Viele Veteranen sind aber auch bitter enttäuscht darüber, dass sie zu Sündenböcken gemacht werden. Als sie aus der Dschungelhölle zurückkehren, werden sie nicht als Helden empfangen. Paul Sgroi, der ein Jahr in Vietnam verbrachte, erzählt: »An dem Tag, an dem ich heimkam, ging eine Frau in meinem Alter mit mehreren ihrer Freunde auf mich zu, als ich am Flughafen von New Jersey auf den Bus wartete. Sie fragte mich, ob ich in Vietnam gewesen war. Als ich erwiderte, dass ich gerade zurückgekommen war, spuckte sie mir ins Gesicht und die Gruppe begann, mich wüst zu beschimpfen.«

Als Abscheu und Empörung über diesen Krieg wachsen, verbrennen immer mehr junge Männer aus Protest gegen den Krieg öffentlich ihre Einberufungs-

Davidson Loehr

kämpfte ein Jahr lang in Vietnam und engagierte sich danach gegen den Krieg.

Ich war gerade anderthalb Wochen von meiner Ruhepause aus Japan zurück und habe die letzten drei Wochen in Vietnam in Todesangst zugebracht. Ich hatte die Zivilisation wiedergesehen, eine Welt ohne Sandsäcke und verklebte Fenster. Dieses Erlebnis hatte den Bann gebrochen und die merkwürdige Gewöhnung an den Kriegsalltag zunichte gemacht, und es gelang mir in den verbleibenden zwanzig Tagen nicht mehr, diese Normalität wiederherzustellen. Nachts hörte ich jeden Schuss, jede Mörsergranate. Auch wenn ich in den vorangegangenen sieben Monaten drei Granatenangriffe mitgemacht hatte und am Geräusch gut unterscheiden konnte, wann wir schossen und wann auf uns geschossen wurde, hatte ich das alles vergessen und konnte nur noch jede zweite Nacht schlafen. In der einen Nacht weckte mich für gewöhnlich jeder Schuss, jedes Geräusch auf und ich lag schweißgebadet und in Todesängsten auf meiner Liege und war mir sicher, den Tagesanbruch nicht mehr zu erleben. In der folgenden Nacht fiel ich völlig erschöpft auf meine Liege, schlief sofort ein und hörte nicht das geringste Geräusch. Am nächsten Tag ging der Teufelskreis von vorne los.[12]

befehle oder geben sie, wie der Bostoner Student Philip Supina, demonstrativ wieder an die Regierung zurück. »Ich lege Ihnen den Befehl bei, mich zu meiner Musterung für die Armee zu melden«, schreibt er höflich. »Ich habe absolut nicht die Absicht, mich zu dieser Musterung zu melden, mich einziehen zu lassen, oder in irgendeiner anderen Weise an dem teilzunehmen, was Amerika den Menschen von Vietnam antut ...« Er wird zu vier Jahren Gefängnis verurteilt. Vielen anderen Verweigerern geht es ähnlich, deshalb müssen zahlreiche junge Männer untertauchen oder nach Kanada fliehen.

Am Anfang, im Jahr 1965, sind es nur ein paar hundert Menschen, die sich zusammenfinden, um gegen den Krieg zu demonstrieren. Doch im Jahr 1968 erscheinen allein in Washington schon Hunderttausende zu Demonstrationen. Im Zentrum der frühen Antikriegsproteste stehen Studenten, an Hunderten von Universitäten finden Proteste und Streiks statt. Auf *Teach-ins* diskutieren Studenten und Professoren über die Hintergründe des Krieges, statt sich dem verordneten Stoff zu widmen. Die Regierung bekommt die Stimmung zu spüren: Johnson kann sich kaum noch öffentlich zeigen, ohne dass ihm Sprechgesänge »LBJ, LBJ, how many kids did you kill today?« (»LBJ, LBJ, wie viele Kinder hast du heute umgebracht?«) entgegenschallen.

Eine Generation rebelliert

Es ist kein Zufall, dass es ausgerechnet in den Sechzigern zu einem so starken gesellschaftlichen Wandel kommt. Es ist eine Zeit, die stark von jungen Leuten geprägt wird. Nach Ende des Zweiten Weltkriegs fanden viele US-Bürger, dass jetzt ein guter Zeitpunkt sei, um zu heiraten und eine Familie zu gründen. Rekordzahlen an Kindern werden geboren, es kommt zum Babyboom. Die Folge: Im Jahr 1965 sind 41 Prozent aller Amerikaner jünger als zwanzig Jahre. In den Sechzigern strömen die *Babyboomer* auf die Universitäten und lassen sie fast aus den Nähten platzen.

Diese Generation hat – wie schon die *Beats* in den fünfziger Jahren – immer mehr das Gefühl, dass sie sich mit der amerikanischen Kultur nicht mehr identifizieren kann. Als »normal« gilt, brav auf einer der riesigen und anonymen Universitäten zu studieren. Anschließend wird von Männern erwartet, dass sie in großen Unternehmen Karriere machen, und von Frauen, dass sie in Heim und Herd ihre Erfüllung finden. Ein solches Leben reizt viele junge Leute nicht

mehr, sie finden es zu angepasst, völlig auf Besitz und Konsum fixiert. Sie beginnen, gegen die geistige Enge, die verstaubten Ansichten und den Machtmissbrauch der traditionellen Autoritäten (das *Establisment*) zu protestieren – und damit nach und nach wichtige Erneuerungen in Gang zu setzen. Innerhalb weniger Jahre werden sie zur Triebkraft eines gesellschaftlichen Wandels, der das Verhältnis der Geschlechter verändert, einen offeneren Umgang mit Sexualität und neue Werte mit sich bringt. Diese Jugendrevolte findet in dieser Zeit in vielen Ländern statt, in Frankreich und Deutschland ebenso wie in den USA. Besonders junge Weiße aus der wohlhabenden Mittelschicht rebellieren. Immer mehr machen sich auf die Suche nach Selbstverwirklichung und Frieden, viele träumen von einer Gegenkultur.

In Amerika verkörpern *Hippies,* die »Blumenkinder«, diese Gegenkultur. Mit ihren langen Haaren, Jeans, selbst gefärbten Klamotten und Sandalen sieht man ihnen den Protest gegen die Gesellschaft schon von weitem an. Zu ihrem Lebensstil gehören Rockmusik, Drogen, das Zusammenleben in Kommunen und die freie Liebe. Viele interessieren sich für Spiritualität und fernöstliche Religionen wie den Buddhismus. Im »Sommer der Liebe« im Jahr 1967 werden Bezirke wie Haight-Ashbury in San Francisco als Brennpunkte der Bewegung berühmt. »If you're going to San Francisco, be sure to wear some flowers in your hair ... you're gonna meet some gentle people there ... – Wenn du nach San Francisco kommst, dann trag Blumen in deinem Haar ... du wirst dort sanfte Menschen treffen«, singt Scott McKenzie in seinem berühmten Song, in dem er das Lebensgefühl dieser Generation beschreibt. Obwohl sich nur ein Teil der *Hippies* gesellschaftlich engagiert, ist für sie alles, was sie tun, politisch. Sie treten für Frieden, Liebe und Harmonie ein, ihr Slogan »Make love, not war« wird berühmt.

Für die Gegenkultur ist Musik eines der wichtigsten Protestmittel. Besonders Robert Allen Zimmerman (*1941), ein Folk-Sänger, der unter dem Namen Bob Dylan zu einem der Sprecher der Bewegung wird, schafft es, in Songs wie »The Times They Are A-Changin'«, »Blowin' In The Wind«, »A Hard Rain's A-Gonna Fall« oder »Like a Rolling Stone« die Gefühle seiner Generation auszudrücken. Eine der Höhepunkt dieser Ära ist das Musikfestival Woodstock, das 1969 auf einer Farm im Staat New York stattfindet und zum Kultereignis wird. Drei unvergessliche Tage lang hören eine halbe Million Menschen die Musik von Joan Baez, Jimi Hendrix, Santana, The Who und anderen berühmten Bands – die neue Musik des politischen Protests –, rauchen Joints und feiern friedlich. Matsch und Regengüssen zum Trotz.

Die Zeit der Befreiungen

Ermutigt von der Bürgerrechtsbewegung und der Jugendrevolte wagen auch andere Gruppen den Aufstand. Die Taktiken schauen sie sich bei Martin Luther King und seinen Anhängern ab.

Viele Frauen fühlen sich gefangen in ihrem Leben, das um ihren Ehemann, Kinder und das Heim kreist. Während des Zweiten Weltkriegs, als der Wirtschaft vorübergehend die Männer ausgingen, konnten sie sich in der Arbeitswelt erproben, doch danach war alles wieder wie früher. Die Soziologin Betty Friedan (*1921), selbst Mutter von drei Kindern, beschreibt in ihrem Bestseller *Der Weiblichkeitswahn oder Die Mystifizierung der Frau* die bürgerliche Idylle als »gemütliches Konzentrationslager« und wird damit zu einer der Sprecherinnen des aufkommenden Feminismus. Frauenorganisationen beginnen für gleiche Rechte und Chancen in der Arbeitswelt, die Legalisierung von Abtreibung und andere Ziele einzutreten. Eine Gruppe namens *Radical Women* macht deutlich, was sie vom gängigen Frauenbild hält: Bei der Wahl der Miss America 1968 küren sie ein Schaf zur Siegerin und werfen öffentlich BHs, Korsetts, Perücken und anderes Schönheits-Zubehör in eine »Freiheits-Mülltonne«. Damit liegen sie voll im Trend, zahllose andere Frauen haben es längst dem Beispiel der *Hippies* nachgemacht und ihre Büstenhalter auf ähnliche Weise entsorgt.

Auf der gesetzlichen Ebene schaffen sie nur Teilerfolge, denn die Konservativen geben den Kampf nicht so leicht auf und leisten besonders gegen Abtreibung erbitterten Widerstand. Aber der Befreiungsschlag hat sich trotzdem gelohnt: Innerhalb von wenigen Jahren entscheiden sich unzählige Frauen, vom heimischen Herd in die Berufswelt zu wechseln.

Auch Homosexuelle organisieren sich, um sich gleiche Rechte zu erkämpfen. Zum ersten Mal setzen sie sich heftig gegen Versuche zur Wehr, ihre Treffpunkte zu schließen, und wagen zu Tausenden ein *Coming-Out,* obwohl das in diesen Zeiten noch riskant ist und das gesellschaftliche und berufliche Aus bedeuten kann. Doch auch sie stoßen nach ersten Erfolgen auf heftigen Widerstand von christlichen Konservativen, die durchsetzen können, dass in manchen Staaten die brandneuen Gleichberechtigungsgesetze wieder abgeschafft werden.

Die Ureinwohner Nordamerikas finden in den sechziger Jahren ebenfalls zu einem neuen Selbstbewusstein. Noch immer lebt über die Hälfte von ihnen auf kargen Reservaten, in denen Armut und Alkoholismus zum Alltag gehören. Ihre

Lebenserwartung liegt in dieser Zeit bei nur 46 Jahren. Ihre Selbstmordrate ist sogar hundertmal höher als der nationale Durchschnitt.

Doch die Hoffnung mancher rassistischer Politiker, die Ureinwohner würden einfach still und leise aussterben und man könnte das, was ihnen angetan wurde, folgenlos vergessen, erfüllt sich nicht. Im Gegenteil. Die Zahl der Amerikaner indianischer Abstammung steigt wieder, hat sich seit der Jahrhundertwende mehr als verdoppelt: 800 000 leben heute auf dem Staatsgebiet der USA. Sie versuchen das, was von ihrer Kultur noch übrig ist, zu retten und machen mit Protesten und Demonstrationen auf ihr Schicksal aufmerksam.

Es geht zu Ende

Zwar entsendet die Regierung mehr Soldaten nach Vietnam als je zuvor, doch die USA können den Krieg nicht für sich entscheiden. Nicht nur das, am 31. Januar

Späte Gerechtigkeit

Heute kämpfen die Ureinwohner Nordamerikas nicht mehr mit Pfeil und Bogen, sondern mit Paragrafen. Seit den sechziger Jahren pochen die Nachfahren der Sioux, Dakota und anderer Stämme, die einst von der US-Regierung übers Ohr gehauen wurden, vor Gericht mit Kopien der alten Verträge darauf, dass die Vereinbarungen eingehalten werden. Tatsächlich haben sie es in Alaska, Maine, Massachussetts und South Carolina geschafft, ansehnliche finanzielle Entschädigungen für die Vertragsbrüche von einst zu bekommen. Auch am Image der Ureinwohner Nordamerikas hat sich einiges geändert: Inzwischen gibt es viele Filme und Bücher, in denen Indianer mit ihrer Kultur im Mittelpunkt stehen und nicht mehr wie noch in den Fünfzigern und Sechzigern als primitive Bösewichte dargestellt werden, die die Helden in ihrer Wagenburg mit schrillem Geheul angreifen. In den Geschichtsbüchern werden sie und andere Minderheiten fairer dargestellt, und das, was sie erlitten haben, wird nicht mehr verschwiegen. Finanziell geht es manchen Stämmen inzwischen gar nicht schlecht, seit sie die Erlaubnis haben, Spielcasinos zu betreiben – sie bekommen von der Regierung bevorzugt Lizenzen dafür, damit sie aus eigener Kraft der Armutsfalle entkommen können.

1968, am vietnamesischen Neujahrstag (Tet), schafft der Vietcong es sogar vorübergehend, Saigon, die Hauptstadt Südvietnams, und die dortige US-Botschaft zu erobern. Den Menschen in den USA wird klar, dass trotz der optimistischen Parolen ihrer Regierung ein militärischer Sieg nicht mehr möglich ist. Jetzt geht es nur noch darum, aus der ganzen Sache herauszukommen, ohne sich völlig zu blamieren. Johnsons Diplomaten beginnen, in Paris mit Nordvietnam über einen Waffenstillstand zu verhandeln. Doch dabei wird klar, dass die beiden Seiten nicht viel gemeinsam haben: Es dauert schon Monate, bis sie sich über die Form des Tischs geeinigt haben, an dem die Verhandlungen stattfinden sollen. Währenddessen geht das Sterben weiter. Es dauert noch fünf Jahre, bis die letzten US-Soldaten aus Vietnam abziehen.

Johnson hat genug von dem ganzen Thema. Er gibt überraschend bekannt, dass er sich nicht zur Wiederwahl stellen wird. Aber auch die *Flower-Power*-Ära verblüht langsam. Viele *Hippie*-Kommunen scheitern (wie viele WGs) daran, dass irgendwann das Geld ausgeht oder es Streit über die Aufgabenverteilung gibt. Aus Gegenkultur wird Mainstream: Sandalen, Räucherstäbchen und Batik-Westen gibt es inzwischen auch im Kaufhaus. Und dass Rockmusik, Frieden und Harmonie nicht immer zusammengehören, zeigt sich, als bei einem Rolling-Stones-Konzert ein schwarzer Fan von als Sicherheitskräften angeheuerten *Hell's Angels* erstochen wird.

Auch die Bürgerrechtsbewegung verändert sich. Frustriert davon, dass sich nicht wirklich etwas verändert, beginnen immer mehr Bürgerrechtler, sich von ihren friedlichen Taktiken abzuwenden. Selbst King zweifelt immer stärker daran, dass die Kraft der Liebe ausreicht, um Hass, Ungerechtigkeiten und Gewalt zu begegnen. Am 4. April 1968 wird Martin Luther King Opfer des Hasses, den er bekämpft: Bei einer Kundgebung in Memphis, Tennessee wird er von einem weißen Rassisten erschossen. Ganz Amerika trauert um diesen außergewöhnlichen Mann, und in sechzig Städten machen Schwarze ihrer Wut über den Mord durch gewalttätige Unruhen Luft. Die Innenstädte, in denen inzwischen fast nur noch Schwarze leben, gehen förmlich in Flammen auf. Nun gewinnt die radikalere *Black-Power*-Bewegung die Oberhand, darunter die *Black-Panther*-Partei, deren Anhänger sich gerne mit Gewehren in der Hand zeigen.

Der Albtraum geht weiter. Kurz darauf, am 6. Juni, wird ein zweiter Hoffnungsträger Amerikas erschossen: John F. Kennedys jüngerer Bruder Robert (Bobby), der sich gerade an die Spitze der Kriegsgegner gesetzt hatte und als Präsidentschaftskandidat im Gespräch war.

All jene, die sich nach Ruhe und Stabilität sehnen und die Hippies schon immer misstrauisch beäugt haben, setzen bei der nächsten Wahl auf den konservativen Richard M. Nixon, den langjährigen Vizepräsidenten Eisenhowers und ehemaligen kalifornischen Gouverneur. Er verspricht den Amerikanern einen ehrenvollen Rückzug aus Vietnam und Harmonie daheim. Doch als er im Weißen Haus sitzt, stellt sich heraus, dass er in Wirklichkeit keinerlei Plan hat, wie das gehen soll. Noch jahrelang bleiben amerikanische Truppen in Vietnam. Eigentlich hätten die Wähler wissen können, was mit Nixon auf sie zukam. Schon in den fünfziger Jahren hatte er sich vor allem dadurch hervorgetan, dass er dem berüchtigten Joseph McCarthy bei seiner Jagd auf Kommunisten und un-amerikanische Aktivitäten behilflich war. Als Präsident Eisenhower von Journalisten gefragt wurde, warum sein langjähriger Vize Nixon sich als Präsident eigne, sagte er spöttisch: »Wenn ich einen Moment überlege, fällt mir bestimmt was ein.« Nixons Feinde veröffentlichen Fotos seines nicht sehr vertrauenerweckenden Gesichts mit der Unterschrift »Würden Sie von diesem Mann ein gebrauchtes Auto kaufen?«

Besser nicht, wie sich herausstellt. Doch bevor seine Machenschaften auffliegen, ist erst einmal die Regierung Johnson dran. Wie oft sie die Bürger belogen hat, kommt im Juni 1971 heraus, als Daniel Ellsberg, ein mutiger ehemaliger Angestellter des Verteidigungsministeriums, sich entscheidet, eine geheime Studie über die Geschichte des Vietnamkriegs an die Presse zu geben. Schockiert von dem, was er aus den Dokumenten erfahren hatte, stand Ellsberg nächtelang am Kopierer, um 7 000 Seiten Material zu vervielfältigen. Nixon versucht zu verhindern, dass es an die Öffentlichkeit kommt, aber das Oberste Gericht entscheidet, dass die so genannten *Pentagon Papers* veröffentlicht werden dürfen. Jetzt erst erfährt die Öffentlichkeit die Wahrheit über den Krieg, zum Beispiel über den erfundenen Zwischenfall im Golf von Tonkin.

Trotz dieser Enthüllungen ist kein Ende in Sicht. An Weihnachten 1972 lässt Nixon noch einmal Tonnen von Bomben über großen Städten in Nordvietnam abwerfen. Die Weltöffentlichkeit ist empört. Später stellt sich heraus, dass außerdem vierzehn Monate lang heimlich Kambodscha bombardiert worden ist, ein Nachbarstaat Vietnams, von dem aus angeblich Nachschub für die kommunistischen Truppen kam. Auch eine Invasion des anderen Nachbarstaats Laos haben die USA unterstützt.

Der Ruf nach Frieden wird immer lauter, die Unruhen heftiger. Bei Protesten in Ohio, an der Kent State University, erschießt die nervöse Nationalgarde bei einer Demonstration vier Studenten – die Antwort der traurigen und wütenden jungen Leute ist ein Generalstreik an 400 Colleges und Universitäten. In den

US-Truppen ist die Stimmung auf einem Tiefstand. 1966 hatten sich drei Soldaten geweigert, das Flugzeug zu betreten, das sie nach Vietnam bringen sollte, weil der Krieg ihrer Meinung nach »unmoralisch, illegal und ungerecht« ist. Obwohl sie zu harten Strafen verurteilt wurden, kam es immer öfter zu solchen Zwischenfällen. Proteste, Befehlverweigerungen und Sabotageakte häuften sich, insgesamt desertierten rund 50 000 Männer. Im April 1971 reisten über tausend aus Vietnam zurückgekehrte Soldaten nach Washington, warfen ihre Medaillen über den Zaun des Kapitols und sagten voller Wut und Verbitterung, was sie von diesem Krieg hielten. Als das Pentagon 1972 die schweren Bombardierungen befiehlt, lehnen einige Bomberpiloten ab, die befohlenen Einsätze zu fliegen.

Inzwischen protestieren längst nicht mehr nur Studenten, sondern ein großer Teil der Gesellschaft. Die Richter und Geschworenen beginnen, Kriegsdienstverweigerer immer milder zu behandeln und sprechen sie zum Teil sogar frei. Als militärische Erfolge ausbleiben und der Druck wächst, gibt die US-Regierung schließlich nach und unterschreibt ein Waffenstillstandsabkommen. 1973 verlassen die letzten US-Soldaten Vietnam. Keine zwei Jahre später gewinnt der kommunistische Norden den Krieg und erklärt das Land zur Demokratischen Republik. Über drei Millionen Vietnamesen haben den Tod gefunden, davon rund zwei Millionen Zivilisten. Weitere vier Millionen wurden verstümmelt oder durch giftige Chemikalien wie Agent Orange verätzt.

Nach diesen schlimmen Erfahrungen beschränken die Gesetzgeber die Macht des US-Präsidenten, Truppen einzusetzen, ohne den Kongress um Erlaubnis zu fragen.

Doch der nächste Schock steht den Amerikanern gerade erst bevor.

»Ich bin kein Schurke« – Nixon und Watergate

Am 17. Juni 1972 bemerkt ein aufmerksamer Wachmann an einem Türschloss des Wahlkampfhauptquartiers der Demokraten im Bürokomplex Watergate verdächtiges Klebeband über einem Türschloss. Er ruft die Polizei, die fünf Einbrecher verhaftet. Da sie Gummihandschuhe tragen und neben Walkie-Talkies und Tränengas auch noch Abgehörgeräte bei sich haben, folgert die Polizei, dass sie gerade dabei gewesen sind, »Wanzen« zu installieren. Obwohl sie bei ihrer Verhaftung falsche Namen angeben, kommt ihre Identität schnell ans Licht. Fast alle von ihnen sind ehemalige FBI-Beamte. Einer von ihnen ist James McCord, ein ehemaliger Agent des amerikanischen Geheimdiensts CIA und Sicherheitschef des »Komitees zur Wiederwahl des Präsidenten« (die Abkürzung für dieses Komitee lautet CREEP, was interessanterweise »Fiesling« bedeutet).

Kann es sein, dass das Weiße Haus in die Sache verwickelt ist? Während Staatsanwälte und ein Untersuchungsausschuss ihre Arbeit aufnehmen, machen sich auch zwei Reporter der *Washington Post*, Carl Bernstein und Bob Woodward, auf eine Spurensuche, um herauszufinden, was hinter dem eigenartigen missglückten Einbruch steckt. Nixons Mitarbeiter versuchen mit aller Kraft und zahlreichen Lügen, die Hintergründe zu verschleiern. Doch je mehr die beiden Journalisten herausfinden, desto deutlicher wird, dass die Spur der kriminellen Machenschaften bis ganz oben in die Regierung führt. Sie kommen einem Bestechungsfonds der Republikaner auf die Spur, der mit illegalen Wahlkampfspenden gefüllt wurde. Aus diesem Fonds war der Einbruch bezahlt worden. Die Täter gehören, wie sich herausstellt, zu einer geheimen Gruppe, den »Plumbers« (»Klempner)«, die für das Weiße Haus systematisch kriminelle Drecksarbeit erledigte. Zum Beispiel, Nixons politische Rivalen auszuspionieren und zu sabotieren.

Nachdem die *Washington Post* das trotz derber Drohungen aus dem Weißen Haus öffentlich gemacht hat, stellen sich die ersten Beteiligten als Kronzeugen zur Verfügung. So kommt heraus, dass Nixons engste Mitarbeiter in die Sache verwickelt waren. Und es fliegt auf, dass Nixon sämtliche Gespräche in seinem Büro, dem *Oval Office,* heimlich aufgezeichnet hat. Der schockierten Öffentlichkeit, die Nixon vor kurzem wiedergewählt hat, wird endgültig klar, was für ein skrupelloser, von Verfolgungswahn geplagter Mann ihr Präsident ist.

Nervös versichert Nixon in einer Fernsehansprache: »I am not a crook – Ich bin kein Schurke.« Kurz darauf ist das Gegenteil erwiesen. Als Nixon die Tonbänder nach monatelangem Rechtsstreit schließlich herausgibt, sind achtzehn Minuten davon gelöscht. Angeblich versehentlich. Doch das, was auf dem Rest zu hören ist, reicht schon, um ihn endgültig zu stürzen: Es wird klar, dass Nixon persönlich an der kriminellen Vertuschung des Watergate-Einbruchs beteiligt war. Ein Amtsenthebungsverfahren wird gegen ihn eingeleitet, und am 9. August 1974 verkündet Richard Nixon als erster Präsident der USA seinen Rücktritt, um dem Rauswurf zuvorzukommen. Das Ansehen und die Glaubwürdigkeit der Regierung ist auf einem neuen Tiefstand angelangt. Zwar sollen neue Gesetze dafür sorgen, dass sich solche Machenschaften nicht wiederholen können. Aber noch müssen sich diese Vorsichtsmaßnahmen bewähren.

Teil IV

Die USA heute

Kapitel 12

Eine neue Weltordnung

(1980–2005)

Die Reagan-Jahre bringen den USA Wohlstand, ein neues Selbstbewusstsein und gigantische Schulden. Mit dem überraschenden Zusammenbruch der Sowjetunion endet der Kalte Krieg und damit auch die antikommunistische Politik der USA weltweit. Vorübergehend verliert Amerika sein Feindbild. Doch schon betritt ein neuer Gegner die Bühne: der Islam.

Von Hollywood nach Washington

Nach der Krisenzeit ist eine starke Persönlichkeit gefragt. Jimmy Carter (*1924), ein fast unbekannter Ingenieur und Erdnussfarmer mit wenig politischer Erfahrung, kann diese Rolle nicht ausfüllen. Obwohl er sich erfolgreich als Friedensstifter zwischen Israel und Ägypten betätigt und erste Abrüstungsverträge mit der Sowjetunion schließt, geht er als glücklos in die Geschichte ein, vor allem weil die spektakuläre Geiselnahme in der Iraner US-Botschaft im Jahr 1979 seine Amtszeit verdüstert.

Einen neuen starken Präsidenten findet die USA in einem ehemaligen Schauspieler. Ronald Reagan (1911–2004) stammt von irischen Einwanderern ab und ist einer kleinen Stadt im Mittleren Westen der USA aufgewachsen. Er lässt sich nicht davon unterkriegen, dass sein Vater Alkoholiker ist, sondern studiert auf einem kleinen College Wirtschaft und Soziologie; nebenbei arbeitet er als Rettungsschwimmer und Sportreporter für einen Radiosender. Schon bald nach dem Studium zieht es ihn nach Hollywood, wo er 1937 seine erste Rolle ergattert und eine Schauspielerin heiratet. Insgesamt tritt er in sechzig Filmen auf, mal spielt er den wagemutigen Kommandanten eines U-Boots, mal einen Professor, der einem Schimpansen menschliche Moral beibringen will. Ein richtiger

Filmstar wird Reagan zwar nie, aber er bekommt einen eigenen Stern auf dem Hollywood Walk of Fame und wird ein erfolgreicher Fernseh-Showmaster und Produzent. Auch seine zweite Frau, die zierliche, resolute Nancy Davis, ist eine Schauspielkollegin.

Sowohl Schauspieler als auch Politiker stehen häufig im Scheinwerferlicht, müssen gute Redner sein und ihr Publikum überzeugen. Gut auszusehen ist ebenfalls hilfreich. Ronald Reagan bringt alle wichtigen Talente für den Job mit, und als er sich immer stärker politisch engagiert (erst als Demokrat, später als Republikaner), startet er erfolgreich eine zweite Karriere. »Politiker ist kein schlechter Beruf«, scherzt er einmal. »Wenn man Erfolg hat, lohnt sich das, und wenn man Mist baut, kann man immer noch ein Buch schreiben.«

Zunächst wird er Gouverneur von Kalifornien – wie viele Jahre später ein anderer Schauspieler, der aus Österreich eingewanderte Action-Star Arnold Schwarzenegger. 1980 wird Reagan mit siebzig Jahren der bisher älteste Präsident der Vereinigten Staaten. Er ist überzeugter Konservativer, der den Wählern verspricht, die »Sozialhilfeschmarotzer wieder an die Arbeit zu schicken« und unter den aufsässigen Studenten an der Universität Berkeley aufzuräumen. Er ist überzeugt, dass die »Regierung nicht die Lösung für unsere Probleme, sondern selbst das Problem ist«, und setzt auf unregulierte Marktwirtschaft. Diese so genannten *Reaganomics* bringen den USA zwar vorübergehend mehr Wohlstand, aber auch eine noch nie da gewesene Staatsverschuldung.

Reagans Cowboy-Manieren, seine schlichte Weltsicht und seine Einteilung der Welt in Gut und Börse sind vielen Ländern suspekt. Doch mit seinem Optimismus und seinem Humor schafft Reagan es durch manche Krise und so manchen Skandal. Selbst als im März 1981 ein psychisch gestörter Attentäter versucht, ihn zu ermorden, um die Schauspielerin Jodie Foster zu beeindrucken, verliert er seinen Humor nicht. Als er angeschossen ins Krankenhaus gebracht wird, scherzt er mit den Ärzten, die ihn operieren sollen: »Ich hoffe, ihr seid alle Republikaner ...«

Als das Space Shuttle *Challenger*, auf das die ganze Nation stolz war, 1986 beim Start explodiert, schafft er es, die USA nach dieser Katastrophe wieder aufzumuntern.

Doch Kritik bringt ihm ein, dass seine Regierung überall auf der Welt, aber vor allem in Lateinamerika mit Geld und Waffen Gruppen unterstützt, die gegen kommunistische Regierungen kämpfen, oder Regimes, die ihm genehm sind, vor Umstürzen schützt. Noch immer setzt das Weiße Haus auf die Logik des Kalten

Krieges und auf die Monroe-Doktrin, die besagt, dass alles, was in Lateinamerika – sozusagen in der Nachbarschaft der USA – passiert, Amerika eine ganze Menge angeht. Wie schon in Asien müssen nun in Lateinamerika andere Länder in Stellvertreterkriegen der Supermächte bluten.

In Nicaragua unterstützt der US-Geheimdienst CIA die »Contras«, die von manchen schlicht als Terroristen gesehen werden, in ihrem Guerillakrieg gegen die Regierung. Auch der saudi-arabische Terrorist Osama bin Laden bekommt handfeste Hilfestellung, weil er gegen die sowjetischen Besatzer in Afghanistan kämpft. Im Libanon haben die USA kein Glück, sie ziehen sich nach einem terroristischen Anschlag aus der Region zurück. Vielleicht um dieses Debakel vergessen zu machen, startet Reagan 1983 eine Invasion der winzigen Karibikinsel Grenada. Dort lässt er eine Hand voll US-Studenten evakuieren, die angeblich durch die neue kommunistische Regierung Grenadas bedroht sind.

Brenzlig wird es für Reagan vorübergehend, als durch einen Artikel in einer kleinen Zeitung in Beirut herauskommt, dass die USA Waffen an den Iran verkauft hatten (was untersagt war), um Geiseln im Libanon freizubekommen. Den Gewinn durch die Waffenverkäufe hatten Reagans Leute heimlich an die »Contras« in Nicaragua weitergeleitet, obwohl der Kongress solche Unterstützung ausdrücklich verboten hatte.

Auch Reagans Erbe George Herbert Bush (*1924) sieht es als seine Aufgabe an, in Lateinamerika für Ordnung zu sorgen. Als General Manuel Noriega, einst ein nützlicher Kontakt der CIA in Panama, immer diktatorischer regiert und schließlich in großem Stil ins Drogengeschäft einsteigt, klagt ihn ein Gericht in Florida in Abwesenheit wegen Drogenhandels an. Die USA erklären dem winzigen Panama den Krieg und machen Jagd auf den Drogenboss, Noriega ergibt sich und wird 1992 in den USA vor Gericht gestellt.

Der Zusammenbruch der Sowjetunion

Reagans Ziel ist, den USA ihre frühere Stärke zurückzugeben. Dazu gehört für ihn, den Patrioten und Anti-Kommunisten, massiv aufzurüsten. Mit ihm geht der Kalte Krieg in eine letzte, heiße Phase. Er stellt dem Militär gigantische Summen zur Verfügung, denn für ihn ist die Sowjetunion das »Reich des Bösen« und eine ständige Gefahr.

»Das Fortschreiten von Freiheit und Demokratie wird den Marxismus-Leninismus auf dem Aschehaufen der Geschichte zurücklassen, wo schon andere Tyranneien gelandet sind, die die Freiheit und die Selbstbestimmung der Menschen unterdrücken wollten«, erklärt er 1982. Und bei einer Mikrofonprobe, bei der die meisten Leute nur »Eins-zwei-drei-*Test*« sagen, kündigt er an, dass die Bombardierung der Sowjetunion in fünf Minuten beginnt. Es ist nur ein Witz, aber einer, der einem quer im Hals stecken bleibt.

Statt Gesellschaftskritik ist in dieser Zeit Patriotismus angesagt. Langsam wendet sich die Stimmung im Land, die USA gewinnen wieder Selbstvertrauen. Eine lange Phase des Wohlstands beginnt, auch weil der Ölpreis wieder auf einen normalen Level sinkt. Doch da Reagan die Steuern gesenkt hat und seine Regierung dadurch weniger einnimmt, aber gleichzeitig mit vollen Händen Geld ausgibt, häufen die USA mit ihren Rüstungsprojekten gigantische Schulden an. Für die Umweltbewegung, die in den Siebzigern begonnen hat, ist dagegen kein Geld übrig: Saurer Regen, Abholzung und die Gefahren durch Atomkraft interessieren Reagans Regierung nicht.

Trotz seiner markigen Worte gegen die Sowjetunion ist Ronald Reagan kein Betonkopf. »Herr Gorbatschow, öffnen Sie dieses Tor, reißen Sie diese Mauer ein!«, ruft er Mitte der achtziger Jahre am Brandenburger Tor. Als der neue junge Parteichef Michail Gorbatschow (*1931) nach seiner Wahl zum Staatschef im Jahr 1985 beginnt, die Sowjetunion von innen zu reformieren und mit dem Westen Kontakt aufzunehmen, ist Reagan zu Gesprächen bereit. Er trifft sich mit Gorbatschow auf neutralem Boden in Island, und gemeinsam beschließen sie, einen Teil ihrer Raketen zu vernichten. Zwar betrifft die Vereinbarung nur vier Prozent ihrer Nuklearwaffen, aber das ist nicht entscheidend: Wichtig ist, dass damit ein erster Schritt getan ist. Zum ersten Mal ist ein Ende des Wettrüstens in Sicht. Als die Sowjetunion ihre Truppen aus Afghanistan abzieht, wird noch deutlicher, dass Gorbatschow Ernst macht und eine neue Zeit beginnt.

George Bush, acht Jahren lang Reagans Vizepräsident und sein politischer Erbe, erlebt schließlich den Zusammenbruch des Kommunismus mit. Erstaunt und fasziniert verfolgen die Menschen in den USA, wie sich der einstige Erzfeind auflöst. Das Riesenreich der Sowjetunion zerfällt in eine Vielzahl von Völkern und Teilrepubliken, die das politische Tauwetter nutzen, um ihre Unabhängigkeit zu erklären. In dem Moment, in dem die Regierung der Sowjetunion ihre eiserne Kontrolle über die Länder Osteuropas lockert, löst sich dort ein totalitäres Regime nach dem anderen auf und wird von den eigenen Bürgern abgesetzt.

In Ungarn, Polen, der Tschechoslowakei und Bulgarien endet die Herrschaft des Kommunismus, und am 9. November 1989 ist es auch in der DDR soweit.

Bush begreift die Zeichen der Zeit und kündigt an, die Zahl der Langstreckenraketen mit Atomsprengköpfen zu reduzieren, denn schließlich sei die Invasion Westeuropas durch die Sowjetunion keine realistische Bedrohung mehr. Erfreut zieht Gorbatschow nach. Der Kalte Krieg ist endgültig beendet.

Die neue Weltordnung

Nach dem Ende des Kommunismus ist der Optimismus zunächst groß. Doch das neue Feindbild lässt nicht lange auf sich warten: die islamischen Nationen im Nahen und Mittleren Osten.

Die USA sind schon seit Ende des Zweiten Weltkrieges im Nahen Osten aktiv und unterstützen dort den 1948 gegründeten Staat Israel. In die Konflikte Israels mit seinen arabischen Nachbarstaaten sind die USA direkt oder indirekt verwickelt, der Hass, den viele Muslime für den jüdischen Staat empfinden, überträgt sich auch auf die Vereinigten Staaten. Dass die USA einen Frieden zwischen Israel und Ägypten vermitteln, macht sie bei den Fundamentalisten nicht beliebter. Auch der Zusammenprall zwischen den unterschiedlichen Werten und Überzeugungen des Westens und des Islams speist die Konflikte. Für die Mullahs, die 1979 im Iran ein fundamentalistisches Regime errichten und die Angestellten der US-Botschaft als Geiseln nehmen, ist Amerika der Erzfeind. Umgekehrt fühlen sich viele Menschen in den USA vom Islam bedroht.

Was den Nahen Osten für Amerika zu einer besonders interessanten und kritischen Region macht, sind die riesigen Ölvorkommen dort. In jedem der Kriege, die die USA, einer der größten Energieverbraucher der Welt, in den nächsten Jahren in der Region führen, spielt dieser Faktor eine wichtige Rolle.

Ärger gibt es mit den arabischen Ländern schon in den achtziger Jahren. Libyens Staatschef Muammar al-Qaddafi finanziert Attentate auf US-Bürger: 1986 wird die Berliner Diskothek La Belle Ziel eines Anschlags, weil dort US-Soldaten verkehren, und im Lockerbie-Anschlag sprengen Terroristen einen voll besetzten Jumbo über einer schottischen Kleinstadt in die Luft. Mit dem irakischen Diktator Saddam Hussein (*1937) herrscht zunächst gutes Einvernehmen, weil dieser Krieg gegen den ungeliebten Iran führt. Doch im Juli 1990 besetzt

Hussein den winzigen, aber ölreichen Nachbarstaat Kuwait und erklärt ihn zur irakischen Provinz. Die Organisation der Vereinten Nationen (UNO) verurteilt den Angriff, und eine internationale Allianz vor allem von Briten und US-Amerikanern stellt Soldaten für eine Befreiung Kuwaits zur Verfügung. »Remember, George, this is no time go wobbly! – Denk daran, George, jetzt ist nicht die Zeit, schwach zu werden«, ermahnt die Eiserne Lady, die britische Premierministerin Margaret Thatcher, ihren Kollegen.

Bush enttäuscht sie nicht. Am 17. Januar 1991 erhellen Leuchtspurgeschosse den Himmel über Bagdad: Die Bombardierung von Saddams Truppen in Irak und Kuwait hat begonnen. Damit die Öffentlichkeit nicht wie einst bei Vietnam aufmuckt, sorgt die US-Regierung dafür, dass es diesmal keine blutigen Fernsehbilder zu sehen gibt. Stattdessen verbreiten die Nachrichtensender vom Pentagon freigegebene Bilder von im Wüstensand herummanövrierenden Panzern und präzise einschlagenden Lenkwaffen. Es herrscht strenge Zensur.

Schon Ende Februar ist fast alles vorbei. Überstürzt fliehen die Iraker und stecken dabei die Ölquellen Kuwaits in Brand. Saddam muss einen Waffenstillstand akzeptieren und UN-Inspektoren in sein zerstörtes Land lassen. Doch er darf an der Macht bleiben. Trotz des schnellen und leichten Siegs bleibt der Golfkrieg damit nach Ansicht vieler unvollendet. In den nächsten Jahren blockiert Saddam die Kontrollen der UNO nach Kräften. George Bush jedoch spricht von einer »Neuen Weltordnung«, in der die UNO mit Hilfe der USA für Frieden in der Welt sorgt.

Bill Clinton und seine »humanitären Kriege«

Nach dem Irakkrieg kehrt zunächst Ruhe ein, die USA kümmern sich wieder stärker um sich selbst. Obwohl er einen Krieg gewonnen hat, wird George Bush 1993 abgewählt. Bill Clinton gewinnt die Wahl mit dem Slogan »It's the economy, stupid – Es geht um die Wirtschaft, Dummerchen«. Unter ihm kommt die Wirtschaft wieder auf Touren. Er schafft es nicht nur, die immensen Staatsschulden seiner Vorgänger auszugleichen, sondern sogar einen Überschuss zu erwirtschaften. Die Arbeitslosigkeit geht drastisch zurück.

William Jefferson Clinton (*1946), genannt Bill, ist das genaue Gegenteil des steifen, aristokratischen George Bush senior. Er ist im tiefen Süden aufgewachsen, im kleinen, als rückständig und rassistisch geltenden Staat Arkansas. Die

Familie lebt in bescheidenen Verhältnissen. Sein Vater stirbt früh, der Stiefvater ist Alkoholiker und verprügelt die Mutter. »Ich gewöhnte mich daran, diese dunkle, verborgene Seite unserer Familie als normalen Bestandteil meines Lebens zu akzeptieren und erzählte niemandem davon«, erinnert Bill Clinton sich. Er schafft es, dieser Situation zu entfliehen und studiert Jura an der Eliteuniversität Yale. Dort lernt er auch seine spätere Frau Hillary (* 1947) kennen. Sie gilt als ebenso brillant und ehrgeizig wie er und engagiert sich für die Bürgerrechtsbewegung und gegen den Vietnamkrieg. Auch Bill hält nicht viel von diesem Krieg und schafft es, der Einberufung zu entgehen. Schon als Student mischt er mit großem Vergnügen in der Politik mit, während Hillary zu einer bekannten Rechtsanwältin wird. Clintons steiler Aufstieg beginnt. Er wird Justizminister in seinem Heimatstaat, im Alter von 32 Jahren schafft er es zum Gouverneur von Arkansas. Wenige Jahre später wird er zum mächtigsten Mann in den USA. Obwohl er wegen seines Privatlebens schon damals im Kreuzfeuer steht.

Mit ihm gelangt ein Vertreter der jungen Generation ins Weiße Haus, der sich nicht für Waffenarsenale interessiert, sondern für Bildung, Umweltschutz und die Gleichstellung von Frauen einsetzen will. Und der sich, obwohl er aus den Südstaaten kommt, für die Rechte der Afroamerikaner engagiert. »Wir brauchen eine neue Regierung für ein neues Jahrhundert«, verkündet er.

Doch die Enttäuschung folgt schnell. Nur neun Tage nach der Wahl widerruft Bill Clinton sein Versprechen, sich für die Aufnahme von Homosexuellen in der Armee einzusetzen, weil das im Militär auf Widerstand trifft. Die versprochenen Steuersenkungen gibt's leider auch nicht. Auch später zeigt Clinton sich als Präsident, der sich nach Umfragewerten richtet und sein Fähnchen in den Wind der Meinungsforscher hält, statt seine Position auch gegen Widerstände durchzusetzen. Umstritten ist auch, dass Hillary in Clintons Regierung eine aktive Rolle spielt und eine seiner wichtigsten politischen Beraterinnen ist, obwohl sie streng genommen nicht selbst gewählt worden ist. Erst nach Ende der zweiten Amtszeit ihres Mannes wird sie als Senatorin des Staates New York gewählt und hat damit ein eigenes politisches Amt.

Bill Clinton hat den Ruf, ein Frauenheld zu sein – immer wieder kommen Gerüchte um Affären hoch. Unablässig greifen ihn Konservative und Medien deswegen an, und Clinton verstrickt sich nur allzu oft in ein Gewirr von Halbwahrheiten. Als schließlich bekannt wird, dass Clinton eine Affäre mit der Praktikantin Monica Lewinsky hatte und die Öffentlichkeit darüber belogen hat, beschäftigt der Skandal die Nation über ein Jahr lang und legt die Regierung fast lahm. Clinton hat Glück im Unglück: Die Zweidrittelmehrheit, die nötig wäre, um ihn abzusetzen, kommt nicht zustande. Er wird freigesprochen.

Während dieser Turbulenzen tun sich die USA schwer, nach außen eine politische Linie zu finden. Die letzte verbleibende Supermacht sucht ihre Rolle in der neuen Weltordnung. Die Clinton-Regierung versteht sich immer mehr als starker Arm der UNO und will an Konfliktherden überall auf der Welt ordnend eingreifen. Doch das klappt nicht immer. Besonders schwierig ist die Lage im ehemaligen Jugoslawien, wo die früheren Bundesstaaten Serbien und Kroatien seit 1992 Bosnien unter sich aufteilen. Bosnische Muslime werden ermordet, und Serben belagern mehr als drei Jahre lang die Stadt Sarajevo. Der Bosnienkrieg wird zur Feuerprobe für den neuen Präsidenten: Soll die UNO in diesem komplexen Konflikt Partei ergreifen? Und wenn ja, für wen? Die USA fliegen im Auftrag der UNO Luftangriffe gegen die Serben und beenden den Krieg. 1999 gibt es erneut Probleme, als die Serben die Abspaltung des Kosovo verhindern wollen. Zum ersten Mal führt die NATO deswegen Krieg und bombardiert die serbische Hauptstadt Belgrad.

Weniger erfolgreich sind Clintons Versuche, zwischen den verfeindeten Israelis und Palästinensern zu vermitteln. Und als die USA 1993 Soldaten zur UNO-Friedenstruppe nach Somalia schicken, um dort im von Hungersnot und Bürgerkrieg gebeutelten Land Ordnung zu schaffen und die Not zu lindern, kommt

Eine eigenartige Wahl

Die Wahl George W. Bushs zum 43. Präsidenten der USA wird berüchtigt. Erst melden die Fernsehsender den Sieg der Demokraten, schon herrscht bei Gore und seinen Unterstützern Jubel. Doch im entscheidenden Staat Florida ist noch längst nicht alles klar. Aus Florida kommt und kommt kein Endergebnis, immer wieder wird Widersprüchliches gemeldet. Durch verwirrende Wahlzettel sind Hunderttausende Stimmen ungültig, viele Stimmen wurden schlicht vergessen. Nun müssen die Zettel von Hand nachgezählt werden. Schließlich entscheiden die Gerichte nach wochenlangem Hickhack, das Nachzählen zu stoppen. Mit nur 537 Stimmen Vorsprung wird Bush vom Obersten Gerichtshof zum Sieger im Staat Florida erklärt, und dieser Sieg sichert ihm den Gesamtsieg. Ein schlechter Beigeschmack bleibt, und viele Demokraten reden von einer gestohlenen Wahl.

es zum Debakel. In Mogadischu werden zwei Hubschrauber abgeschossen, ein wütender Mob schleift die Leichen von amerikanischen UN-Soldaten durch die Straßen. Entsetzt fordert die Öffentlichkeit, die Truppen sofort abzuziehen. Die UNO-Mission scheitert. Nach dieser Erfahrung zögert die Clinton-Regierung, weitere internationale Einsätze zu genehmigen.

Ein Cowboy im Weißen Haus

Nach dem Ende von Bill Clintons zweiter Amtszeit tritt George W. Bush (*1946), Sohn des 41. Präsidenten, George Herbert Bush, mit dem Anspruch an, das moralische Image der Landes wieder zu heben. Seine Amtszeit steht im Zeichen neuer internationaler Konflikte.

Wie schon sein Vater besucht George W. eine teure Privatschule und die Eliteuniversität Yale. Mit mäßigem Erfolg, er spielt dort lieber den Klassenclown, statt ernsthaft zu lernen. Der Einfluss seiner Familie und ihres Netzwerks macht es möglich, dass er dem Vietnamkrieg entgehen kann und bei der Nationalgarde von Texas in der Luftwaffe eine ruhige Zeit verbringen darf. Finanziell unterstützt von Verwandten gründet er – schließlich ist seine Familie im Ölgeschäft

Obwohl Al Gore im ganzen Land über 500 000 Wählerstimmen mehr hatte als Bush, hat er die Wahl verloren. Dass so etwas möglich ist, liegt am ungewöhnlichen Wahlsystem der USA. Zwar steht auf den Wahlzetteln, den die Bürger ausfüllen, der Name des Kandidaten, doch gewählt wird dieser von den Wahlmännern. Je mehr Einwohner ein Staat hat, desto mehr Wahlmänner hat er auch, und desto gewichtiger wird das Ergebnis. Die Wahlmänner sind verpflichtet, für den Kandidaten zu stimmen, der in ihrem Staat die meisten Stimmen bekommen hat. Ein Staat wird also nur komplett vergeben.

Deshalb genügt George W. Bush eine Mehrheit von 537 Stimmen, um Florida mit seinen sämtlichen Wahlmännerstimmen für sich zu gewinnen. Dass Al Gore in anderen Staaten mit klarer Mehrheit gewinnt und insgesamt mehr Wählerstimmen hat als Bush, nützt ihm nichts: Was zählt ist die Anzahl der Wahlmännerstimmen, nicht die der Wählerstimmen.

– eine Ölfirma und schrammt damit am Bankrott entlang. Zudem hat er ein Problem mit dem Alkohol. Angeblich soll ihn seine Frau Laura vor die Wahl gestellt haben »Ich oder die Flasche!«. George W. beschließt, sein Leben zu ändern. »Es gibt nur einen einzigen Grund, weshalb ich hier im Oval Office bin und nicht in der Bar. Ich habe zum Glauben gefunden – ich habe Gott gefunden«, sagt er bei einer Diskussion. Er wird zum »Wiedergeborenen Christen«. Nun sind für ihn Aufstehen um punkt 5.30 Uhr und Sport angesagt statt Drinks.

Er geht in die Politik, unterstützt von seinem Berater Karl Rove, der selbst nicht fürs Rampenlicht taugt, aber ein genialer Kopf mit Talent für die große Politik ist. Mit seiner Hilfe wird George W. Gouverneur von Texas und tritt im Jahr 2001 als Präsidentschaftskandidat an.

Sein bekannter Name ebnet George W. viele Wege. Nicht immer zu Recht. In einer Umfrage im Sommer 2000 geben die Befragten an, George W. Bushs Hauptqualifikation sei seine außenpolitische Erfahrung. Doch die hat er nicht. Viele der Befragten haben ihn schlicht mit seinem Vater verwechselt.

Im Unterschied zu George dem Älteren, der den zurückhaltenden Ostküsten-Adel verkörpert, ist George W. in Texas aufgewachsen. Er gilt als hemdsärmliger, kumpelhafter Kerl, der am liebsten auf seiner Ranch in Crawford die Axt schwingt. Er verbreitet das raue Image der Pioniere und verspricht den Wählern, Amerika zu reinigen. Al Gore (*1948), Clintons ehemaliger Vizepräsident, schafft es dagegen nicht, ein überzeugendes eigenes Profil zu entwickeln.

Der 11. September

Noch in Clintons Amtszeit spitzt sich der Konflikt mit islamistischen Fundamentalisten zu. 1998 explodieren Bomben in den amerikanischen Botschaften in Kenia und Tansania. Die Spur weist zu dem aus Saudi-Arabien stammenden Osama bin Laden (*1957), der einst in Afghanistan gegen die sowjetischen Besatzer kämpfte und von den USA finanziell unterstützt wurde. Clinton beauftragt den CIA, ihn zu fassen, und lässt Raketen auf Ziele in Afghanistan abfeuern, wo der Geheimdienst bin Laden und seine Terrororganisation al-Qaida vermutet. Der Effekt ist gleich Null. George W. Bush sagt später höhnisch zu Hillary Clinton, er jedenfalls »werde keine Zweimillionenrakete auf ein Zehndollarzelt abfeuern, das leer ist, und stattdessen ein Kamel in den Hintern treffen.«

MARANATHA
Organic
Peanut
Butter

Nach der Wahl von George W. Bush erreicht der Kampf mit dem islamischen Terror einen neuen Höhepunkt.

Früh morgens am 11. September 2001 – George W. Bush ist seit einigen Monaten im Amt – kapern mit Teppichmessern bewaffnete islamistische Terroristen aus dem Netzwerk Osama bin Ladens fast zeitgleich vier Verkehrsflugzeuge und setzen sie als Waffen ein. Um 8.45 Uhr morgens kracht American Airlines Flight 11 in den Nordturm des World Trade Center in New York City, ein Wahrzeichen der Stadt und Symbol der amerikanischen Wirtschaft. Zu manchen Tageszeiten arbeiten in den Türmen 50 000 Menschen. Der Flugzeugtreibstoff explodiert in einem Feuerball. »Im ganzen Turm schreien Menschen auf, klammern sich an Stühle, Schreibtische. Möbel verrutschen. Stifte und Aktenordner fallen zu Boden. Telefongespräche enden mitten im Satz. Die Bildschirme werden schwarz.« So beschreiben es Augenzeugen später den Reportern des *Spiegel*.

Die entsetzten New Yorker glauben zunächst an einen Unfall, doch zwanzig Minuten später trifft ein zweites Flugzeug den Südturm. Jetzt ist klar: Die USA werden angegriffen! Ein weiterer Jet zerstört einen Teil des Pentagons (der Mili-

David Lim

Als der Nordturm des World Trade Center in sich zusammenfällt, überleben acht Menschen darin wie durch ein Wunder. Einer von ihnen ist David Lim, ein Polizist. Er berichtet später vor der 9/11-Untersuchungskommission, was er erlebt hat.

Am 11. September habe ich mit meinem Partner gearbeitet, Sirius, einem Sprengstoffhund. Wie jeden Tag. Wir haben Lastwagen überprüft, die in das World Trade Center rein sind. Wir hatten gerade eine ganze Menge Laster durchsucht, und ich war im Büro, um Papierkram zu erledigen und zu frühstücken.

Um 8.45 Uhr hat sich alles verändert. Ich war im Keller des Turms Nummer 2, aber ich habe den Einschlag des ersten Flugzeuges in Turm 1 gespürt. Ich habe meinen Partner in seinen Zwinger gesperrt und ihm gesagt, ich müsste Menschen helfen. Er war ein Sprengstoffhund, kein Rettungshund, und ich habe gedacht, er wäre in Sicherheit. Leider habe ich ihn danach nie mehr gesehen.

Ich habe Menschen die A-Treppe runtergeholfen, die aus dem Gebäude wollten. Da sind schon Trümmer auf den Vorplatz gefallen. Jemand hat geschrieen:

tärzentrale der USA), später stürzt das vierte Flugzeug, United Airlines Flight 93, in Pennsylvania ab. Es hatte vermutlich auf das Weiße Haus gezielt; später stellt sich heraus, dass die Passagiere per Handy erfahren haben, was mit den anderen Jets geschehen war, und es geschafft haben, die Pläne der Entführer zu durchkreuzen.

Keiner der Menschen, die oberhalb der Aufschlagstellen in den Twin Towers arbeiten, hat eine Chance, sich zu retten. Die silbernen Türme halten dem wuchtigen Aufprall nicht stand, sie wanken. Kurz vor 10.00 Uhr stürzt der Südturm in sich zusammen. »Zwischen Fulton und Broadway, ein oder zwei Straßenzüge von den Türmen entfernt, hörte ich ein Krachen, die Erde bebte. Dann kam eine Walze von Staub, Asche und Hitze den Broadway herunter – der Südturm war zusammengestürzt«, erinnert sich NBC-Reporterin Anne Thompson. »Weil die Wolke zu schnell war, um vor ihr wegzulaufen, drückte ich mich gegen eine Hauswand und hielt mein Gesicht ungefähr fünf Minuten lang bedeckt. Trümmer regneten herab. Ich bekam fast keine Luft mehr.«

»Da liegt jemand auf dem Vorplatz.« Ich bin raus, um nachzusehen und habe es mit dem Funkgerät weitergemeldet. In dem Moment ist noch ein Körper keine drei Meter vom ersten entfernt auf den Boden geschlagen. Also bin ich in das Gebäude gerannt, um Menschen zu helfen, ehe noch mehr rausspringen.

Ich war gerade dabei, Menschen die Treppe herunterzuhelfen, da habe ich den Einschlag auf der anderen Seite gespürt. Als ich aus dem Fenster schaute sah ich, wie Feuer aus dem 44. Stock kam und das Gebäude zusammengekracht ist. Zum Glück war ich in der Mitte, ich erlitt keine Verbrennungen, aber der Aufprall hat mich umgeworfen.

Dann hat das Gebäude angefangen zu wackeln. Während wir nach unten sind, haben wir ein Stockwerk nach dem anderen geräumt und Leuten geholfen, die noch dort waren und gewartet haben. Die meisten waren behindert oder älter oder haben auf jemanden gewartet. Aber wir konnten nicht mehr warten. Wir mussten raus. Wir sind ungefähr bis zum 35. Stock gekommen. Ich erinnere mich nicht mehr, wann ich gespürt habe, dass das Gebäude schwankt. Ich habe gedacht, dass das Gebäude einstürzt, in dem ich war. Es hat gewackelt und wieder aufgehört. Dann habe ich über Funk gehört, das werde ich nie vergessen: »Turm 1 eingestürzt. Alle Einheiten evakuieren Turm 2.« Wir sind weiter runter, mittlerweile war die Stromversorgung zusammengebrochen, die Lichter gingen an und aus.

Eine halbe Stunde später stürzt auch der Nordturm ein. Die Trümmer begraben auch viele der Feuerwehrleute, die zur Rettung herbeigeeilt sind.

Verzweifelte Angehörige hängen überall Plakate mit Beschreibungen und Fotos ihrer Lieben auf, in der Hoffnung, dass sie überlebt haben und in den Trümmern gefunden werden. Viele hoffen vergebens. Über 3 000 Menschen aus mehr als fünfzig Nationen kommen bei dem Anschlag um.

Die USA sind im Schockzustand, die Welt ist entsetzt. Die NATO ruft zum ersten Mal in ihrer Geschichte den Verteidigungsfall aus. Zwei Tage lang herrscht in der US-Regierung Chaos. Sie hatte die Bedrohung durch Terroristen bisher nicht sonderlich ernst genommen, obwohl bin Ladens Leute 1993 schon einmal durch eine Bombe in den Tiefgaragen des World Trade Center versucht hatten, den Turm zum Einsturz zu bringen. Auch die Geheimdienste haben die Gelegenheit verpasst, die Vorbereitungen des Anschlags zu stoppen.

Zwei Jahre lang haben sich islamistische Selbstmordattentäter um Mohammed Atta, die in den USA das »Land der Gottlosen« und in der westlichen Kultur eine

Ich bin bis zum 5. Stock runter. Dort habe ich Josephine Harris und die Rettungseinheit 6 getroffen. Josephine Harris war 72 Stockwerke runtergelaufen und konnte nicht mehr. Ich packte sie an einem Arm, der Feuerwehrmann Tommy Falco am anderen, und wir sind weiter runter. Einen Stock noch, weiter sind wir nicht gekommen, dann ist das Gebäude eingestürzt.

Ich habe nur gedacht: »Wie kann ich Josephine vor den Trümmern schützen?« Also haben Tommy und ich uns über sie gelegt, und dann fing es an. Ein Wind hat von oben runtergedrückt, während die Stockwerke runterkamen. Es gab ein Geräusch wie eine Lokomotive oder wie eine Lawine. Wir haben die Betonböden aufeinanderklatschen gehört, während sie von oben runtergekommen sind. Und sie sind immer näher und näher gekommen. Ich habe an meine Familie gedacht. Als die Trümmer aufgehört haben, habe ich gedacht, ich bin tot. Aber dann habe ich eine Stimme gehört.

Wir konnten uns nicht sehen. Es war alles schwarz. Wir konnten nicht atmen. Wir mussten uns die Hemden vor den Mund halten. Aber wir waren okay. Wir waren am Leben. Wir haben ein Licht über dem 6. Stock gesehen und erst gedacht, dass es da noch Strom gibt und dass wir dorthin könnten. Aber als das Licht heller geworden ist, haben wir gemerkt, dass es die Sonne war. Wir haben oben gestanden auf dem, was vom World Trade Center übrig war.[13]

Bedrohung für den wahren Glauben sehen, auf diesen Tag vorbereitet. In Hamburg haben viele der al-Qaida-Mitglieder gelebt und studiert, in Flugschulen in Florida haben sie sich ausbilden lassen. Ihr Ziel war, mit dem Massenmord »die Angst in die Herzen der Ungläubigen« zu pflanzen. Mit furchtbarem Erfolg. Die Schreckensbilder des 11. September haben sich ins Gedächtnis der Welt eingegraben.

Der neue Feind Islam

Trauer und Schrecken schweißen die USA eine Zeit lang zusammen. Eine Welle des Patriotismus geht durchs Land, von den Häusern wehen so viele Sternenbanner wie schon lange nicht mehr. Die Feuerwehrleute New Yorks, die trotz der Gefahr viele Menschenleben retten konnten, werden als Helden gefeiert. »Ground Zero« wird die Stelle genannt, an der die Türme standen und im Umkreis alles zerstört haben (heute ist sie eine Gedenkstätte und Bauplatz eines neuen Wolkenkratzers).

Sofort nach dem Anschlag beginnen die USA, nach einem Gegner für einen Vergeltungsschlag zu suchen. Osama bin Laden soll sich angeblich in Afghanistan aufhalten, hier sind die radikal-islamischen Taliban an der Macht, und in Lagern werden Terroristen der al-Qaida ausgebildet. Bushs Regierung richtet die Aufmerksamkeit der Öffentlichkeit auf das karge, gebirgige Land. Kein Thema sind dagegen Maßnahmen gegen Saudi-Arabien, obwohl fünfzehn von neunzehn Beteiligten der Anschläge hierher stammen – möglicherweise sind die geschäftlichen Beziehungen der Familie Bush der Grund.

Einen Monat nach dem Anschlag beginnen die USA mit der Bombardierung Afghanistans. Nach fünf Wochen stürzt das Regime der Taliban. Gefangene Kämpfer, die im Verdacht stehen, für al-Qaida gearbeitet zu haben, werden auf den US-Stützpunkt Guantanamo Bay auf Kuba gebracht und dort völlig isoliert gefangen gehalten. Die Bedingungen, unter denen sie dort festgehalten werden, verstoßen gegen die Menschenrechte, aber die Kritik verhallt ungehört.

Mit diesem Krieg ist George W. Bushs Feldzug noch nicht zu Ende. Als Nächstes nehmen die USA im Namen ihrer traditionellen Werte Freiheit und Demokratie den Irak ins Visier. Das politische Klima ist günstig dafür, dem alten Erzfeind Saddam Hussein endgültig den Garaus zu machen. Mit dem Argument, es gebe im Irak Massenvernichtungswaffen, versucht die Regierung Bush, die Welt davon zu überzeugen, dass der Krieg notwendig ist. Die Falken übernehmen in Washington das Ruder.

Die Kriegspläne erweisen sich als Zerreißprobe für NATO und EU: Großbritannien, Spanien und Italien wollen die USA unterstützen, doch Deutschland, Frankreich und Russland wollen sich nicht am Irakkrieg beteiligen, weil sie ihn nicht für gerechtfertigt halten. Ihr »Nein« verärgert die USA tief, das Verhältnis ist vorerst vergiftet. Zwar versuchen die USA, ihre Pläne von den Vereinten Nationen absegnen zu lassen, während die Inspektoren der Vereinten Nationen im Irak unter Hochdruck nach Beweisen für Massenvernichtungswaffen suchen. Doch die Kriegsvorbereitungen laufen unabhängig davon weiter. Und als es kein grünes Licht von der UN gibt, schlagen die USA nach einem kurzen Ultimatum an den Irak los.

Weltweite Kritik gibt es besonders an der von Paul Wolfowitz, Verteidigungsminister Donald Rumsfeld und anderen *Neo-Cons* (»Neo-Konservativen«) ausgearbeiteten Sicherheitsstrategie, die sie nach dem 11. September durchsetzen können: Die Vereinigten Staaten müssten in Zukunft auch vorbeugend Krieg führen, um sich zu schützen. Bei George W. Bush finden sie ein offenes Ohr. Mit Bushs oft wiederholten »Wer nicht für uns ist, ist gegen uns«-Parolen und einer religiös-moralischen Sprache verstört er besonders Europa. Schnell wird klar, dass er die Welt wie einst Reagan in ein Gut-Böse-Schema aufteilt. Krieg ist für ihn und die *Neo-Cons* nicht das letzte Mittel, sondern das Mittel der Wahl.

Ein ungutes Gefühl haben viele auch dabei, dass die Regierung die Gelegenheit nutzt, Bürgerrechte einzuschränken. Der *Patriot Act* erlaubt es US-Geheimdiensten und Behörden, die Bürger im eigenen Land zu überwachen und zu kontrollieren. Kritik an der Regierung ist in dieser Zeit unerwünscht. Wer sich kritisch äußert, wie die Band Dixie Chicks oder die Schauspieler Tim Robbins und Susan Sarandon, muss negative Folgen befürchten. Schwarze Listen kommen wieder in Mode.

Zwar gewinnen die Alliierten unter Führung der USA im Frühjahr 2003 ohne Schwierigkeiten den Krieg und schaffen es schließlich, den Diktator Hussein zu stellen. Doch die angeblichen Beweise für die Gefährlichkeit des Irak stellen sich nach dem Krieg als Falschinformationen heraus, und auch eine Verbindung zwischen Irak und al-Qaida ist beim besten Willen nicht zu erkennen. In einem Interview bekennt ein Berater des Präsidenten, die Massenvernichtungswaffen seien niemals der wichtigste Kriegsgrund gewesen. Der wirkliche Grund? »Das Land schwimmt auf einem Meer von Öl.« Für Bushs Regierungsmannschaft, die zu einem großen Teil aus dem Ölgeschäft kommt, ein wichtiger Grund: In Aussicht stehen lukrative Regierungsaufträge.

Doch den USA bringt der Irak-Feldzug kein Glück: Frieden und Stabilität kehren im Irak nicht ein, durch Anschläge kommen mehr Soldaten ums Leben als während des gesamten Krieges. Als bekannt wird, dass im Gefängnis Abu Ghureib irakische Häftlinge von US-Soldaten gefoltert wurden, heizt das die Wut der arabischen Welt nur noch zusätzlich an. Der Versuch, das Land neu aufzubauen, erweist sich als schwierig, und die Region ist nicht stabiler als zuvor.

Es wird immer klarer, dass die USA unter George W. Bush mit wenig Rücksicht auf Bündnispartner ihre eigenen Wünsche durchsetzen und kein Interesse mehr an weltweiter Zusammenarbeit haben. Viele sind besorgt über den aggressiven Kurs der Regierung Bush, Nelson Mandela erklärt die Weltmacht gar zur »Gefahr für den Weltfrieden«.

Auch in den USA, die zu Anfang geeint gegen die Bedrohung von außen antraten, kippt die Stimmung nach und nach. Immer mehr Liberale, Intellektuelle und Künstler kritisieren Bush öffentlich und beschuldigen ihn, die Ängste der Bürger gezielt zu schüren, um seine Ziele durchzusetzen. Doch ein großer Teil der Menschen im noch immer sehr konservativen Amerika steht weiterhin auf Seite der Republikaner – George W. vertritt die Werte und Interessen der religiösen Rechten, der konservativen Mittelschicht Amerikas, der Wohlhabenden und des Militärs. Zwar haben sich die USA in seiner ersten Amtszeit immer tiefer verschuldet, die schlechte Wirtschaftskonjunktur plagt das Land. Aber Bush ist beliebt wegen der beiden gewonnenen Kriege, die zumindest den Zweck erfüllt haben, den Durst nach Rache zu befriedigen.

Der Präsidentschafts-Wahlkampf 2004 macht deutlich, wie tief gespalten die USA sind. Schon seit längerem sind beide Parteien gleich stark, wieder ist klar, dass wenige Staaten den Ausschlag geben werden. Beide Seiten haben Tausende von Anwälten in Stellung gebracht, um die Auszählung zu überprüfen. Obwohl Bushs politische Bilanz als Präsident nicht gerade beeindruckend ist, verliert John F. Kerry, der demokratische Kandidat, mit deutlichem Abstand gegen George W. Bush. Kerry, ein Vietnam-Veteran und Ehemann der wohlhabenden Teresa Heinz, kann sich gegen George W. nicht durchsetzen. Besonders in Europa ist die Enttäuschung groß. In seiner zweiten Amtszeit setzt George W. auf bessere Beziehungen mit Europa und versucht, die alten Verbündeten wieder ins Boot zu holen. Dennoch steht die Außenpolitik der Vereinigten Staaten noch immer ganz unter dem Motto der eigenen Sicherheit.

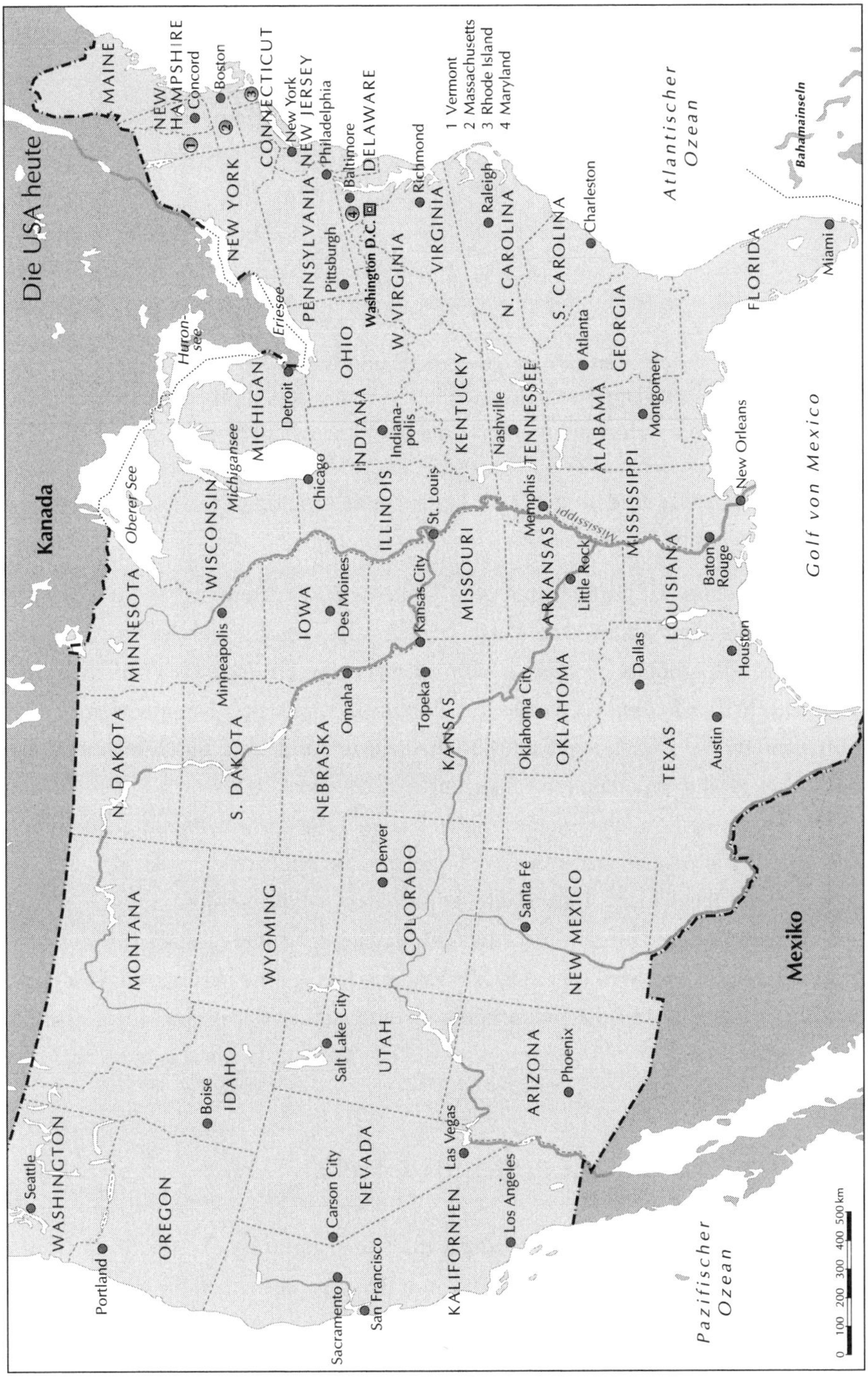
Die USA heute
Kanada
Mexiko
Atlantischer Ozean
Pazifischer Ozean
Golf von Mexico
Bahamainseln
Oberer See
Huron-see
Michigansee
Eriesee
Mississippi
1 Vermont
2 Massachusetts
3 Rhode Island
4 Maryland
MAINE
NEW HAMPSHIRE
Concord
Boston
CONNECTICUT
NEW YORK
New York
NEW JERSEY
Philadelphia
PENNSYLVANIA
Pittsburgh
Baltimore
DELAWARE
Washington D.C.
Richmond
VIRGINIA
W. VIRGINIA
Raleigh
N. CAROLINA
S. CAROLINA
Charleston
GEORGIA
Atlanta
FLORIDA
Miami
OHIO
MICHIGAN
Detroit
INDIANA
Indiana-polis
KENTUCKY
TENNESSEE
Nashville
Memphis
ALABAMA
Montgomery
MISSISSIPPI
New Orleans
Baton Rouge
LOUISIANA
ILLINOIS
Chicago
St. Louis
WISCONSIN
MINNESOTA
Minneapolis
IOWA
Des Moines
MISSOURI
Kansas City
ARKANSAS
Little Rock
N. DAKOTA
S. DAKOTA
NEBRASKA
Omaha
KANSAS
Topeka
OKLAHOMA
Oklahoma City
TEXAS
Dallas
Houston
Austin
MONTANA
WYOMING
COLORADO
Denver
NEW MEXICO
Santa Fé
IDAHO
Boise
UTAH
Salt Lake City
ARIZONA
Phoenix
WASHINGTON
Seattle
OREGON
Portland
NEVADA
Carson City
Las Vegas
KALIFORNIEN
Sacramento
San Francisco
Los Angeles
0 100 200 300 400 500 km

Kapitel 13

Living in America

(1980–2005)

Was ist aus dem *American Dream* geworden, und was aus dem berühmten *American Way of Life?* Die Unterschiede zwischen Arm und Reich sind ausgeprägt wie nie zuvor, Amerika hat sich zunehmend aufgeteilt in Innenstadtghettos, in denen Armut und Gewalt herrschen – aber auch Musik- und Modetrends geboren werden –, und das weiße *Suburbia,* in dem die Welt scheinbar in Ordnung ist. Die neuen Helden kommen aus Sport und Wirtschaft.

Obwohl es schon seit Jahrzehnten offiziell keine Rassentrennung mehr gibt, gibt es in Wirklichkeit kaum eine Vermischung. »In Amerika ist Rassismus noch immer ein alltägliches Problem«, sagte der schwarze Schauspieler Will Smith der Zeitschrift *Maxim.* So würde das Publikum nicht akzeptieren, wenn er im Film eine weiße Frau küssen würde. »Es würde mehr über das schwarz-weiße Techtelmechtel geredet als tatsächlich über den Film.«

Die Trennung ist auch eine räumliche. Große Teile der Innenstadt gehören den Afroamerikanern oder anderen Minderheiten, die Vororte dagegen der weißen Mittel- und Oberschicht. Immer wieder passiert das Gleiche: Kaum lassen sich in einem Viertel oder in einem Vorortbezirk ein paar schwarze Familien nieder, ziehen viele Weiße weg, weil sie einen Niedergang der Gegend befürchten. Der dann tatsächlich eintritt, weil die vielen Verkäufe die Grundstückspreise fallen lassen.

Leben im Ghetto

Schon in den sechziger Jahren veröden die Innenstädte zusehends, viele Läden haben geschlossen, die Eingänge sind mit Brettern vernagelt. In den siebziger und achtziger Jahren ist die Situation extrem: Ganze Stadtteile werden zu Ghettos, in die man sich als Weißer besser nicht hineintraut. Viele junge schwarze

Männer dort sehen keine Zukunft für sich und kennen kein anderes Leben mehr als Armut, Drogenhandel und Raubüberfälle. Die Wahrscheinlichkeit, in einer Schießerei oder Messerstecherei zu sterben, ist für sie hoch. Eine neue Droge, Crack, die billig zu bekommen ist, heftig wirkt und genauso schnell süchtig macht wie Heroin, verbreitet sich mit rasender Geschwindigkeit unter Menschen, denen Amerika nichts zu bieten hat außer schlecht bezahlten Hilfsjobs bei McDonald's.

Viele Mädchen werden schon als Jugendliche schwanger, gehen von der Schule ab und leben von Sozialhilfe. Und die Jungen geraten leicht in eine Spirale der Gewalt. Die Gefängnisse sind überfüllt: 1990 ist ein Viertel der jungen männlichen Afroamerikaner im Knast oder gerade auf Bewährung draußen. Vierzig Prozent der männlichen Slumbewohner sterben vor dem 25. Lebensjahr. Viele schmeißen die High School vor dem Abschluss und sehen ihren einzigen Ausweg in der Armee, der Musik oder im Sport. Manchen glückt das sogar. Denn die harte, aber irgendwie auch coole Kultur der *Ghetto-Kids* imponiert Jugendlichen in aller Welt. Besonders die Bronx, einer der schwarzen Stadtteile von New York, wird zur Keimzelle neuer Trends.

Bis zu den sechziger Jahren ist die Bronx ein ganz normales Wohnviertel. Dann beschließen Stadtplaner, eine Autobahn mitten hindurch zu bauen. In den Jahren danach verwahrlost die Gegend immer mehr. Nicht wenige Hausbesitzer zünden ihre Gebäude an, um die Versicherungssumme zu kassieren, bis die Bronx mit ihren geschwärzten Ruinen, verwahrlosten Häusern und zugemüllten Straßen ein trostloses Bild bietet. Um überhaupt noch Geborgenheit zu finden und auf irgendetwas stolz sein zu können, organisieren sich die schwarzen Jugendlichen in Gangs, die fest zusammenhalten, sich aber gegenseitig bekriegen und ihre Reviere abstecken. Wer im falschen Revier erwischt wird, riskiert sein Leben. Aber gefeiert und getanzt wird trotzdem, die Jugendlichen veranstalten spontane Block Partys in verlassenen Gebäuden und machen, wenn sie verjagt werden, einfach woanders weiter. Aus dieser trotzigen Jugendkultur entsteht der *HipHop*, zu dem Rapmusik, Breakdance und Graffiti gehören. DJs wie Grandmaster Flash entdecken auf den Block Partys das Scratchen und werden mit ihren Künsten am Plattenspieler zu Untergrund-Stars. »Masters of Ceremonies« (MCs), die Vorläufer der Rapper, stehen ihnen als Entertainer zur Seite und bringen das Publikum mit Sprüchen auf Touren. Ein Botenjunge kommt auf die Idee, bei seinen Aufträgen jedes Mal seine Signatur auf einer Hauswand zu hinterlassen; als die Presse über ihn berichtet, greifen

Tausende von Nachahmern zur Spraydose. Als die Sugarhill Gang 1979 die erste kommerzielle *HipHop*-Single »Rapper's Delight« aufnimmt und weltweit in den Charts landet, wird die Musikindustrie hellhörig. In den Achtzigern und Neunzigern wird *HipHop* zum großen Geschäft, Rapper wie Public Enemy und Ice T werden zu Weltstars.

Heute ist *HipHop* in der ganzen Welt beliebt. Und es sieht in der Bronx durch gemeinsame Anstrengungen ihrer Bewohner und der Stadt wieder halbwegs normal aus. Auch manche anderen Innenstädte sind wiederbelebt worden. Aber in Slumvierteln wie Detroits Stadtteil Eight Mile – berühmt geworden als ehemalige Heimat des Rappers Eminem – oder South Central Los Angeles ist das Leben immer noch genauso hart und hässlich.

Leben in *Suburbia*

Der größte Teil der weißen Bevölkerung der USA lebt in den *suburbs*, den Vorstädten. Dort, wo die Einfamilienhäuser mit ihren Doppelgaragen und Rasenflächen sich oft zum Verwechseln ähneln. *Subdivision*, Untereinheit, heißen die künstlich geschaffenen Siedlungen, in denen sich Amerikaner vergleichbaren Einkommens niederlassen. Sicherheit ist für die Menschen hier ein großes Thema, die Furcht vor denjenigen, die nichts mehr zu verlieren haben, ist weit verbreitet. In vielen Siedlungen weisen Schilder darauf hin, dass hier die Nachbarn ein Auge auf verdächtige Aktivitäten haben. Die ängstlichsten Bürger lassen sich in geschlossenen Vierteln nieder, in die man nur hineinkommt, wenn man dem Wachmann am Eingang nachweisen kann, dass man ein Bewohner oder erwünschter Besucher ist.

Einen Stadtkern, wie man ihn aus europäischen Orten kennt, gibt es in *Suburbia* fast nie. Stattdessen trifft man sich zum Shoppen oder auf einen Bagel in den riesigen, auf Hochglanz polierten Einkaufszentren, den Malls. Oder in den Fast-Food-Ketten und Supermärkten, die den Highway säumen.

In dieser Welt ist man verloren, wenn man kein Auto hat. Öffentliche Verkehrsmittel gibt es kaum, oder sie werden vor allem von den einkommensschwachen Bürgern benutzt. Zu Fuß gehen ist unüblich, zum Teil gibt es nicht mal Bürgersteige, und Fahrradfahren ist in den meisten Gegenden nicht zu empfehlen, wenn man ein hohes Alter erreichen möchte. Deshalb fiebern Jugendliche ihrem 16. Geburtstag entgegen: Ab dann dürfen sie als Führerscheinanwärter mit dem Autofahren beginnen.

Eine der Hauptfreizeitbeschäftigungen ist das Fernsehen. In amerikanischen Haushalten ist es üblich, dass den ganzen Tag über der Fernseher läuft, auch wenn niemand hinschaut. Die durchschnittliche Sehdauer liegt bei sechs Stunden pro Tag. Viele Jugendliche treffen sich abends zum gemeinsamen Video-Gucken statt auszugehen, denn die Ausschankgesetze sind streng, und in viele Bars kommt man unter 21 Jahren gar nicht erst rein.

Das Leben der Jugendlichen dreht sich sehr stark um die High School, in der es zur Überraschung vieler deutscher Gastschüler deutlich strenger zugeht als in deutschen Schulen. Die High School ist nicht nur deshalb der soziale Mittelpunkt, weil der Unterricht bis zum späten Nachmittag dauert, sondern auch, weil die meisten Freizeitaktivitäten von der Schule angeboten werden: Chor, Bands, verschiedene Sportteams, Debattier-Clubs, Schülerzeitung und so weiter.

In der High School ist es entscheidend, mit dabei zu sein, beliebt zu sein, attraktiv zu sein. Der Druck auf Außenseiter ist enorm. Wer nicht akzeptiert wird, hat es schwer. Die Helden der Schule sind gute Sportler und hübsche Mädchen, die die heimischen Sportteams als Cheerleader anfeuern.

Eine heile Welt sind die Vorstädte nicht. Immer wieder kommt es in den High Schools zu Gewalttaten und Schießereien – auch, weil in den USA Waffen sehr verbreitet sind und für viele Kinder und Jugendliche Schießen und Jagen ein ganz normaler Freizeitsport ist. Das bisher schlimmste Massaker geschieht am 20. April 1999 in der Columbine High School in Littleton, einem Vorort von Denver. Zwei Jugendliche, Eric Harris und Dylan Klebold, verwirklichen ihren lange geplanten Amoklauf und schießen 37 Mitschüler und Lehrer nieder (13 von ihnen sterben), bevor sie Selbstmord begehen. Wollten sie sich rächen, weil sie an der Schule zur Gruppe der Außenseiter gehörten? Oder wollten sie einfach nur ihre in brutalen Videospielen genährten Gewaltphantasien verwirklichen und berühmt werden? Wahrscheinlich etwas von beidem. Zwar wurde nach ihrer Tat an den lockeren Waffengesetzen nichts geändert, dafür wird an den High Schools seither mit drakonischen Maßnahmen reagiert, wenn jemand sich aggressiv verhält oder mit Gewalttaten droht, und sei es nur im Scherz.

Fast unweigerlich landen auch schräge Künstlertypen unter den Außenseitern der Schule. Zum Beispiel Trey Parker und Matt Stone, die Schöpfer der Kultserie *South Park*. In ihrer Zeichentrickserie für Erwachsene, die für ihren fiesen Humor bekannt ist, haben Parker und Stone ihre eigenen Schulerlebnisse verarbeitet. Zufällig ist auch Matt Stone in Littleton aufgewachsen, er ging auf eine Nachbarschule der Columbine High.

Provinz und Religion

In den USA weiß man wenig über Europa, denn in den Medien werden vor allem Themen aus Amerika selbst aufgegriffen. Doch umgekehrt ist es oft genauso. Serien und Filme vermitteln uns den Eindruck, dass die USA nur aus den »coolen« Städten New York, Los Angeles und San Francisco und vielleicht noch aus der Hauptstadt Washington besteht. Die Bilder, mit denen die USA in der Werbung dargestellt werden, lassen sich an einer Hand abzählen: die Freiheits-

Kurt Cobain, der Rebell aus Seattle

Kurt Cobain, 1967 geboren, fand sich in der High School von Aberdeen, einer kleinen Stadt an der Westküste der USA, völlig fehl am Platz. Er wird von den Sportstars der Schule herumgeschubst – auch, weil er im Gegensatz zu ihnen nichts Schlimmes am Schwulsein findet – und rächt sich, indem er ihre Autos besprayt. Schließlich bricht er die High School ab, um sich mit seinem besten Freund Krist Novoselic in die nächstgrößere Stadt Seattle zu retten. Mitte der Achtziger, während Reagan auf patriotische Töne setzt und die USA sich konservativ zeigen, gründen Kurt und Krist Nirvana.

Ihr Stil, der Grunge, ist ein einziger Protest gegen die glatte Oberflächlichkeit und Geldgier dieser Zeit. Nirvanas Auftritte sind berüchtigt: Sie enden nicht selten mit zertrümmerten E-Gitarren und zerdroschenen Drums. Schockiert stellt Kurt nach dem Album *Nevermind* und seinem Song »Smells Like Teen Spirit« fest, dass er über Nacht zum Mega-Star und Teil des Mainstreams geworden ist, den er immer verachtet hat. Es ist ihm nicht ganz geheuer, dass seine Independent-Band auf einmal genau die Leute anzieht, die ihn früher verprügelt haben. Nach wilden Jahren und vielen Drogen steckt Kurt Cobain sich 1994 die Mündung eines Gewehrs in den Mund und drückt ab. »Es ist besser auszubrennen als einfach zu verblassen«, zitiert er in seinem Abschiedsbrief. Er ist nur 27 Jahre alt geworden.

statue, der Hollywood-Schriftzug, die New Yorker Skyline, der Grand Canyon und Cowboystiefel. Doch der größte Teil der USA besteht aus Kleinstädten wie denen in Iowa und Kansas, wo jeder die Flagge über die Veranda hängt, wo noch *Frontier*-Ideale gehegt werden und der sonntägliche Kirchgang ganz selbstverständlich dazugehört. Dieses Amerika ist weitaus religiöser und konservativer als beispielsweise das liberale, weltoffene New York. Nicht umsonst wird der Süden und Mittlere Westen der USA, zu dem zum Beispiel Staaten wie Oklahoma und Tennessee gehören, auch *Bible Belt* genannt. In diesen Staaten leben besonders viele fromme Protestanten, die Nachkommen der Glaubensflüchtlinge von einst.

»In God we trust« (»Wir vertrauen auf Gott«), steht bis heute auf jedem Dollarschein. Die Religion gibt inzwischen, nach einem kurzen Rückzug in den Sechzigern und Siebzigern, in Gesetzgebung und Alltag Amerikas immer deutlicher den Ton an. Besonders heftig äußert sich das in der Abtreibungsdebatte. Jahrhundertelang ist Abtreibung in den USA verpönt. Doch 1973 fällt das Oberste Gericht der USA ein fast schon revolutionäres Urteil: Es erklärt Abtreibung für zulässig, weil Frauen nach der amerikanischen Verfassung das Recht haben, selbst über ihr Leben zu entscheiden.

Frauenrechtler und Liberale feiern das Urteil, doch konservative Christen gehen sofort dagegen auf die Barrikaden und versuchen, Abtreibungen wenigstens zu erschweren. Mit allen Mitteln. Kliniken, in denen Abtreibungen vorgenommen werden, fliegen Brandsätze durchs Fenster, die Eingänge werden durch Demonstranten blockiert. Im Internet wird zur Jagd auf Abtreibungsärzte aufgerufen, und manche Mediziner gehen dazu über, kugelsichere Westen zu tragen. Noch heute spaltet das Thema Abtreibung die USA, es ruft fast so viel Hass hervor wie seinerzeit die Sklavenfrage.

Die USA und der Sport

Wer die USA verstehen will, der kommt auch am Thema Sport kaum vorbei. Quer durch alle Bevölkerungsschichten sind seit dem Ende des 19. Jahrhunderts Baseball, American Football und Basketball Hauptfreizeitbeschäftigungen und Hauptgesprächsthemen der USA. Während Europa sich für die Fußball-Weltmeisterschaft begeistert, fiebert Amerika bei der World Series (Baseball) und beim Super Bowl (der wichtigsten Football-Meisterschaft) mit – die Übertragungen im Fernsehen haben Einschaltquoten um die fünfzig Prozent. Talentierte Sportler sind die Stars der High Schools, bekommen – unabhängig von ihrer schulischen Leistungen – Stipendien an teuren Unis förmlich nachgeworfen und haben gute Chancen auf eine hoch bezahlte Karriere. Längst haben Spitzensportler die Entdecker, Cowboys und Astronauten als Helden des Landes abgelöst.

Das vom englischen Rugby abgewandelte Football ist zu Anfang ein extrem brutaler Sport und ähnelt eher einer organisierten Schlägerei als einem Spiel. Noch heute ist das Getümmel auf dem Feld nichts für zarte Gemüter, obwohl die Spieler im Gegensatz zu damals gepolsterte Schutzausrüstungen tragen. Etwa acht Spieler pro Jahr sterben an ihren Verletzungen.

Baseball ist dagegen ein gemächliches Spiel, das fast drei Stunden dauern kann. Tradition ist, dass die ganze Familie zum Spiel geht, auf der Tribüne picknickt und Hot Dogs verspeist. Unvergessen sind in den USA besonders die Baseballer Joe DiMaggio von den New York Yankees und der eher unsportlich wirkende George »Babe« Ruth von den Boston Red Sox und New York Yankees. Er wächst vom rebellischen, von seinen Eltern vernachlässigten Jungen zu einem Riesen auf, der in den wilden Zwanzigern zur Legende und zum Idol ganz Amerikas wird. Auch wenn ihn sein unersättlicher Appetit auf Bier, Hot Dogs und Frauen so manches Mal in Schwierigkeiten bringt.

Baseball ist ein typisches Sommerspiel; Basketball dagegen hat im Winter Hochsaison, weil es drinnen gespielt wird. Einer der besten Basketballer aller Zeiten ist Michael »Air« Jordan von den Chicago Bulls, der es mit seinen muskulösen 198 Zentimetern Körpergröße nicht sehr weit zum Korb hat. Bei den Olympischen Spielen 1984 fasziniert der junge Michael die Weltöffentlichkeit zum ersten Mal mit seinem überragenden Spiel. »Er dribbelt um seine Konkurrenten herum, als hätte man die am Boden festgenagelt«, schwärmt ein Fan. Im Laufe seiner aktiven Karriere bringt es der Mann mit der Trikotnummer 23 auf nicht weniger als zweimal Olympia-Gold und sechs NBA-Titel. Zum Leidwesen seiner Fans verabschiedete er sich im Januar 1999 endgültig aus der Sportarena, um künftig seine Kinder zur Schule zu fahren und seine dank diverser Nike-Werbedeals äußerst gesunden Finanzen zu verwalten.

Computer, Internet und New Economy

Aber der *American Dream* von heute ist nicht nur eine Domäne derjenigen, die gut mit Bällen umgehen können. Er wird auch an der Wall Street gelebt, im Silicon Valley, in den Führungsetagen schnell wachsender Unternehmen. Ehrgeizige Geschäftsleute haben in den USA beste Chancen. Wie sollte es anders sein, schließlich ist das Recht, dem Erfolg und dem Glück nachzujagen ein tief verankerter Teil der amerikanischen Kultur.

Die Achtziger und Neunziger sind eine Zeit des schnellen Geldes, des Börsenbooms und der Gier. Eine Zeit, in der die Reichen noch reicher werden und die Menschen am unteren Ende der Gesellschaft es immer schwerer haben. Die Zahl der Bettler vervielfacht sich, und es wird ein vertrautes Bild, dass Obdachlose auf der Straße übernachten. Ein Grund, warum die Wirtschaft in dieser Zeit abhebt, ist, dass die Welt ins Computerzeitalter aufbricht. Auch dieser Trend nimmt in den USA seinen Anfang. 1960 sind Computer noch Maschinen, die ganze Räume füllen und per Lochkarten mit Informationen gefüttert werden. 1975 entsteht der erste Prototyp eines Personal Computers, für den ein junger Harvard-Student namens Bill Gates in nächtelanger Arbeit die Software schreibt. Bald darauf entscheidet er, dass das wahre Leben interessanter ist als ein Studium, verlässt die Universität und gründet seine Firma Microsoft. Mit 31 ist er Milliardär.

In den Achtzigern verbreitet sich die neuste Generation der Computer von Apple, Commodore und IBM mit rasender Geschwindigkeit. Sie verändern das Leben von Millionen von Menschen und sind Grundlage für eine neue Industrie. Auch der Grundstein für das Internet ist schon gelegt. Unter dem Namen ARPANET beginnen die mit der militärischen Denkfabrik ARPA zusammenarbeitenden Universitäten, ihre Computer untereinander zu verbinden. Als 1971 E-Mails und Newsgroups erfunden werden, wird das neue Netz bei Forschern und Computerexperten zum Renner – wenn es auch noch eine Weile dauert, bis die breite Öffentlichkeit davon hört.

Anfang der neunziger Jahre ist das Internet nicht mehr länger Spielzeug von Forschern, Computerspezialisten und Militärs. Am Kernforschungszentrum CERN in Genf entwickelt Tim Berners-Lee 1991 eine graphische Benutzeroberfläche dafür, erfindet Hypertext-Links und die Programmiersprache HTML und schafft damit das World Wide Web. Damit beginnt das explosionsartige Wachstum des Netzes in den westlichen Industrieländern.

Die neue Technologie macht es für Unternehmen leichter, weltweit zu agieren, und sie bringt Zehntausende von Geschäftsideen und neuen Unternehmen hervor.

Ein wahres Gründungsfieber bricht aus, die *New Economy* bringt das Land in Partystimmung. Wer eine Geschäftsidee hat, die irgendwas mit dem Internet zu tun hat, findet mit wenigen Anrufen Investoren, die dafür Millionensummen vorstrecken. Nicht wenige Gründer mit leichten Anwandlungen von Größenwahn starten ihre frisch gebackenen Unternehmen gleich mit Niederlassungen in New York, London, Tokio und Sydney. Auch die Börse boomt, die Aktienkurse von Aufsteigern wie eBay, Amazon und Yahoo steigen steil

Jeff Bezos

Gründer und Chef von Amazon.com, einem von wenigen Pionierunternehmen des Internets, die überlebt haben und noch von ihrem Gründer geführt werden.

Als Kind war ich sehr erfinderisch, ich habe das Haus dauernd mit irgendwelchen Alarmfallen verdrahtet. Unsere Garage war mein Labor, und meine Mutter hat mich mit Engelsgeduld mehrmals täglich zum Elektroladen gefahren. Nach der Mondlandung wollte ich Astronaut werden. Das ist immer noch auf der Liste der Dinge, die ich irgendwann im Leben machen möchte, wenn es mal irgendwann passt.

Meine Romanze mit Computern fing in der vierten Klasse an. 1974 gab es noch keine PCs, aber in Houston war eine Computerfirma, die unserer kleinen Schule überschüssige Kapazitäten auf ihrem Hauptcomputer zur Verfügung stellte. Die Lehrer hatten natürlich alle keine Ahnung, wie man mit einem Computer umgeht. Das wusste damals noch niemand. Aber es gab einen Stapel Handbücher. Nach der Schule bin ich mit ein paar Freunden noch dageblieben um zu lernen, wie man das Ding programmiert. Das ging ungefähr eine Woche lang gut. Dann stellten wir fest, dass die Programmierer ein Star-Trek-Spiel entwickelten, und von da an spielten wir nur noch Star Trek.

Ich habe mich in Princeton eingeschrieben, weil ich Physik studieren wollte. Alles ging gut, bis wir zur Quantenphysik kamen und ich feststellen musste, dass ich nicht schlau genug bin, um ein großer Physiker zu werden. Das war ein schwieriger Moment, denn Physiker zu werden hatte ich mir jahrelang vorge-

an und machen Tausende von Menschen zu Millionären. Wie schon in den zwanziger Jahren erfasst ein »Jetzt-schnell-reich-werden«-Fieber die Nation und den Rest der Welt. Und ähnlich wie damals ist der Katzenjammer nicht weit.

Doch kein Boom dauert ewig an. Bald rächt sich, dass viele der neuen Unternehmen, die noch immer hohe Verluste machen, auf dem Papier und an der Börse wesentlich mehr wert sind als in Wirklichkeit. Im Frühjahr 2000 stürzen die Kurse ab. Internet-Unternehmen machen reihenweise pleite und hinterlassen Geisterseiten im Netz. Die *New Economy* ist Vergangenheit.

nommen. Aber ich hatte gleichzeitig angefangen, Informatik zu studieren und fühlte mich mehr und mehr dazu hingezogen.

Nach dem Studium habe ich an der Schnittstelle von Computern und Finanzen gearbeitet und war lange Zeit an der Wall Street. Aufhorchen lassen hat mich die Meldung, dass das Internet jedes Jahr um 2 300 Prozent wächst. Das war der Anfang von Amazon. Ich bin zu meinem Chef und habe ihm gesagt: »Hör zu, ich mache jetzt was Verrücktes und verkaufe Bücher übers Internet«, und habe meinen Job gekündigt. Mir war klar, wenn ich achtzig bin und zurückschaue, dann werde ich das nicht bereuen. Ich würde es nicht bereuen, bei diesem Ding namens Internet mitzumachen, von dem ich mir sicher war, dass es eine große Sache sein würde.

Das erste Kapital für Amazon kam von meinen Eltern, die einen großen Batzen ihrer Ersparnisse investierten. Die erste Frage meines Vaters war: »Was ist das Internet?« Er hat nicht auf die Firma oder auf meinen Geschäftsplan gesetzt, sondern auf seinen Sohn. Genauso meine Mutter. Also habe ich ihnen gesagt, die Chancen, dass sie ihr Geld verlieren, liegen bei siebzig Prozent. Sie haben trotzdem investiert. Also habe ich mit meiner Frau in einem kleinen Häuschen unser Büro eingerichtet, mit Verlängerungskabeln in die Garage. Wir haben drei Computer auf Tischen aus dem Baumarkt aufgebaut und haben losgelegt.[14]

Amazon wurde ein Riesenhit und wuchs mit atemberaubender Geschwindigkeit. Wenige Jahre nach der Gründung des »größten Buchladens der Erde« waren Bezos und seine Eltern Milliardäre, seine ersten Angestellten (denen er Anteile gegeben hatte) Millionäre. Als der Hype vorbei war, fielen die Aktien stark, aber Amazon schaffte es trotzdem. Im Jahr 2003 machte das Unternehmen zum ersten Mal Gewinn. Es hat zur Zeit etwa 7 000 Angestellte weltweit.

Genug Arbeit, aber nie genug Geld

George Bush senior muss das Weiße Haus vor allem deshalb nach nur einer Amtszeit wieder verlassen, weil er eine miserable Wirtschaftslage, aber keinen Aufschwung zu bieten hat. Allein 1991 sind zwanzig Prozent der arbeitenden Bevölkerung mindestens einmal arbeitslos. Schon in den Achtzigern versuchen viele große Unternehmen – wie heute noch immer –, Jobs einzusparen und streichen auf einen Schlag Tausende Stellen. Der junge, sympathische Aufsteiger Bill Clinton aus Arkansas dagegen verspricht, die Wirtschaft in den Mittelpunkt zu stellen. Damit trifft er ins Schwarze. Es bleibt das einzige Versprechen, das er tatsächlich einlöst: Unter seiner Regierung kommt es zu einem Jobwunder.

Doch dieses Jobwunder hat seine Schattenseiten. Die meisten Jobs entstehen im Dienstleistungssektor. Die Journalistin Barbara Ehrenreich probiert es im Selbstversuch aus und arbeitet in vielen Niedriglohnjobs dieser Branche – als Kellnerin, als Putzfrau, als Verkäuferin. Sie schreibt einen Bestseller über das, was sie erlebt hat und was für viele Millionen Amerikaner zur bitteren Wirklichkeit gehört: Es ist kaum möglich, von dem wenigen Geld zu leben, das man in solchen Berufen verdient. Obwohl sie zum Teil zwei oder drei Jobs annehmen, schrammen diese so genannten *Working Poor* an der Armutsgrenze entlang.

Viele von ihnen können sich keine Krankenversicherung leisten. In den Neunzigern haben 37 Millionen Amerikaner keine Krankenversicherung und müssen sich tief verschulden, wenn sie krank werden und die teuren Behandlungen selbst bezahlen müssen. Clinton will das ändern, er plant ein Gesundheitswesen nach deutschem Muster, in dem jeder versichert ist, und beauftragt seine Frau damit, ein Konzept dafür zu entwickeln. Doch das Resultat, das Hillarys Arbeitsgruppe vorlegt, ist so kompliziert, dass es kaum jemand versteht, und wird außerdem von Ärzten und Pharmafirmen bekämpft. Niemand stimmt für das neue Gesetz, und das Projekt wird still und heimlich beerdigt. Und bei ihren Freunden aus der Bürgerrechtsbewegung machen Hillary und Bill sich unbeliebt, als sie die Zeit begrenzen, die ein Amerikaner in seinem Leben maximal Sozialhilfe vom Staat beziehen kann.

Der stille Vormarsch der *Latinos*

Viele der *Working Poor* sind Schwarze und *Latinos.* In den Achtzigern schwillt der Strom der Neuankömmlinge in die USA noch einmal kräftig an. Inzwischen kommen vor allem Mexikaner und Menschen aus Haiti – viele von ihnen illegal. »Wetbacks«, Nassrücken, werden die Mexikaner genannt, die den Rio Grande durchschwimmen, um ins gelobte Land zu kommen. Viele von ihnen werden dabei erwischt und zurückgeschickt, doch sie probieren es einfach ein paar Tage später noch einmal. Millionen von ihnen kommen jedes Jahr über die Grenze, die mit 3 000 Kilometern viel zu lang ist, um sie überall komplett dicht zu machen. In manchen Städten in Kalifornien und Texas besteht inzwischen fast die Hälfte der Bevölkerung aus Spanisch sprechenden Einwanderern. Auch in Florida wird viel Spanisch gesprochen: Allein in der Region von Miami leben fast eine Million Kubaner, die vor dem Regime Fidel Castros geflohen sind und zumindest eine Zeit lang wohlwollend von den USA aufgenommen wurden.

Heute sind nicht mehr Afroamerikaner die größte Minderheit in den USA, sondern mit 12,5 Prozent der Bevölkerung die *Latinos* oder *Hispanics.* Sie schuften für wenig Geld als Putzfrauen, Kindermädchen, Pizzaboten, Gärtner und leben oft als Illegale in den USA. In Regionen, in denen viele *Latinos* leben, eignen sich vor allem Ärzte, Lehrerinnen und Polizisten Spanischkenntnisse an, um mit den Menschen reden zu können, mit denen sie oft zu tun haben. Langsam aber sicher mausert sich Spanisch zur zweiten Sprache der USA. Doch bis die *Latinos* in der Mitte der US-Gesellschaft angekommen sind, wird es noch eine ganze Weile dauern, trotz einzelner Stars wie der puertoricanischen Sängerin Jennifer Lopez. Sie halten die Wirtschaft in Gang, sind aber vor allem bei der Unterschicht, die ihre Jobs von den Neuankömmlingen bedroht sehen, nicht wirklich beliebt.

Die *Hispanics* haben den Vorteil, dass sie in Boomregionen ankommen. Jüngst haben die einst armen, rückständigen Südstaaten sich mit Hightech und Medienunternehmen zum »Neuen Süden« gemausert und den Nordosten als Wachstumsgebiet abgelöst. Der Westen und Südwesten lockt mit fast unbegrenztem Sonnenschein (den Surfer und Rentner gleichermaßen zu schätzen wissen) und ständig neuen Erfindungen aus Silicon Valley. Nicht einmal Erdbeben, Feuer und Überflutungen können der Beliebtheit der Region schaden, bei der an der Kante des Pazifiks das »Go West« an seine Grenzen gestoßen ist. Mythen verblassen langsam – und manche sterben nie.

Schluss

Der Traum lebt weiter

Für viele deutsche Jugendliche haben die USA noch immer eine große Faszination. Für sie steht »Amerika« für Coolness, Abenteuer und Zukunft: Die alten Mythen sind in Kino und Fernsehen lebendig geblieben. Auch deswegen verbringen jährlich rund 12 000 Schüler aus Deutschland ein Schuljahr an einer High School.

Obwohl die meisten Erwachsenen den USA deutlich skeptischer und reservierter gegenüberstehen, zieht es auch viele von ihnen über den Atlantik: Noch immer geht, wer in der Unterhaltungsbranche weiterkommen will, nach Los Angeles, und wer in der Wissenschaft etwas werden will, an eine amerikanische Uni. In Berkeley an der Westküste sitzen die High-Tech-Gurus, in der Harvard Business School an der Ostküste die Wirtschaftsgrößen. Ehrgeizige Nachwuchswissenschaftler, Ingenieure und Künstler streben weg aus Deutschland und versuchen, in Amerika ihr Glück zu machen – denn dort, so heißt es, ist die Bürokratie nicht so beengend, die Finanzierung großzügiger, die Atmosphäre anregender. Noch immer dreht sich alles um Chancen wie schon damals bei der Entdeckung und Besiedelung der Neuen Welt.

In Amerika angekommen, stellen viele Austauschschüler und Nachwuchstalente fest, dass das Land anders – konservativer, religiöser – ist, als sie es aus den Medien kennen. Und dass der amerikanische Traum längst nicht für alle gilt. Zwar sind die Afroamerikaner 140 Jahre nach der Sklavenbefreiung mehr oder minder im *Mainstream* (dem öffentlichen Leben und dem Geschmack der Mehrheit) angekommen, jede größere Firma hat ihre »Vorzeige-Schwarzen«. Doch *Latinos* und andere Minderheiten haben es sehr schwer und kämpfen oft mit Vorurteilen und schwierigen Lebensbedingungen.

Selbst Gäste aus dem reichen Europa werden zwar meist sehr herzlich behandelt, aber wer bleiben will, muss große Hindernisse überwinden. Die USA heißen Neuankömmlinge nicht mehr unbegrenzt willkommen, sie sind kein

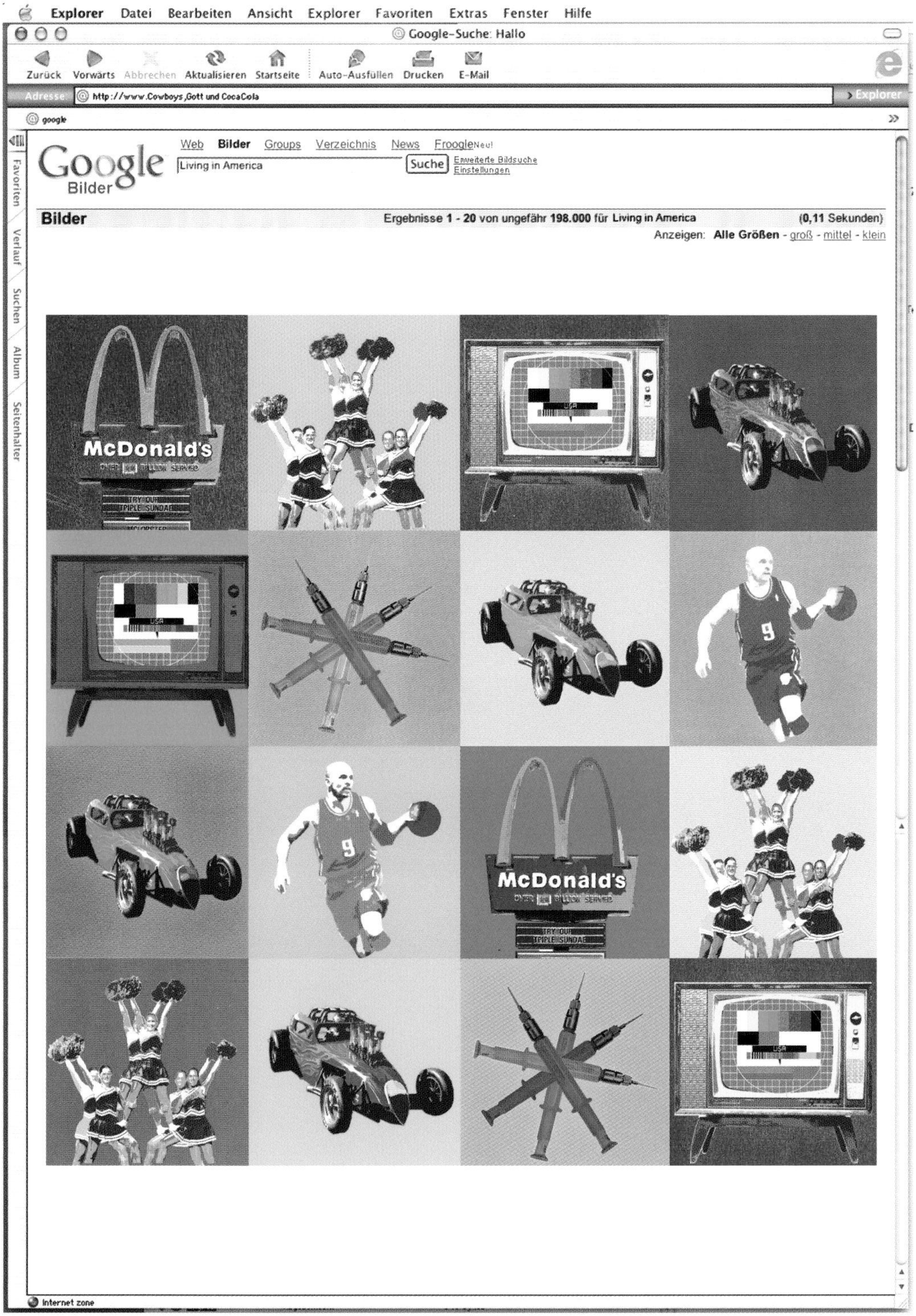
Explorer Datei Bearbeiten Ansicht Explorer Favoriten Extras Fenster Hilfe
Google-Suche: Hallo
Zurück Vorwärts Abbrechen Aktualisieren Startseite Auto-Ausfüllen Drucken E-Mail
Adresse http://www.Cowboys,Gott und CocaCola
Explorer
google
Favoriten Verlauf Suchen Album Seitenhalter
Google Bilder
Web Bilder Groups Verzeichnis News FroogleNeu!
Living in America
Suche
Erweiterte Bildsuche
Einstellungen
Bilder
Ergebnisse 1 - 20 von ungefähr 198.000 für Living in America
(0,11 Sekunden)
Anzeigen: Alle Größen - groß - mittel - klein
McDonald's
TRY OUR TRIPLE SUNDAE
USA
9
McDonald's
TRY OUR TRIPLE SUNDAE
USA
Internet zone

Einwanderungsland mehr – oder höchstens ein unfreiwilliges, weil noch immer viele Menschen illegal kommen. Denn die Zeiten, in denen Siedler und Arbeitskräfte dringend gebraucht wurden, sind vorbei, längst dreht sich die Diskussion vor allem um Arbeitslosigkeit.

Auch durchlässig ist die US-Gesellschaft kaum mehr, der Aufstieg von ganz unten nach ganz oben ist nicht leichter als in anderen etablierten Industrieländern. Karrieren des Typs »vom Tellerwäscher zum Millionär« gibt es vor allem in einer Gesellschaft, die im Umbruch ist, und Amerika war jahrhundertelang in einem heftigen Prozess des Wandels. Das lag an der schieren Größe des vermeintlich »leeren« Kontinents und daran, dass es lange dauerte, bis das Land erobert und erschlossen war. Inzwischen gibt es zwar noch soziale Turbulenzen, doch die Gesellschaft ist fest gefügt und geformt, das verfügbare Land verteilt. Wie damals in Europa, als Hunderttausende auszogen, ihr Glück in der Neuen Welt zu suchen. Dass in Armut lebende Amerikaner nicht in andere Teile der Welt auswandern, liegt vor allem daran, dass der Glaube an den amerikanischen Traum noch immer so stark ist. Das stellte auch die Autorin Barbara Ehrenreich fest, als sie Inkognito als Putzfrau in Luxusvillen arbeitete. Bei ihren Kolleginnen war von Neid auf die Hausbesitzer keine Spur. »Ich denke da immer nur, wow, so was würde ich irgendwann auch mal gerne haben. Es spornt mich an, und ich empfinde überhaupt keinen Hass oder Neid, denn mein Ziel ist ja, dahin zu kommen, wo sie schon sind«, meinte Lori, die im Alter von 22 Jahren eine kaputte Bandscheibe und ein Minus von 8 000 Dollar auf ihrem Konto hat.

Trotz der Armut vieler Büger sind die Vereinigten Staaten jedoch ein reiches Land, und ähnlich wie in Europa geht es heute vor allem darum, den bisher erreichten hohen Lebensstandard zu wahren. Das ist der Begriff von »Freiheit«, der heute von der Regierung vertreten wird. Für die US-Bürger bedeuten »Freiheit« und »Unabhängigkeit« etwas Ähnliches – die Möglichkeit haben, ihr Leben weitgehend unabhängig von Einmischungen so zu gestalten, wie sie wollen.

Aber was bedeutet das alles für uns, für Europa? Lange waren die USA ein Vorbild für Deutschland, nach dem Krieg lieferten sie Unterstützung und Hilfe dabei, ein neues Selbstbild aufzubauen. Diese Rolle scheint nun langsam ausgedient zu haben. Die viel gerühmte »deutsch-amerikanische Freundschaft« weicht immer mehr auf, weil die Generation, die Amerika als Retter in der Not erlebt hat, langsam in die Jahre kommt und sich die USA mit ihrer selbstbewussten Weltmacht-Politik Sympathien verscherzt. Seit Europa immer mehr zusammenwächst und eine stärkere eigene Identität entwickelt, wagt Deutschland es, politisch stärker eigene Wege zu gehen und sich gegen den »großen Bruder« USA zu stellen. Auf dem deutschen Buchmarkt und im Kino ist der Einfluss Amerikas zwar immer noch groß, doch wie in Frankreich wird immer mehr Kritik an der US-Massenkultur laut.

Wir haben viele Fragen an die USA. Wieso unterstützen dort so viele Menschen den umstrittenen Krieg gegen den Irak? Wie lange kann sich das Land noch als Weltmacht behaupten? Wie wird sich das Verhältnis von Europa und den USA entwickeln? Die nächsten fünf bis zehn Jahre werden viele Antworten und viele neue Fragen bringen. Und sicher spannende Entwicklungen, die ihrerseits zu Geschichte werden.

Nachwort

Sanft setzen die Räder der Boeing 747 auf der Landebahn von München auf, dann rollt der Jet zum Terminal. Wie immer ist es ein seltsames Gefühl, wieder hier zu sein. Besonders wenn ich im Südwesten war, wo es noch Wüsten und echte Wildnis gibt. Dann kommt mir Deutschland auf einmal eng vor, die Landschaft unnatürlich aufgeräumt, die Menschen verschlossen und kühl. Bis ich mich nach ein paar Tagen wieder daran gewöhnt habe.

Es ist trotzdem schön, wieder hier zu sein. So manches hat sich seit dem 11. September verändert in den USA. In vielen Dingen ist die Atmosphäre der Angst und Vorsicht noch immer zu spüren. Meine Schwester ist Pilotin, und sie hat mir erzählt, dass ihr Job sehr viel schwieriger geworden ist. Kleine Flugzeuge werden nun als Bedrohung gesehen, Pilotenanwärter werden strengen Überprüfungen unterzogen, neue Sperrgebiete geschaffen. Es wird wohl noch viele Jahre dauern, bis das Trauma allmählich bewältigt ist.

Es war eine spannende Erfahrung, wieder einmal einzutauchen in die Geschichte dieses Landes. Viele Menschen haben mich dabei unterstützt. Danken möchte ich besonders Jürgen Neubauer und Sabine Niemeier vom Campus Verlag für ihre wertvollen Anregungen und meinen Eltern fürs Testlesen und ihre Erinnerungen an die »Amis« im Nachkriegsdeutschland. Danke auch an meine bewährten Testleser Isabel, Sonja, Christian und Ranka sowie den »Seitenspinnern«, die als Allererste Auszüge aus dem Buch zu hören bekommen haben.

Anhang

Zeittafel

vor circa 30 000 Jahren	Asiatische Nomaden, die aus Sibirien kommen, wandern auf den amerikanischen Kontinent und besiedeln ihn.
800 v. Chr. – 500 n. Chr.	Auf dem Gebiet der heutigen USA florieren die Adena-, Hopewell- und Mississippi-Kulturen.
1001	Der Wikinger Leif Erikson gründet eine Siedlung in Neufundland.
1492	Christoph Kolumbus landet auf den Bahamas, einer Inselgruppe in der Nähe des amerikanischen Festlandes.
1497	Der Venezianer Giovanni Caboto (John Cabot) entdeckt Neufundland für die Engländer.
1513	Juan Ponce de León entdeckt die Nordküste des Golfs von Mexiko und nennt die Region Florida.
1539/1540	Hernando de Soto und Francisco Vázquez de Coronado erkunden von Florida aus den nordamerikanischen Kontinent.
1565	Spanier gründen die erste Siedlung auf dem Gebiet der heutigen USA, die Stadt Saint Augustine im Nordosten Floridas.
1587	Siedler gründen Roanoke, die erste englische Niederlassung in Amerika. Die Siedlung verschwindet nach einigen Jahren spurlos.
1607	Unter Führung von John Smith gründet die Virginia Company Jamestown, die erste ständige Siedlung der Engländer in Nordamerika.
1619	Puritaner landen mit der *Mayflower* und gründen ihre Kolonie in Plymouth, Massachusetts.
	Die ersten afrikanischen Sklaven kommen nach Nordamerika.
1626	Niederländer kaufen die Insel Manhattan und gründen die Handelsniederlassung Nieuw Amsterdam, das 1664 von den Engländern erobert und in New York umbenannt wird.
1632	Lord Baltimore gründet die katholische Kolonie Maryland.

1681	William Penn gründet die Kolonie Pennsylvania für seine verfolgten Glaubensbrüder, die Quäker.
1683	Angeworben durch William Penn kommen die ersten deutschen Siedler nach Pennsylvania.
1692	In Salem finden Hexenprozesse statt.
1765	*Stamp Act:* Die Kolonisten protestieren dagegen, Steuern an England zahlen zu müssen, ohne im Parlament vertreten zu sein.
1769	Daniel Boone findet einen Weg über die Berge nach Kentucky.
1773	*Boston Tea Party:* Um gegen neue Steuern zu protestieren, schütten Revolutionäre eine Schiffsladung Tee in den Hafen von Boston. Der Konflikt mit England eskaliert.
1776	Am 4. Juli erklären die Kolonien in Nordamerika ihre Unabhängigkeit von England.
1776–1782	Die englischen Kolonien führen einen Unabhängigkeitskrieg gegen das Mutterland England.
1788	Die Verfassung der USA wird verabschiedet.
1789	George Washington wird der erste Präsident der USA.
1803	Die USA kaufen das riesige Louisiana-Gebiet von Napoleon.
1804–1806	Expedition von Lewis und Clark in die unerforschten Weiten des Westens.
1811	Unter Tecumseh verbünden sich Indianerstämme zum Widerstand gegen die Siedler und werden besiegt.
1812–1814	Britisch-Amerikanischer Krieg, in dem das Kapitol in Washington zerstört wird.
1819	Spanien verkauft Florida an die USA
ab 1830	Auf dem *Santa Fe-* und dem *Oregon-Trail* ziehen Millionen von Siedler mit Planwagen über die *Great Plains* nach Westen.
1835	Nach einem Krieg gegen Mexiko wird Texas unabhängig, 1845 tritt es als neuer Staat den USA bei.
1838	Zwangsumsiedlung der Cherokee (»Trail of Tears«).
1846–1848	Im Krieg gegen Mexiko erobern die USA die späteren Bundesstaaten Kalifornien, Arizona, New Mexico, Utah und Nevada.
1848	In Kalifornien wird Gold gefunden – der Goldrausch beginnt
1850	Der *Fugitive Slave Act* stellt es unter Strafe, entlaufenen Sklaven zu helfen.
1852	Harriett Beecher-Stowe veröffentlicht ihren Roman *Onkel Toms Hütte* und löst im Norden eine Welle des Mitleids mit den Sklaven der Südstaaten aus.

1859	Gegner der Sklaverei versuchen bei Harper's Ferry in West Virginia eine Revolte.
1860	Abraham Lincoln wird zum Präsidenten der USA gewählt. Die Südstaaten treten daraufhin aus der Union aus.
1860–1880	Zeit der »Indianerkriege« im Westen.
1861–1865	Bürgerkrieg zwischen Nord- und Südstaaten.
1863	Mit der *Emancipation Proclamation* erklärt Lincoln die Sklaven in den USA für befreit.
1865	Die Südstaaten kapitulieren, Präsident Lincoln wird ermordet.
1866–1886	Die große Zeit der Cowboys und *Cattle Drives.*
1867	Die USA kaufen Alaska von Russland.
1869	Die Ost-West-Eisenbahnlinie von Chicago nach Sacramento in Kalifornien wird fertiggestellt.
1876	Die Armee-Einheit von General Custer wird am Little Bighorn River von Sitting Bull besiegt, keiner der Soldaten überlebt.
1886	Die Franzosen übergeben den USA die Freiheitsstatue als verspätetes Geschenk zum 100. Geburtstag.
1890	Massaker von Wounded Knee.
	Eine Volkszählung ergibt, dass die *Frontier* nicht mehr existiert.
1898	Im Krieg gegen Spanien erobern die USA die Philippinen und Puerto Rico.
1903	Wilbur und Orville Wright gelingt der erste Motorflug.
1911	Das erste Filmstudio wird in Hollywood gegründet.
1914–1918	Erster Weltkrieg.
1915	Ein deutsches U-Boot versenkt den Luxusliner *Lusitania.* Die Stimmung in den USA wendet sich gegen die Deutschen.
1917	Die USA treten auf Seiten der Alliierten in den Ersten Weltkrieg ein und entscheiden so dessen Ausgang.
1921–1933	Prohibitionsgesetze verbieten Alkohol in den USA. Blütezeit der Mafia.
1927	Charles A. Lindbergh überquert allein und nonstop den Nordatlantik (20./21. Mai).
	Der erste Tonfilm wird gezeigt (*The Jazz Singer*).
1929	Ein großer Börsencrash beendet die Zeit des Wohlstands.
1930–1936	*Great Depression:* In der Weltwirtschaftskrise verlieren Millionen Menschen Arbeit, Heim und Vermögen.

1933	Franklin D. Roosevelt wird Präsident der USA und bekämpft die Wirtschaftskrise mit dem *New Deal*.
1939	Der Zweite Weltkrieg beginnt mit dem Angriff Hitlers auf Polen.
1941	Der Angriff auf Pearl Harbor (7. Dezember) lässt die USA in den Zweiten Weltkrieg eintreten.
1944	Am *D-Day*, dem 6. Juni, landen alliierte Truppen in der Normandie.
1945	12. April: Tod Roosevelts. 8. Mai: Ende des Zweiten Weltkriegs in Europa. 6. August: Die USA werfen eine Atombombe auf Hiroshima. 9. August: Die USA werfen eine Atombombe auf Nagasaki. 14. August: Kriegsende in Asien.
1945–1949	US-Truppen als Besatzungsmacht in Deutschland.
1946–1989	Kalter Krieg zwischen den beiden Weltmächten USA und Sowjetunion.
1947–1952	McCarthy-Ära: Verfolgung von angeblichen Kommunisten in den USA.
1948	Der Wiederaufbau Europas nach dem Marshall-Plan beginnt. Luftbrücke zur Versorgung Berlins.
1950–1953	Koreakrieg.
1954	Beginn der Bürgerrechtsbewegung gegen den Rassismus in den Südstaaten.
1959	Alaska und Hawaii werden als neue Staaten in die Union aufgenommen.
1962	Während der Kubakrise gerät die Welt an den Rand des Dritten Weltkriegs.
1963	Ermordung John F. Kennedys (22. November).
1968	Ermordung Martin Luther Kings (4. April).
1969	Mondlandung von *Apollo 11* (20. Juli).
1964 – 1972	Vietnamkrieg.
1969	Das APRANET, der Vorläufer des Internet, entsteht auf Initiative des US-Verteidigungsministeriums.
1974	Nach dem Watergate-Skandal tritt Präsident Nixon zurück.
1990–1991	Der Irak besetzt Kuwait. Unter Mandat der UNO befreien US-Truppen Kuwait.
2001	Am 11. September zerstören islamistische Terroristen das World Trade Center in New York. Die USA reagieren mit Kriegen gegen Afghanistan und den Irak.

2003 20. März: Nach Ablauf eines Ultimatums an den irakischen Diktator Saddam Hussein greifen die USA um 3.33 Uhr mitteleuropäischer Zeit Bagdad aus der Luft an. Sechs Wochen später werden die Kampfhandlungen offiziell für beendet erklärt, das Land ist jedoch noch lange nicht befriedet, der Kriegszustand dauert noch Jahre an.

2004 Präsident George W. Bush wird im Amt bestätigt (2. November).

Literatur

Aust, Stefan, Cordt Schnibben (Hrsg.): *11. September. Geschichte eines Terrorangriffs.* München 2003.

Brown, Dee: *Begrabt mein Herz an der Biegung des Flusses.* München 1972.

Bryson, Bill: *Made in America.* London 1996.

Ceram, C.W.: *Der erste Amerikaner. Das Rätsel des vor-kolumbischen Indianers.* Reinbek 1978.

Clark, Wesley: *Das andere Amerika. Jenseits von Krieg und falschen Versprechungen.* Berlin 2004.

Cunliffe, Marcus: *American Presidents and the Presidency.* London 1972.

Dudley, William: *America's Decades. The 1960s.* San Diego 2000.

Ehrenreich, Barbara: *Arbeit poor. Unterwegs in der Dienstleistungsgesellschaft.* München 2001.

Etges, Andreas: *John F. Kennedy.* München 2003.

Fischer Weltgeschichte: *Die Vereinigten Staaten von Amerika,* Bd. 30. Frankfurt 1990.

Franklin, Benjamin: *The Autobiography and other Writings 1706–1790.* New York 1986.

Gates, Henry Louis, Jr. (Hrsg.): *The Classic Slave Narratives,* New York 1987.

GEO Epoche: Amerikas Weg zur Weltmacht, 1498–1898, Nr. 11. Hamburg 2003.

Gerdes, Louise I.: *America's Decades. The 1940s.* San Diego 2000.

Herre, Franz: *Die amerikanische Revolution. Geburt einer Weltmacht.* Köln 1976.

Immell, Myra H.: *America's Decades. The 1900s.* San Diego 2000.

Ingstadt, Helge: *Die erste Entdeckung Amerikas. Auf den Spuren der Wikinger.* Frankfurt 1983.

Johnson, Thomas H.: *The Oxford Companion to American History.* New York 1966.

Klumpjan, Hans-Dieter und Helmut: *Thoreau.* Reinbek 1986.

Milner, Clayde A., Carol A. O'Connor, Martha A. Sandweiss (Hrsg.): *The Oxford History of the American West.* New York 1994.

Platt, Thomas Benjamin: *Abraham Lincoln.* Wiesbaden 1955.

Posener, Alan: *Franklin Delano Roosevelt.* Reinbek 1999.

Raeithel, Gert: *Geschichte der Nordamerikanischen Kultur.* Band 1–3. Frankfurt/M., 2. Auflage 1995.

Rimscha, Robert von: *Die Bushs. Weltmacht als Familienerbe.* Frankfurt/New York 2004.
Sandburg, Carl: *Abraham Lincoln.* München 1984.
Tindall, George Brown, David Emory Shi: *America. A Narrative History.* New York, 5. Auflage 1999.
Waldschmidt-Nelson, Britta: *Gegenspieler: Martin Luther King – Malcolm X.* Frankfurt/M. 2000.
Wukovits, John F.: *America's Decades. The 1910s.* San Diego 2000.
Zinn, Howard: *A People's History of the United States.* New York 2001.

Anmerkungen

1 Pedro Castañeda: *The Journey of Coronado.* Ann Arbor 1966 (Original: circa 1545).
2 *Lewis and Clarke's Expedition.* Ann Arbor 1966. (Original: 1814), dt.: Lewis Meriwether und William Clark: *Tagebuch der ersten Expedition zu den Quellen des Missouri, sodann über die Rocky Mountains zur Mündung des Columbia in den Pazifik und zurück, vollbracht in den Jahren 1804–1806.* Ausgewählt, übersetzt und herausgegeben von Friedhelm Rathjen. Frankfurt/Main 2003.
3 Dee Brown: *Begrabt mein Herz an der Biegung des Flusses.* München 1972.
4 E. Gould Buffum: *Six Months in the Gold Mines from a Journal of Three Years Residence in Upper and Lower California 1847–49.* Philadelphia 1850.
5 Henry Louis Gates (Hrsg.): *The Classic Slave Narratives.* Harmondsworth 1987.
6 David M. Brownstone, Irene M. Franck, Douglass L. Brownstone: *Island of Hope, Island of Tears.* New York 1979.
7 Tagebuch Orville Wright, 1903. Homepage der Wright Brothers Aeroplane Co., www.first-to-fly.com.
8 Sarah und A. Elizabeth Delany, Amy Hill Hearth: *Unsere ersten hundert Jahre. Die Delaney-Schwestern erzählen.* München 1995.
9 *Seattle Times*/Homepage der Code Talker, www.lapahie.com.
10 Derrick Bell: *Von der Kunst, erfolgreich zu leben.* München 2003.
11 Neil Armstrong, Edwin E. Aldrin, Michael Collins: *Wir waren die Ersten.* Frankfurt/Main 1970.
12 Walter Capps (Hrsg.): *The Vietnam Reader.* New York 1990.
13 Zeugenaussagen vor der Untersuchungskommission zum 11. September.
14 Aus einem Interview mit Jeff Bezos vom 4. Mai 2001. Homepage der Academy of Achievement, www.achievement.org.

Register

Kursive Ziffern verweisen auf gerasterte Textkästen.

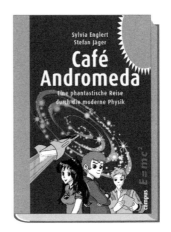

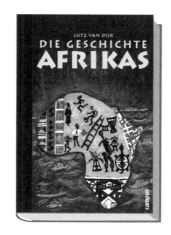

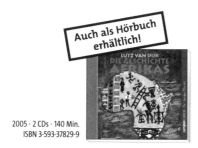